Seit wir beieinander sind

Geschichten – Gedichte – Gedanken über die Liebe

*Herausgegeben
von
Hanne-Lore von Canitz
und
Horst Heidtmann*

Seit wir beieinander sind

*Geschichten – Gedichte –
Gedanken über die Liebe*

*Signal-Verlag
Baden-Baden*

Schutzumschlagentwurf: Werner A. Kilian, Eltville

Zu den Herausgebern:

Hanne-Lore Freifrau von Canitz, geb. 1930, Psychologie-, Kunst- und Literaturstudium, Diplom-Psychologin; u.a. journalistische und klinische Tätigkeiten, Dozentin für Psychologie und Pädagogik; eigene psychotherapeutische Praxis in Köln; literarische und fachwissenschaftliche Veröffentlichungen, Geschichten für Kinder; Bücher u.a. „Droge und Sexualität – Eine Fallstudie" (1973), „Hochleistungssport Sex" (1976), „Väter – die neue Rolle des Mannes in der Familie" (1980/82).

Horst Heidtmann, geb. 1948, Lehre als Groß- und Außenhandelskaufmann, Studium der Germanistik und Arbeitswissenschaft, Dr. phil.; u.a. Lehrtätigkeiten an Schule und Universität; lebt als freier Publizist in Trittau bei Hamburg; Veröffentlichungen zur Kinder- und Jugendliteratur und zur DDR-Literatur; Herausgeber von u.a. „Bitterfisch – Jugend in der DDR" (1982), „Die Verbesserung des Menschen – Märchen aus der DDR" (1982), „Im Kreislauf der Windeln – Frauenprosa aus der DDR" (1982), „Der letzte Frieden – Science-fiction-Geschichten gegen den Krieg" (1983).

CIP-Kurztitelaufnahme der Deutschen Bibliothek

Seit wir beieinander sind : Geschichten – Gedichte –
Gedanken über d. Liebe / hrsg. von
Hanne-Lore von Canitz u. Horst Heidtmann. –
Baden-Baden : Signal-Verlag, 1983.
ISBN 3-7971-0228-4

NE: Canitz, Hanne-Lore von [Hrsg.]

Satz: Typobauer, Liebigstraße 32, 7302 Ostfildern 3
Druck: Druck- und Buchbinderei-Werkstätten May & Co Nachf., Darmstadt
Buchbinderarbeiten: Großbuchbinderei J. Spinner, Ottersweier

Inhaltsverzeichnis

1 *Liebe ist mehr*

Das ABC der Liebe

Wer das ABC will lernen,
muß es lernen bis aufs Z.
ABC, das Buhler lernen,
geht nur bis AB: Aufs Bett.

Friedrich von Logau (1604–1655)

Statt eines Vorwortes:

Was fällt uns zu Liebe ein?

A	Abend, Abschied	anschauen, albern sein, auseinandersetzen, annehmen können, abgeben können, argumentieren, aktiv sein, akzeptieren, anhänglich sein, ankommen
B	Blume, Band, Berührung, Brücke, Begegnung, Bewegung	berühren, beachten, bereit sein, bitten können
C	Charakter	Chaos
D	Düne, Duft, Du, Distanz	danken, denken, (miteinander) durchstehen, diskutieren, Distanz halten
E	Erinnerung, Ehrlichkeit	ertragen, erleben, entscheiden, ermutigen, ehrlich sein
F	Feld, Frühjahr, Freiheit, Frucht, Freude, Fluß, Friede	fragen, Freiheit geben, -nehmen, -lassen, freuen
G	Gras, Geschenk, Geborgenheit, Glück	gemeinsam-alleinsein, geben, glaubwürdig sein, Gefühle haben und zeigen, glauben
H	Hoffnung, Halt, Hände	hoffen, halten, handeln, helfen
I	Innigkeit, Ich, Initiative	Interesse haben, intensiv leben
J	Jubel, Jahreszeiten	jonglieren
K	Kraft	(sich)klar formulieren, kreativ sein, küssen, kennenlernen, Kompromisse schließen
L	Land, Lust, Licht, Leben	loben, lachen, leben lassen, lernen
M	Morgen, Mond, Melodie, Mantel, Mut	miteinander reden, Musik, mögen

N	Nähe	nehmen, (sich) nah sein, necken, natürlich sein, nachgeben können
O	Offenheit	offen sein für, sich öffnen
P	Paar, Pol	Polarität, Partner
Q	Quelle	Qualität, Qual
R	Ruhe, Rose	reden, Rat geben, ratlos sein, Redlichkeit
S	Sand, Sehnsucht, Spiel, Stille	schenken, schweigen, Sensibilität, Sex, streicheln, Schmerz, stützen, standhalten
T	Treue, Traum, Trauer	träumen, tief, trauern, treu sein
U	Ufer, uns	umdenken, unruhig sein
V	Vogel, Vertrautsein	vertrauen, verantwortlich sein, verzeihen können, (bißchen) verrückt sein, Verständnis haben, verwöhnen, verzichten können
W	Wind, Welle, Weite, Wir, Wärme	wachsen, wärmen, wünschen, wollen
Z	Zauber, Zärtlichkeit, Zuhause, Zweifel, Ziel	Zurückhaltung, zusammensein, Zuflucht, zärtlich sein, Zutrauen haben

Unser (unvollständiges) ABC der Liebe hat zwei Autoren, links einen erwachsenen, rechts einen jugendlichen. Beide haben Dinge, Tätigkeiten, Zustände, Gefühle aufgeschrieben, die ihnen spontan beim Wort Liebe eingefallen sind. Das gibt eine Andeutung davon, was zur Liebe gehört, was Liebe sein kann. Die beiden Assoziationsreihen zeigen Gemeinsames, zeigen aber auch Unterschiede. Vielleicht kann dieses ABC weitere, eigene Gedanken anregen, vielleicht kann es neugierig machen, neugierig auf Geschichten, Gedichte, Gedanken über die Liebe, denn Liebe ist mehr ...

GÜNTER DEICKE

Seit wir beieinander sind

Seit wir beieinander sind,
hat die Erde mehr an Freundlichkeit,
ist geringer kalt der Winterwind,
und wir träumen klüger unsre Zeit.

Seit wir beieinander sind,
hat die Stadt ein Schöneres Gesicht,
wie die Heimat, die ich wiederfind;
größer wird im Frühling nun das Licht.

Seit wir beieinander sind,
ist die Liebe anders zwischen zwein,
nicht mehr taub und unbewußt und blind.
Wo wir sind, wird auch die Liebe sein.

2 *Träumen und Schwärmen*

Traumkarte für Christine

Ich höre, du hast geträumt,
ich hätte dir Postkarten geschrieben,
aber nicht gewagt, sie abzuschicken.
Dabei habe ich nicht einmal gewagt,
dir Postkarten zu *schreiben*.
Diese Traumkarte schicke ich jetzt ab.

Arnfried Astel

SIGURD HOEL

Die Erste

„Du bist dumm!“ sagte sie.
Er antwortete nicht.
„O Gott! Du bist so dumm. Du sollst sagen: Ich liebe dich. Und dann sage ich: Ich liebe dich! Und dann mußt du mich küssen. Da kommst du nicht drum herum. Es steht in allen Büchern.“
Sie sah ihn an.
Er sagte nichts.
„Sag: Ich liebe dich!“
„Ich lie . . .“, sagte er. Er konnte es einfach nicht sagen. Es war unmöglich.
„Uff! So ein Bauer. Du bist ein richtiger Bauer!“
Sie schmollte ein wenig. Aber dann fiel ihr etwas ein.
„Sag wenigstens: Ich hab dich gern!“
„Ich hab dich gern!“ sagte er. Das war eine Kleinigkeit.
„Das muß genügen!“ sagte sie. „Es ist zwar nicht richtig, aber es muß genügen. Jetzt kannst du mich küssen.“
„Was? Willst du nicht? O Gott, *kannst* du nicht? Nein, na – küßt du denn deine Mutter nicht?“
„So was ist bei uns nicht üblich“, sagte er. Er war brennend rot und hätte am liebsten geweint.
Sie war erschüttert.
„Nein, ihr Bauern!“ sagte sie. „Das gehört schließlich mit zur allgemeinen Bildung. Paß mal auf –“
Das war so sonderbar. Ihm war noch lange danach sonderbar zumute.
Auch sie wurde etwas schweigsamer. Sie stand da und schlug die Augen nieder.
„Bin ich die Erste, die du gern hast?“ sagte sie.
„Ja!“ sagte er.
Das war gelogen.

„Aha! Sieh an! Der Anders geht mit Mädchen!“ rief Ole und schlug sich auf die Knie und schnupperte mit der Nase wie ein Kaninchen. Und Gunder, Erik und Per schlugen sich auf die Knie:
„Oho! Der Anders geht mit Mädchen! Mit Städterinnen!“ Und Erik schnupperte mit der Nase wie ein Kaninchen. Gunder und Per konnten das nicht.
Sie hatten ihm nachspioniert und gehorcht. Womöglich hatten sie sogar gehört, was sie und er gesagt hatten.

Als er sich das vorstellte, stürzte er sich jäh auf Ole.
Gunder, Erik und Per standen dabei und sahen zu. Erik jubelte: „Oho! Da hat es was gesetzt" – sobald einer von ihnen etwas abbekam.

„Bin ich die Erste, die du gern gehabt hast?" fragte sie.
„Ja!" sagte er. „Ja!"
Sie fragte immer wieder danach, obwohl davon fast nichts in den Büchern stand.
Er wollte erneut antworten; doch sie kam ihm zuvor.
„Nein. Ich glaube dir nicht. Du sollst dir's überlegen. Ich gebe dir fünf Minuten zum Überlegen, und dann sollst du mir antworten. Ich setze mich solange unten an den Strand. Fünf Minuten."
Sie sah auf die Uhr. Sie hatte auch eine Uhr, die ihr an einer langen Kette um den Hals hing, obwohl sie nicht älter war als er.

Die Erste ...
Er erinnerte sich sehr gut an die Erste. Wenn Tora und Kari ihn mit ihr neckten – und das taten sie viele Jahre lang – dann sagte er, es sei gelogen. Aber er erinnerte sich sehr gut an sie.
Es war einmal vor vielen Jahren, und sie hieß Anna.
Sie waren alle in der Stube gewesen, die Hängelampe schien, und im Ofen prasselte das Feuer. Sie saß im Lichtkreis der Lampe. Er mochte sie gern, weil sie braune Augen hatte, und weil sie glatte, runde Wangen hatte, die rot wie Äpfel waren. Er saß bei jemandem auf dem Arm, es muß wohl Mutter gewesen sein, aber er wollte hinüber auf ihren Arm. Sie hatte ihn gern, doch dann lachten die anderen sie aus, seine Schwestern – oder vielleicht auch jemand anderes. Es waren sicher andere, die sie auslachten, denn er erinnerte sich, daß sowohl Tora als auch Kari steif auf dem Sofa saßen, weil ihnen erlaubt worden war, mit in der Stube zu sein. Als die anderen lachten, konnte sie ihn nicht mehr leiden und wollte ihn nicht haben. Er streckte die Arme nach ihr aus, und als sie auswich, schrie er und jammerte, er wolle zu ihr. Die anderen lachten, und sie konnte ihn noch weniger leiden als vorher, und er streckte die Arme aus und schrie.
Sie ließ ihn im Stich, weil die anderen lachten.
Sie war die Erste.

Die Zweite – das war lange danach. Mindestens ein Jahr, vielleicht zwei. Auch das war zu Weihnachten. Tora hatte eine Freundin namens Guri zu Besuch. Tora, Kari und Guri sollten bei den Nachbarn Knecht Ruprecht spielen und gingen hinauf in die Kammer, um sich zu verkleiden.
Er kletterte die Treppe hinauf ihnen nach. Er hatte Guri gern, weil sie große

Backenknochen und schräge Augen hatte, und er wollte sehen, wenn sie sich auszog.
Er kam bis an die Tür, richtete sich auf und guckte durch das Schlüsselloch.
Aber Tora hatte ihn gehört. Er hatte Guri nur eben gerade erspäht, als Tora auch schon die Tür aufriß, und da stand er.
Sie machten ihm eine Nase: „Äh, bä, du guckst also durchs Schlüsselloch!"
Sie lachten alle drei über ihn.
Das war die Zweite. Es schmerzte lange.

Die Dritte – die ließ *er* im Stich, weil die anderen lachten.
Es war lange danach, er ging bereits in die Schule.
Sie hieß Eva und war schön.
Tora und Kari sagten, sie sei schlecht. Aber er merkte wohl, daß sie neidisch waren und daß Eva, die so schön war, unmöglich schlecht sein konnte.
Eva flüsterte ihm oft in der Stunde zu, wenn sie nicht wußte, was sie antworten sollte. Sie saß in derselben Bankreihe wie er, aber auf der anderen Seite des Mittelganges. Er wagte nicht zu antworten, wagte es aber auch nicht zu unterlassen.
Sie rief jeden Tag an und fragte nach den Schularbeiten, und allmählich begriff er, daß sie ihn gern hatte. Das heißt, ganz sicher war er nicht, denn sie war ziemlich dumm, ja, im Grunde genommen schrecklich dumm, vielleicht erinnerte sie sich also tatsächlich nicht an die Schularbeiten.
Tora und Kari aber waren sicher, besonders Tora. Sie lachte, wenn Eva anrief, und neckte ihn und erzählte, wie schlecht Eva sei. Sie habe einen Bruder, der so schlecht sei, daß sie nicht wüßten, was sie mit ihm anfangen sollten, denn er stelle sich am Weg auf und nenne die Leute . . .
Und nun rufe Eva ihn jeden Tag an! Hahahahaha!
Kari verließ sich auf Tora und lachte ebenfalls: Hahahahaha!
Sie tanzten um ihn herum: Hahahaha! Eva rufe ihn jeden Tag an! Hahahahaha!
Er schämte sich. Sie lachten ihn aus, und er verstand, daß es eine Schande war, und schämte sich. Wenn Eva anrief, hörte er ihrer Stimme an, daß sie ihn gern gefragt hätte, ob sie sich nicht treffen und zusammen Schlittschuhlaufen gehen wollten. Er hätte es so gern getan, aber Tora und Kari standen neben ihm und zitterten vor Schadenfreue, und da schämte er sich, wurde wütend auf Eva und sagte nichts.
„Ich finde, du solltest ihr sagen, daß sie damit aufhören soll, dich anzurufen!" sagte Tora eines Tages.
Von da an sagte sie das jeden Tag, wenn sie genug gelacht hatte.
Mutter sagte dasselbe. Tora hatte ihr gegenüber geklatscht.
Ihm war klar, daß er etwas unternehmen mußte. Und eines Tages, als sie

anrief, und sowohl Tora als Kari neben ihm standen, sagt er es:
„Ich finde, du solltest aufhören anzurufen!"
Eva sagte nichts. Nur ein „Oh" im Telefon, und mehr nicht.
Er blieb stehen, den Hörer in der Hand.
Tora und Kari waren so still geworden.
„Häng doch den Hörer endlich an!" sagte Tora, ohne ihn anzusehen.
Dann sagte sie: „Das geschieht ihr ganz recht! Dauernd so anzurufen ..."
Den Rest des Tages hielten sie sich jeder für sich.
Sie flüsterte ihm seitdem nie mehr zu. Sie sah ihn nie an. Sie telefonierte nie mehr.
Später zogen ihre Eltern fort, und er sah sie nie wieder. Aber er konnte sie nicht vergessen.
Jedesmal, wenn er etwas Jämmerliches getan hatte, mußte er an sie denken.

Vielleicht war Gunvor nicht die Vierte. Nein, sicher nicht, es hatte dazwischen andere gegeben. Aber wer konnte sich an alles erinnern? Er nicht. Manchmal erinnerte er sich an Dinge, dann vergaß er sie wieder. Man konnte schließlich nicht dauernd nur an Mädchen denken.
Gunvor war nicht die Vierte, auch nicht die Fünfte. Aber solange es dauerte, war sie die einzige. Oder jedenfalls die größte.
Sie wußte nie etwas davon.
Oder wußte sie es?
Er wünschte sich, daß sie es wüßte – nein, daß sie es nicht wüßte.
Daß er sich nie dazu überwinden konnte, es ihr zu sagen, oder zu zeigen ...
Aber das war so unmöglich. Sie war über ein Jahr älter als er, sie saß in der Schule weit von ihm entfernt, drei Plätze nach links und zwei Reihen weiter.
Er erinnerte sich ihrer immer vom Rücken her, und ein wenig von der Seite – ihre Wange und der Nacken.
Und manchmal mußte er auch an die krumme, zierliche Nase denken, wenn sie während der Stunde den Kopf ein wenig drehte, oder wenn sie dastand und sich wand, weil sie abgehört wurde und nichts konnte. Das kam oft vor. Sie war etwas dumm.
Sie hatte nichts Besonderes an sich, das wußte er wohl. Er hatte es die ganze Zeit gewußt; aber das machte es nicht besser. Nur noch schwerer.
Es ließ sich übrigens auch nichts Besonderes über sie sagen. Sie war lediglich nicht sonderlich klug, nicht weiter sonderbar. Sie war nicht einmal schlecht.
Nie sagte sie etwas Unerwartetes. Wenn sie einen Satz begann, wußte man immer gleich den ganzen Satz, und oft auch schon viele folgende Sätze – und sie sagte sie dann, wiederholte sie gewissermaßen.
Aber sie hatte eine so hübsche Stimme.

Es half nicht, daß sie dumm war. Das änderte überhaupt nichts.
Er hatte angefangen Romane zu lesen und wußte: es war Schicksal.
Die anderen waren auch in sie verliebt. Es kam vor, daß sie sich um sie schlugen, bis das Blut rann. Einige von ihnen wohnten in derselben Gegend wie sie und hatten denselben Schulweg. Der Gedanke daran war sehr schmerzlich. Sie konnten jeden Tag mit ihr zusammen gehen.
Worüber sprachen sie mit ihr? Worüber in aller Welt sprachen sie mit ihr?
Wenn er sich vorstellte, daß er selbst mit ihr zusammen war und etwas sagen sollte, dann lief es ihm kalt den Rücken herunter.
Sie? Sie würde ihn lediglich mit ihren hübschen, dummen Augen ansehen und darauf warten, daß er etwas sagte.
Es war fast ein Trost, zu wissen, daß das, ausgerechnet das, nie geschah. Er kam nie dazu, mit ihr zu sprechen. Sie saß so sicher und beruhigend weit weg – drei Plätze nach links und zwei Reihen weiter – und denselben Schulweg hatten sie auch nicht.
Wenn er ihr, in den Pausen oder so, hin und wieder begegnete, dann war es ihm nicht möglich, etwas zu sagen. Es war unmöglich. Er fing an zu schwitzen und wünschte, er wäre tot. Schließlich fiel ihm etwas ein, und er ging seines Weges - oder er rannte. Es kam vor, daß er davonrannte ...
Und dann kam jetzt im Sommer dieser Ausflug auf die Alm.
Wie Vater darauf verfallen konnte, die Almhütte für den Schulausflug zur Verfügung zu stellen ...
Er erinnerte sich an den ganzen Tag. Erinnerte sich an sie und an alle Jungen um sie herum.
Auf dem Rückweg ging sie auf einmal neben ihm. Er war größer als sie, das hatte er bisher nicht gewußt. Sie sah ihn im Gehen an. Er dachte, daß ihre hübschen Augen vielleicht doch nicht so dumm waren.
Sie lächelte: „Du bist so still!“
Verzweifelt rief er: „Ich habe etwas vergessen!“, machte kehrt und rannte wieder bergan. Den langen, steilen Almweg hinauf bis zur Hütte.
Er hatte nichts vergessen.
Er rannte so ausdauernd, daß er das Gefühl hatte zu zerspringen.
Er brachte die Einzäunung hinter sich, warf sich auf der Almwiese auf einer Böschung hin. Es war, als hätte er etwas gefunden – wenigstens eine Zuflucht. Er hatte einen salzigen Blutgeschmack im Mund. Dort lag er, wurde ruhig, setzte sich auf und zupfte Sauerampfer im Gras. Dann meldete sich das ewige, quälende Gefühl – daß dies schon früher einmal passiert war. Daß es vor langer Zeit passiert war ... er hatte hier gelegen, und sie war dort unten gegangen, hatte gelächelt, als er kehrtmachte und wieder hinauflief, war zu den anderen gegangen ... Er sah es. Er hatte es gesehen.

WIR

Er blieb liegen, bis sein Atem ruhig ging. Dann schlenderte er wieder den Weg hinunter.
Erleichtert, verzweifelt und schamvoll sah er, wem sie sich angeschlossen hatte. Ihm, ja, das wußte er schon von früher her.
Wußte er es? Vielleicht hatte er es sich bloß gewünscht...
Das war jetzt vierzehn Tage her.

„Na", sagte sie. „Hast du dir's jetzt überlegt?"
Er hatte sie vergessen.
Die fünf Minuten waren also jetzt vergangen.
„Ja", sagte er. „Ich habe überlegt..."
„So? Na und?"
Falls sie die Erste war, würde sie ihm um den Hals fallen, sich an ihn drücken und ihn küssen.
Sie stand da und sah ihn mit großen, stillen Augen an.
„Du bist die Erste", sagte er.

Er war ihr Ritter. Er würde ihr ein Schloß bauen und ihr ein Reitpferd kaufen. Und einen Falken, einen Jagdfalken.
Sie war ganz versessen auf das Reitpferd. Es sollte eine schwarze, flatternde Mähne haben und in großen Wäldern auf dunklen Pfaden dahingaloppieren. Aber dann fiel ihr ein, daß er wahrscheinlich doch nicht ihr Auserwählter sein konnte, denn ihre Mutter hatte gesagt, mit weniger als achttausend ginge es nicht an zu heiraten, denn drei Zimmer, Mädchenzimmer und Küche müsse man wenigstens haben. Und er, dieser Bauer, wußte sicher nicht einmal, was ein Mädchenzimmer eigentlich war. Und achttausend –!
Sie sprach oft von Bauern und benahm sich so dumm, daß er Lust verspürte, ihr eine Ohrfeige zu geben.

Gestern sind die Städter abgereist, die bei Bergs wohnten!" sagten sie in der Küche.
Gestern sind sie abgereist.
Sie hatte sich nicht gezeigt. Sie hatte kein Wort gesagt.
Der Küchenfußboden wurde auf einmal so riesig groß. Er durchquerte den Raum und verschwand.
Am selben Tage erhielt er einen Brief von ihr.

Lieber Anders.
Jetzt müssen wir abreisen. Ich muß wieder in die Stadt und in die Schule, und davor graut mir. Ich soll in der dritten Mittelschulklasse anfangen und eine Menge Deutsch schreiben, aber das verstehst Du nicht. Ich werde an Dich

denken. Du mußt eine Menge an mich denken und sollst nie an eine andere denken.

Deine Alfhild.

Das war der erste Brief, den er je mit der Post bekommen hatte. Er trug ihn in der Hosentasche, die Hand um das Papier geschlossen, und holte ihn hervor und las ihn und trug ihn wieder in der Hosentasche mit sich herum, bis nur eine schwarze, dünne Rolle davon übrig war.
Dann war der Brief verschwunden, und er wußte nicht, wo er geblieben war.

LUTZ RATHENOW

Heiraten ist blöd

„Heiraten ist blöd."
Sie zerkaut den Grashalm.
„Denk ich auch, ein Stempel, mehr nicht."
Bertram neben ihr im Gras.
„Und ein Schein."
Die Decke unter beiden.
„Und zwei Ringe."
Die Decke aus Vaters Volkswagen.
„Und eine schöne Fete."
„Feier."
„Ist doch egal."
„Nee, Fete ist mit Freunden, Hochzeit mit Verwandtschaft."
Die besonders weiche Decke.
„Geht auch mit Freunden."
„Da streikt die Verwandtschaft."
„Ist uns doch egal."
Seine Hand auf ihrer Hand.
„Mir langt schon der Anzug. Und eine Krawatte, die nicht paßt."
„Und Schuhe, die drücken."
„Ach, so ein weißes Kleid wäre nicht schlecht."
Sie läßt den Halm fallen.
„Einen Anzug erst zu meiner Beerdigung."
„Ich geh dann in schwarz. So ein schönes langes, mit was vorm Gesicht. Schwarz steht mir."
„Heulend wirst du hinter meinem Sarg schreiten."
„Aber das Make-up darf nicht verwischt werden. Schließlich bin ich Witwe und muß mir einen Neuen angeln."
Ihre Hand auf seiner Hand.

„Finde ich unfein zu meiner Beerdigung."
„Du darfst das im umgekehrten Falle auch."
„Ich werde vor Trauer zugrunde gehen."
„Fang lieber an zu sparen, die vielen Kleider, ich will sie natürlich maßgeschneidert."
Seine Hand auf ihrem Haar.
„Versteht sich. Und zwischendurch lassen wir uns dreimal scheiden, damit es mehr zu feiern gibt."
„Und vier Kinder."
Ihre Hand auf seiner Brust.
„Gleich vier?"
„Nein, fünf."
„Sechs."
„Neun."
Oben der fleckige Himmel.
„Und wenn es uns ankotzt, hauen wir ab. Ins Gebirge, wir suchen uns eine Höhle."
„Einen Bungalow."
„An einem Waldsee."
„Mit ganz klarem Wasser und eigenem Segelboot."
Der Pullover neben ihr im Gras.
„Wir besetzen einfach eins."
„Wenn jemand kommt, spielen wir Gespenst und verjagen alle."
Die Hose neben ihm.
„Außer, wenn ein sehr schönes Mädchen dabei ist."
„Außer, wenn ein sehr hübscher Mann dabei ist."
Die blasse Haut auf der braunen Decke.
Wie das riecht, denkt er.
Die Wolken sind ganz zerzaust, denkt sie.

„Ist es nicht schön, wenn zwei junge Menschen sich näherkommen?"

SUSANNE GRIMM

Traum-Idol

Ich denke an Dich,
wenn ich träume.
Ich denke an Dich,
wenn ich lache
oder weine –
wenn ich bei Dir bin,
denke ich an
meine ungelöste
Mathematikhausaufgabe.

HELMA FEHRMANN UND PETER WEISMANN

Das bin alles ich

Ich träume, ich kann fliegen.
Ich fliege über Wälder und Seen. Ich bin nackt. Langsam schwebe ich herunter. Ich segle dicht über den Baumspitzen. Die Blätter kitzeln mir den Bauch und streicheln meine Musch.
Ich mache eine Zwischenlandung auf einer Wolke. Ich rutsche auf ihr rum. Es ist weich.
Ich fliege über einen See. Ich kann mich spiegeln in ihm. Ich drehe mich und sehe mich von allen Seiten. Ich guck mir in die Augen und verliebe mich in mich und tauche zu mir in mein Spiegelbild.

„Wie du wieder aussiehst!"
In den Augen meiner Mutter sehe ich ganz anders aus. In ihren Augen sehe ich nicht so schön aus.
Wenn ich mich gut finde, sieht sie mich böse an. Als ob ich etwas tue, was nicht erlaubt ist. Ich fühle mich ertappt. Ihre Augen stören mich.
Sie ist nicht in mich verliebt. Das sehe ich in ihren Augen.
Wenn ich nackt bin, guckt sie nicht hin. Als ob sie nicht sehen will, daß ich nackt bin, daß ich einen Arsch habe, Busen, Haut und eine Musch.
Meine Musch übersieht sie ganz sicher.
Ich sehe sie mir im Spiegel an. Ich mache sie mit den Fingern auf. Ich mag, wie es weich und feucht ist. Und wie es riecht.
Das bin alles ich.
Da gehts rein in mich.

Manchmal denke ich, ich sehe etwas Verbotenes.
„Das ist sehr empfindlich und tut sehr weh, wenn es sich entzündet. Faß da nicht rein", hat meine Mutter früher gesagt.
Manchmal denke ich, ich sehe etwas Verschwiegenes. Meine Mutter verschweigt es jedenfalls. Sie hat nicht mal einen Namen dafür. Sie sagt nur: da unten. Und auch nur, wenns sein muß. Wenns um meine Tage geht. Und wenns um Sauberkeit geht. „Das ist dein Waschlappen für unten."
Wenn sie von „da unten" redet, krieg ich ein komisches Gefühl. Als wär die Musch nur für Sauberkeit und die Tage und fürs Kinderkriegen da.
Vielleicht kann sie ihre Musch nicht leiden.
„Sieht deine auch so aus?"
„Riech mal. Riecht das bei dir auch so?"
Das hab ich früher mit meiner Freundin oft gemacht.
„Heb dir das für später auf!" sagt meine Mutter. Als ob ich meine Musch weglegen kann. Und wenn der Richtige kommt, dann darf ich sie wieder haben.
Und was hab ich solange von ihr? Ich will sie jetzt haben.
Weil sie weich ist.
Weil sie warm ist.
Weil es schön ist, wenn ich sie streichel.
Weil ich spüre, wie sie gruschelig und heiß wird.
Weil es ein schöner Schauer ist, wenn ich am Kitzler reibe und meine Musch von innen spüre.
Weil es warme Wellen macht im Bauch und auf der ganzen Haut.
Weil es so ist, wie im Traum, wenn ich fliege und die Blätter vom Baum streicheln meinen Bauch und meine Musch.

BRIGITTA REINKEN

Auf meinem Turm

Ich stehe hier auf meinem Turm, und betrachte das Leben –
Menschen sehe ich, alle fünf Sinne in Beton eingegossen –
eingemauerte Litfaßsäulen
mit einem Schlitz versehen, wie die Pappfiguren der Rosenmontagszüge, damit sie nicht stolpern, auf ihrer schier endlosen Suche –
außen sind dann die Plakate angebracht. Grelle Aushängeschilder ihres Seins: Sie zeigen, braungebrannte Schönheiten am Strand oder an der Bar, Filmdiva im Negligé oder Abendkleid –

vollbusig, sinnlich oder intellektuell – bauchige Champagnerflaschen gefüllt mit Mineralwasser (Hauptsache doch, es klingelt im Glas),
Vamp oder brav, für jeden etwas, gut und bunt und immer lustig.
Gutgebaute 18jährige – Helmut 18/179 – Karin 19/164 ein wenig schüchtern – Claus schlank und sportlich.
... sucht ... sucht ... sucht ... sucht ... sucht ...!

Darunter das Preisschild, sich nur nicht unter dem Wert verkaufen,
Schlußverkauf, erst ab zwanzig ...?
Manche haben sich ein paar einsame Gaffer arrangiert, so ...
um die Säule drapiert – wo schon zwei gucken, schaut vielleicht – der? ... die? ... Dritte – Konkurrenz hebt's Geschäft, nicht wahr, und es ist schon ein Geschäft, das Leben, nicht wahr, und ein recht hartes ...
Es ist kein Spiel, andere für sich zu gewinnen, sie hin- und her- und auszuspielen – Nur keine Gefühle zeigen, alles bewahren, nicht sagen, was man empfindet – zu riskant – und dann ...
Nach reiflichem Überlegen, Nachdenken und Preisvergleich wird etwas „Passendes" gefunden ... und dann ...
Hurra – die Mauern fallen.
Das, was zwei völlig Fremde, bis jetzt so trefflich voreinander bewahrte, wird gesprengt und eingerissen – sie stehen nackt, und kennen sich doch nicht, werden sich nie begreifen, so schutzlos voreinander und so aufeinander angewiesen. –
Ich stehe hier auf meinem Turm, hilflos, und wünsche mir, sie würden langsam, bedächtig, Stein für Stein die Mauern abtragen, jeden einzelnen besetzen und ihre Sinne wachklopfen.
Vielleicht hätten sie dann eine Chance?

Ich stehe hier auf meinem Turm, ein bißchen traurig, ein bißchen sehr allein, und denke: – ohne mich!
– Aber, wenn ich angestrengt den Horizont absuche, finde ich doch mehr und mehr Türme, wie Champignons aus dem Boden sprießend, weit entfernt, manche stecknadelgroß,
und man braucht schon ein Mikrophon oder eine sehr kräftige Stimme oder sehr viel Mut – und sehr empfindliche Fühler, um mit ihnen Kontakt aufzunehmen.

Ich stehe hier auf meinem Turm und rufe, Hallo, Ihr auch???
Winke ihnen zu und hoffe!

3 *Entflammen und Entdecken*

Zweieinigkeit

Wenn wir uns verlieren,
um uns zu finden –
uns entdecken,
um uns zu genießen –
dann hab ich manchmal
Angst,
daß wir zuviel entdecken –
und zuviel verlieren.

Susanne Grimm

GUNNEL LINDE

Viel zu jung für die Liebe ...

Wenn etwas Schönes anfängt, wird es plötzlich immer mehr und mehr, es taucht überall auf, und man kommt aus dem Staunen nicht heraus. Eines Tages, als ich von der Schule nach Hause schlenderte und in die Schaufenster guckte, hing eine Illustrierte im Tabakwarenladen. Eine mit zwei kleinen Kindern auf dem Titelbild. Sie standen eng aneinandergepreßt, Bauch an Bauch, und küßten sich! Ein kleiner Junge und ein kleines Mädchen. Ich dachte an Pelle und mich, als ich das Bild sah. Ich dachte daran, daß alle Leute glaubten, wir wären zu jung, um uns richtig liebhaben zu können. Daß wir uns noch nicht geküßt hatten. Dann ging ich nach Hause und legte mich aufs Bett und dachte an das Bild.

Da klingelte jemand an der Haustür. Ich rührte mich nicht, ich hatte nämlich keine Zeit. Ich mußte an mein Bild denken. Mama brüllte, Jeppe schrie, er sei auf dem Klo, und Vesle lief hin. Ich hörte, daß sie einer Jungenstimme aufmachte, die kurz mit ihr sprach. Die Stimme kam die Treppe herauf. Sie sagte: „Nein, ich will es selbst abgeben. Wo ist sie denn?"

Plötzlich stand Pelle in der Tür, und Vesle war auch im Zimmer.

„Ist das der, der Pelle heißt?" fragte Vesle.

Als ob *sie* seinen Namen wissen müßte! *Sie*, die ihn doch noch nie gesehen hatte! Jetzt konnte er sich natürlich denken, daß ich über ihn gesprochen hatte!

Mama glaubte, er sei der Laufbursche vom Elektriker, der den Staubsauger abholen wollte. Sie kam damit angeschleppt und drückte Pelle den ganzen Kram wortlos in die Hand. Und dann kam Jeppe aus dem Klo herausgebraust und schrie: „Was ist hier los?"

Pelle blieb einfach stehen und sagte nichts. Wahrscheinlich hatte er vollauf damit zu tun, nicht rot zu werden, nicht davonzulaufen und sich nicht zu blamieren. Da konnte er ja nicht auch noch etwas sagen. Am liebsten hätte ich die anderen alle zum Fenster hinausgeworfen, aber nicht so, daß Pelle es sah.

Plötzlich sagte Pelle: „Aha, hier soll also gestaubsaugt werden? Und dabei kann ich das überhaupt nicht! Vielleicht krieg ich es hin, wenn ich es in irgendeinem ganz kleinen Zimmer versuchen darf ... und wenn niemand zuschaut!"

Da traten Mama und Vesle den Rückzug an, nur Jeppe nicht. Ihn mußte Pelle rauswerfen. Und dann stand er da mit seinem Staubsauger.

Jetzt sahen Pelle und ich uns ganz alleine an. Ohne alle Leute, die einen dauernd unterbrechen und mit einem reden wollen. Es war ein anstrengender

Augenblick. Wie wenn man von vorne überfahren wird. Pelle lachte überhaupt nicht. Ich auch nicht. Schließlich setzte ich mich aufs Bett. Da schaltete Pelle den Staubsauger an. Er begann in einer Ecke und staubsaugte sich an der Wand entlang bis an das Bett. Dann staubsaugte er an meinem Bein herauf und dann an meinem Pulli, bis der Staubsauger fast erstickte.
Endlich begann er wieder zu lachen! Er versuchte, mich ganz und gar zu staubsaugen. Ich mußte mit dem Staubsauger kämpfen. Als wir den Pulli herausgezogen hatten und das Mundstück wieder Luft schlürfen konnte, wollte Pelle mir den Pulliärmel ausziehen, damit er zu einem Rüssel wurde. Der Pulliärmel sei auch ein Staubsauger, behauptete Pelle, und jetzt müßten beide Staubsauger sich begrüßen. Aber ich streckte schnell die Hand wieder durch den Ärmel, bevor Pelle dazu kam, ihn aufzusaugen. Da setzte Pelle sich neben mich auf die Bettkante und fragte: „Hast du das neue ‚Heimjournal' schon gesehen?"
„Jaa."
„Woran hast du gedacht, als du das Bild gesehen hast?"
„Also, ich mußte an das Lied denken: ‚Viel zu jung für die Liebe, und doch schon verliebt . . .'"
Und dann küßten wir uns nicht. Wir sahen uns nur hundert Augenblicke lang an – ohne zu lachen. Ich habe Pelle noch nie so ernst gesehen, weder zuvor noch danach.
Der Staubsauger saugte plötzlich meine Halsketten auf der Kommode in sich hinein. Wir machten ihn aus, und Pelle stand auf. Er öffnete die Tür und ging hinaus. Draußen war kein Mensch zu sehen. Alle waren vom Erdboden verschluckt oder einkaufen gegangen.
Jetzt wußten wir nicht mehr, was wir tun sollten. Wir gingen ins Wohnzimmer und machten das Radio an. Und was kam? Genau das! „Viel zu jung für die Liebe . . .!"
Langsam glaubte ich, daß Mama vielleicht doch recht hatte, wenn sie behauptete, die Zeit der Wunder sei noch nicht vorbei. Und sie muß ja eigentlich wissen, wovon sie spricht. (Mama ist einmal vom vierten Stock aus dem Fenster gefallen, als sie vier Jahre alt war und ihre Porzellankatze retten wollte, die zuerst hinausfiel. Aber die Hausmeistersfrau hatte direkt unterhalb des Fensters ihr Bettzeug zum Lüften ausgebreitet, so war Mama mit heiler Haut davongekommen.
„Ihr könnt euch gar nicht vorstellen, wie herrlich es war, aus dem Fenster zu fallen", sagt Mama. Seither ist sie immer so leichtsinnig.)
Pelle und ich setzten uns wieder hin. Aufs Sofa. Pelle behauptet, ich hätte ihn das erstemal geküßt. Aber ich behaupte, daß er es war, der mich küßte. Es ging so schnell, daß wir kaum wußten, wie es geschah.

Von da an begann Pelle, mich ab und zu zu besuchen. Jedesmal, wenn er kam, hatte er ein Agaton-Sax-Buch dabei. Und jedesmal, wenn er ging, nahm er es wieder mit. Manchmal tat ich so, als wolle ich das Buch in mein Regal stellen, doch da nahm Pelle es wieder heraus und sagte, er brauche Lektüre für den Heimweg. Mama nannte ihn den Buchträger. Und Vesle schleppte überall ein Buch mit sich herum. „Der kleine Bär und seine Freundin." Sie behauptete, Pelle würde auf sie abfärben.

In der Schule war alles ganz anders. Ich konnte mich nicht daran gewöhnen, daß Pelle in meiner Klasse war. In der Schule war er ein ganz anderer Pelle. Ein Rührmichnichtan-Pelle, der mir ganz schrecklich auf die Nerven ging. Ich mußte die ganze Zeit zeichnen, um ruhig zu bleiben. Das tue ich sowieso immer, um nicht einzuschlafen, wenn die Lehrer ihre Werweißammeisten-Schau abziehen. Wenn ich zeichne, kann ich besser zuhören. Seit der Sache mit Pelle begann ich eine neue Art Mädchen zu zeichnen – nicht mehr die üblichen dämlichen Typen. Jetzt zeichnete ich schöne Wildinnen mit wehenden Haaren, die mit dem ganzen Körper tanzten. Aber wenn ich die zeichnete, konnte ich überhaupt nicht mehr aufpassen, weil es unerhört wichtig war, daß sie genauso wurden, wie ich es mir vorgestellt hatte. Die Lehrer waren nur noch ein weit entferntes Säuseln. Der Zeichenlehrer war der einzige, den ich wahrnahm. Er sagte, ich hätte noch nie so gut gezeichnet. Und der Schwedischlehrer wollte mir eine Miniwildin abkaufen, die er hinten im Aufsatzheft gefunden hatte. Ende des Schuljahres bekam ich in Zeichnen und Schwedisch eine bessere Note, in Mathe dagegen eine schlechtere. Ich mußte nämlich allen Zahlen Gesichter zeichnen, bevor ich mit ihnen rechnen konnte. Und wenn die Zahlen nicht die gleiche Nase hatte wie Pelle, mußte ich sie ausradieren und nochmal zeichnen. Mit der Zeit wurden die Nasen besser.

Gleichzeitig wurden alle Menschen freundlicher. Ausgerechnet zu mir. Die Lehrer fuhren mit durchs Haar und lachten mir zu. Manche Menschen begannen mir schon von weitem zuzulächeln, wenn ich auf der Straße ging. Wahrscheinlich lief ich, ohne es zu wissen, mit einem glücklichen Gesicht herum. Und die Jungen in der Klasse veränderten sich. Sie redeten auf einmal so mit mir, als ob ich Carina wäre, der Star unserer Klasse. Plötzlich wollten sie, daß ich ihnen die Hausaufgaben zeigte.

Bertil führte neuerdings seinen jungen Dackel in meiner Straße aus. Das fand ich ziemlich komisch, wo er ja in einer ganz anderen Gegend wohnt. Den wahren Grund kapierte ich nicht. Vesle, die immer hinausrennt und alle jungen Hunde streichelt, kam herein und verkündete, Bertil ginge nur wegen mir draußen spazieren. Er wollte, daß ich hinauskommen und Topsie anschauen sollte.

„Ich kann doch nicht hinausgehen und Bertils jungen Hund streicheln, wenn Pelle derjenige ist, den ich gern habe", erklärte ich. „Du mußt ihm sagen, daß ich keine Dackel mag."
„Sag ihm, diese wandelnden Brotlaibe sind das Schlimmste, das wir kennen", schlug Pelle vor.
„Nein, er kann einem ja leid tun", sagte ich. „Bring es ihm so nett wie möglich bei." Aber Vesle sagte nichts von alledem.
„Ich habe gesagt, du sitzt gerade in der Badewanne", berichtete sie. Und das nächstemal sagte sie, ich schliefe, und dann, daß ich gerade Mandelschnitten backe.
„Du spinnst wohl!" sagte ich schließlich zu ihr. „Stell dir vor, wenn er jetzt hereinkommen will!"
„Ja, das wollte er auch, aber ich sagte, die Mandelschnitten wären für unseren Besuch. Aber er kann doch trotzdem wenigstens eine klitzekleine Mandelschnitte bekommen? Bitte!" bat Vesle.
„Wir haben doch gar keine Mandelschnitten! Die hast du doch bloß erfunden!"
„Ach ja, stimmt", sagte Vesle enttäuscht.
Beim nächstenmal klemmte sie sich „Der kleine Bär und seine Freundin" unter den Arm, als sie hinausging, um den jungen Hund zu streicheln. Ich fragte, wozu das denn gut sein sollte. Vesle erklärte, daß Pelle immer mit einem Buch unter dem Arm zu uns käme. Dann müßte sie Bertil nicht extra klarmachen, daß Pelle mein Freund sei.
„Und was tust du, wenn dir keine Ausreden mehr einfallen?" erkundigte ich mich.
„Dann weine ich", sagte Vesle. „Du mußt ihn gern haben. Nur ein kleines bißchen, ja? Nur das nächstemal?!"
„Aber das kann ich nicht", sagte ich. „Das geht nicht. Ich mag nur Pelle. Nur, nur, nur Pelle!"
Ich wurde doch etwas ängstlich, als ich Vesle so reden hörte.
Vielleich hatte Bertil mich jetzt genauso gern, wie ich Pelle gern hatte? Was würde dann passieren? Ich spürte, daß man nicht viel dagegen tun konnte. Ich konnte ja auch nichts dafür, daß ich nur Pelle gern hatte.
Eines Abends hörte ich, wie Mama Vesle vor dem Einschlafen tröstete. Mama sitzt bei jedem von uns abends noch ein Weilchen am Bett, bevor wir uns den Gutenachtkuß geben. Im Dunkeln kann man sich so gut unterhalten.
„Weiß du auch ganz bestimmt, daß dir nicht vor allem der niedliche kleine Hund leid tut?" hörte ich sie sagen. „Bertil findet bestimmt ein anderes Mädchen, wenn er aufgehört hat, Sylvia gern zu haben. Man kann viele Menschen gern haben."

Ich blieb auf dem Weg in mein Zimmer stehen und überlegte, ob ich außer Pelle jemanden gern haben könnte. Nie im Leben, das wußte ich.

KATJA HENNING

Kino und Küssen

Alle, die sie kannte, freuten sich aufs Leben, so als hätten sie jetzt keins. Linda fand das lieblos gegen die Eltern. Pappa und Mamma waren keine idealen Eltern, aber daß es sich bei ihnen nicht leben ließe, konnte man nicht sagen. Sie selbst, sie hatten kein Leben. Morgens um halb drei raus, abends um acht ins Bett, seit Jahrzehnten. Nur für die Kinder. Nur für die Kinder? Konnten Menschen so blöd sein? Vielleicht waren sie einfach so programmiert. Aufstehen im Dunkeln, Fisch kaufen, es wird hell, Fisch verkaufen, nach Hause, es wird dunkel, schlafen gehen, aufstehen im Dunkeln, Fisch kaufen, Fisch verkaufen, schlafen gehen. Und andere Leute schaukelten ihre müßigen Hintern in weißen Hosen in Westerland.

Sie gingen ins Kino. Rainer kaufte Sahnebonbons. Django. Schufte wurden von Schuften in die Fresse gehauen, daß es krachte, wurden gefoltert, wurden zertrampelt. Die Sahne floß süß in der Backe dahin. Linda fühlte Rainers Wärme pochend um ihre Hand geschlossen.

Das war immer das Schönste, daß es da eine Wärme um ihre Hand gab. Der ganze übrige Rainer lag ihr weniger. Sein rötliches Haar, seine Pusteln, jetzt hatte er so 'n Ding schon wieder im Nacken. Pubertätserscheinungen. Dagegen half nur Sex. Das machten sie aber noch nicht, hatten sogar noch nicht einmal darüber geredet. Linda hatte in erstklassigen Worten parat, was sie sagen wollte: „Rainer, weißt du, ich möchte das erst, wenn mir so ist, daß ich wirklich muß. Das hat mit meinem Gefühl für dich gar nichts zu tun, du weißt doch, was du mir bedeutest." Aber Rainer hatte noch nie etwas versucht mit ihr, sie küßten sich nur. Wenn er gerade einen Pickel in Mundnähe hatte, hätte sie auch das manchmal gern weggelassen. Aber im Kino, die Hand – es war gut. Was konnte man denn erwarten.

Auf der Bank in der Parkanlage war es eisig. Linda dachte immer, wenn ein anderer sie so sähe, beim Küssen, könnte er sie komisch finden. Aber wenn sie Rainer eine Weile küßte, vergaß sie das und dachte nur: So ist das also, das Küssen. Nicht so heiß, wie ich vorher dachte, eigentlich überhaupt nichts Besonderes, aber wenn sich bei den anderen alles darum dreht, dann ist es bestimmt das Schönste.

HOLGER ZAMAN

Anmachen, ranmachen ...

„Meine tussi hab ich schnell rumgekriegt. Nach zwei tagen konnt ich mir schon nen präser kaufen", hat mir'n freund erzählt.
Ich zieh' mir also meine stiefeletten an, 'ne enge hose, das brusthaar bleibt frei. Ich hoffe, daß ich eine abkrieg' – in discos gibt's ja genug.
Noch steh' ich an der bar 'rum, lehn' mich lässig an 'nen betonfeiler. Im traum hab ich sie schon in den armen – meine traum-frau. Die musik dröhnt in den ohren, man kann sein eigenes wort nicht verstehen.
Da seh' ich eine: schlank, volle brust, hübsches gesicht. Sie ist allein – an die mach' ich mich ran!
Ich nehm' meinen ganzen mut zusammen und stürz' mich ins getümmel. Ich arbeite mich schnell zu ihr durch. So hübsch ist sie nicht – aber besser als gar nichts. Außerdem hat man bei weniger tollen tussis mehr chancen. Die warten richtig auf einen.
Ich tanz' wild um sie rum, wirbel mit den armen, spring', schrei'.
Endlich guckt sie mich an, stumm, ernst. Die sind nu mal so! Zuerst wollen sie nicht zugeben, daß sie was von einem wollen. Ich versuch' ihr in die augen zu sehen. Ich lach'. Sie lächelt zurück, ernst. Die is' nu mal schüchtern, aber es wird schon klappen. Pause. Die musik hört auf. Sie setzt sich hin, ich geh' ihr nach. Meine hände sind feucht, ich bin ziemlich aufgeregt.
„Hallo", sag ich zu ihr.
„Hallo", sagt sie und lächelt mich an.
„Darf ich?" frag ich sie und zeig' auf den stuhl neben ihr.
„Wenns sein muß" sagt sie schüchtern, aber doch ganz nett. Hoffentlich kommt bald musik. Ich starr vor mich hin, es dauert 'ne ewigkeit. Scheiß disco!
Auf einmal fängt die musik wieder an – „Love is in the air".
„Willste tanzen?" frag' ich. Sie steht auf, geht zur tanzfläche und tanzt – mit 'ner freundin. Mit so einer geb' ich mich nich' ab!
Am nächsten tag erzählt er seinem freund, daß er eine angemacht hat und die unheimlich scharf auf ihn war und daß er aber dann doch keinen bock auf die hatte.

VASIL TOCINOVSKI

Landschaft mit Vogel

Wie eine heiße Kupferkugel, die glühenden Dampf hinter sich herzog, ging langsam die Sonne unter. Auf den sandigen Wegen kehrten aus allen Richtungen müde Schafherden heim ins Dorf. Die Hufe der Pferde wirbelten weiße Staubwolken auf, die lange am Boden entlangkrochen. Das ganze Tal war vom Klang der Hirtenflöte erfüllt. Lautlos neigten sich die Birken dem kleinen, klaren Bergfluß zu und standen da wie junge schlanke Bräute.

Er rauchte eine Zigarette im Sitzen, und das Gesicht dem Himmel zugewandt, beobachtete er den Flug des Vogels. Sie gähnte faul und streckte die Beine aus. Das Mädchen hatte dicke Beine. Hier, von der Anhöhe aus, sah man weit über das Dorf hin, das in üppiges Grün gebettet dalag. Inmitten der Häuser hob sich das Metalldach des Glockenturms ab, das im Sonnenuntergang wunderbar leuchtete.

„Du warst lange nicht hier“, sagte das Mädchen.

„Ja“, antwortete der Junge und blies eine Rauchwolke von sich. „Genau sechs Wochen“, fügte er hinzu.

„Mußt du viel lernen?“

„Noch drei Monate, dann gehe ich wieder mit meinem Traktor ran, daß die Erde dröhnt.“

„Ich denke oft an dich, und du?“

„Ich denke an viele Dinge.“

„Sicher hast du in der Stadt auch ein Mädchen.“

Er sagte nichts, verzog nur stumm, spöttisch den Mund. Sie zog die dicken Beine an und verfluchte sich selbst. So lange hatten sie sich nicht gesehen, und nun stellte sie ihm solche Fragen. Ich liebe ihn, und sie streichelte ihn verstohlen mit einem Blick. Er hat sich verändert, ist hübscher geworden, schloß sie und erdachte neue Fragen.

„Du hast ein schönes Hemd an“, sagte sie.

„Konfektion“, sagte er gähnend.

Dann wollte sie ihm von der Genossenschaft erzählen, von den Bauernwirtschaften, vom Weizensaatgut, das hohe Erträge brachte, von den Filmen, die jede Woche gezeigt wurden, von der Auszeichnung, die ihr Vater als bester Genossenschafter erhalten hatte, und von den neuen Maschinen. Aber das weiß er alles schon besser als ich, überlegte sie und kaute auf dem Strohhalm, der ihr als Vorwand für ihr Schweigen diente. Danach streckte sie die dicken Beine wieder aus und legte sich neben ihn. „Weißt du noch“, begann sie, „wie wir als Kinder den ganzen Tag Hand in Hand umhergerannt sind?“

„Deine Mutter kam uns entgegen", fuhr er fort, während er den Zigarettenstummel ausdrückte, „sie streichelte mir das blonde Haar und sagte: ‚So ein hübscher Junge.'"
„Und deine Mutter schaute schon von weitem nach uns aus", sagte sie lachend, „sie griff mit ihren weichen Fingern in mein langes Haar und flüsterte: ‚So ein hübsches Mädchen.'"
„‚Er erinnert mich an meine Jugend', sagte deine Mutter."
„‚Sie sieht meiner ersten Liebe ähnlich', sagte deine Mutter geheimnisvoll."
„Und eines Tages hat mich deine Mutter gefragt: ‚Möchtest du, daß sie dein Mädchen wird?', und sie lachte, daß ihre breiten Hüften wackelten. Ich habe sie ganz verlegen angeschaut und allen Mut zusammengenommen und wichtig ‚ja' gesagt."
„Deine Mutter hat mich auch einmal gefragt . . ."
Er küßte sie, und sie kostete durstig den Geschmack des Kusses, während sie seine Hand auf ihrer Brust spürte.
„Kindereien", sagte er.
„Genug", bat sie, „man kann uns sehen."
„Und vor wem hast du Angst?"
Er setzte sich auf und zündete eine neue Zigarette an. Auch sie richtete sich auf und versteckte ihre dicken Beine unter dem Rock. Sie schloß die Bluse, die er eben aufgeknöpft hatte, und wurde von einem Gedanken, der nur ihr gehörte, über und über rot. Sie spürte, wie ein Schwarm Käferchen unter ihrer Haut krabbelte, und das kitzelte sie angenehm. Am liebsten wäre sie aufgesprungen und losgerannt, lange gerannt und hätte geschrien, so laut sie konnte. Jetzt krochen ihr die Käferchen über die dicken Beine, und die duftenden Gräser betäubten sie. Sie fühlte, daß sie den Boden unter den Füßen verlor und durch den Raum schwebte wie ein Insekt, das die Orientierung verloren hat. Die Käfer krabbelten weiter. Ihre Zahl schien sich verdoppelt zu haben.
„Reden wir über etwas", sagte sie.
„Ich höre." Er schaute dem Zigarettenrauch nach.
„Das weißt du bestimmt nicht. Du weißt nicht, daß Tante Marija ins Wasser gegangen ist. Vor vier Tagen hat man sie am Ufer gefunden, da, wo der schmutzige Bach in den Fluß mündet. Eine traurige Geschichte."
„Du kannst schön erzählen."
Marija war schon seit neun Jahren Witwe. In der Zeit hatte sie sich allen verweigert. Alles geschah in jener Feldhütte, in der Gonče lebte, ein stummer, aber verteufelt schöner Junggeselle. Die Nacht war leise herabgesunken, und Marija kehrte heim von den Feldern. Sie machte halt bei der Hütte, wo sie um Wasser bitten wollte, und dort lag Gonče nackt, wie eben dem Mutterschoß

entschlüpft. Sie blieb die ganze Nacht bei ihm. Früh am nächsten Morgen ging sie hin und stürzte sich in den Fluß.
Er sagte nichts. Lächelte nur. „Die arme Frau", murmelte sie mehr für sich und biß wieder auf den Strohhalm. Der warme Abendwind verhieß schönes Wetter.
„Die Störche sind auch schon da", erzählte sie und dachte an etwas anderes, „in diesem Jahr sind es mehr als sonst."
„Ja", lachte er, „es sind so viele, als sollten alle Kinder der Welt in unserem Dorf geboren werden."
Sie wurde rot und zog die dicken Beine an. Der Wind fuhr ihr in den Halsausschnitt, wovon sie fröstelte und zugleich weich wurde. Jetzt hatten die kleinen Käfer ihre Arme erobert. Sie legte ihm die Hand auf die Schulter, so daß seine Wärme auf sie überging. Er war stumm wie eine Felswand, zuckte mit keiner Wimper. Sie aber spürte, wie sich die Käferchen vermehrten und immer weiter hinaufkrabbelten. Sie unterdrückte das Wort in der Kehle, damit es nicht seine Bedeutung verlor. Die Käferchen waren bis in ihren Kopf gestiegen, als sie merkte, daß er lachte.
„Warum lachst du?" fragte sie, verwirrt und beleidigt.
„Das verstehst du nicht." Und er lachte immer noch.
„Ich will es versuchen", sagte sie.
„Also: Mir ist eingefallen, wie vor ein paar Tagen jemand unserem Direktor eine Fibel auf den Tisch gelegt hat."
Er konnte nicht aufhören zu lachen. Nun stimmte auch sie ein.
Aus dem Dorf drang das ferne Echo von Musik herüber, in dem die Fröhlichkeit des Frühlingsjahrmarkts mitschwang.
„Alles, was Beine hat, ist auf dem Dorfplatz", sagte sie, auf einmal aus ihrer Welt zurückgekehrt. „Die Musik spielt, und sie tanzen und singen. Und wir sind immer noch hier . . ."
„Aber mir gefällt es hier. Wir sind allein, es ist still . . ."
„Ich bin gern mit dir zusammen", flüsterte sie.
Er lächelte, versuchte es jedenfalls, und schwieg. Er steckte sich wieder eine Zigarette an. Er raucht viel, stellte sie fest und versuchte, ihre Gedanken zu ordnen.

„Weißt du, jedesmal vor dem Einschlafen", begann sie, „muß ich an unser gemeinsames Haus denken. Ich kenne die kleinste Einzelheit darin. Ist das nicht schön? Auf diesen Tag habe ich gewartet, und ich habe alles gewußt, was ich dir sagen muß, aber jetzt – nichts . . ."
Er nickte. Der Zigarettenrauch tanzte in Ringen vor seinen Augen. Sie spürte wieder die kleinen Käfer. Sein Schweigen beunruhigte sie nicht, sie wußte

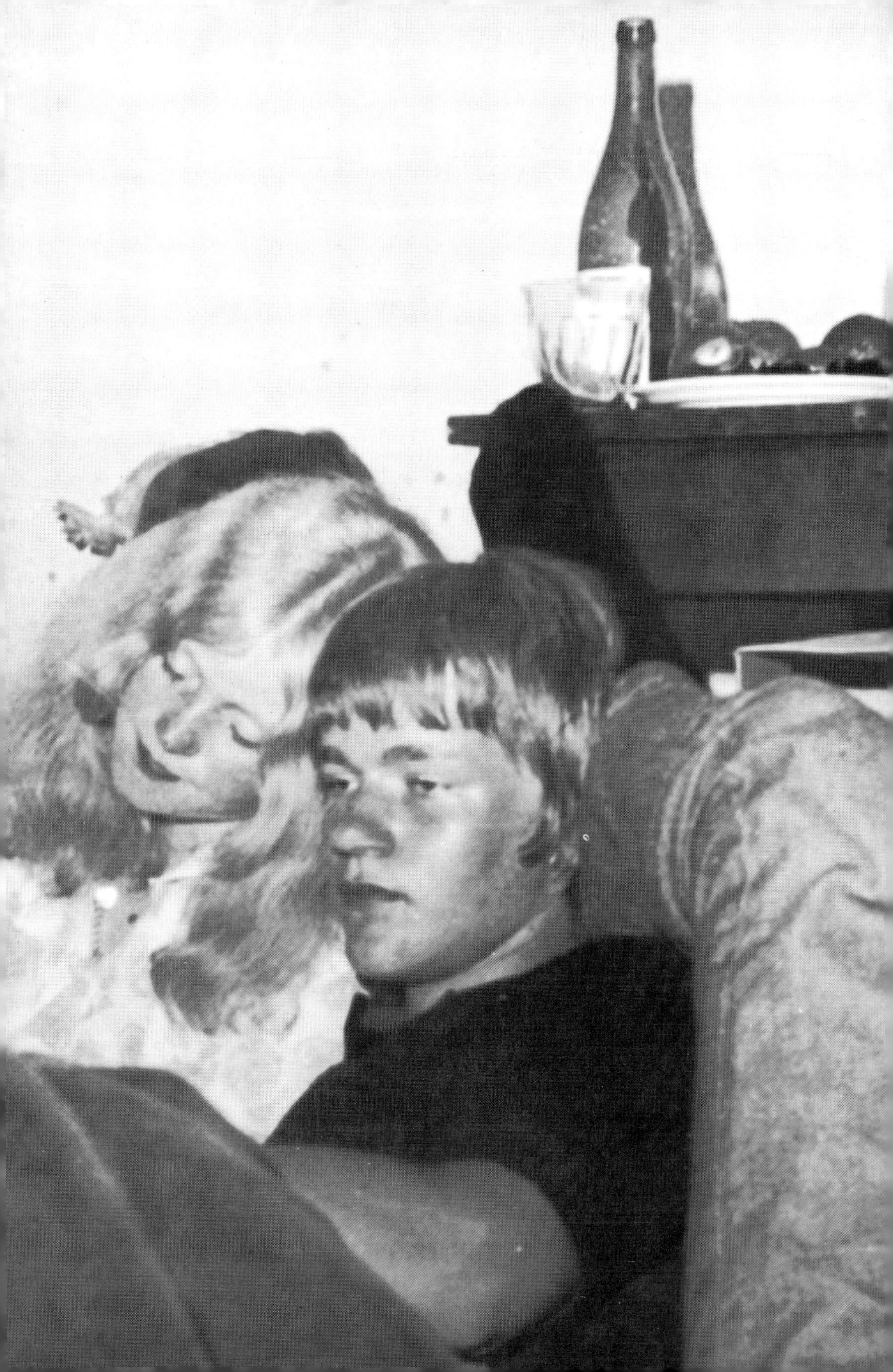

Gag auf Gag
kopfüber in ein herrliches Abenteuer-Vergnügen
Paul Belmon
Der Un
wüstlich
b 12 Jahre
LAIN DELON
KILLER
TELLEN SICH

genau, daß er nicht viel Worte zu machen pflegte. Mit den Fingern berührte sie seine Lippen wie ein sehr zerbrechliches Musikinstrument. Er drückte die dritte Zigarette aus.
„Jetzt kann uns niemand sehen“, sagte sie schnell.
Ihre Lippen berührten hastig und verstohlen die seinen, dann legte sie sich in das verbrannte Gras. Sie schaute in den Himmel, der rot war und an dem nur ein verirrter Vogel seine Kreise zog. Sie schwieg auch, während sie ihre Brüste entblößte und er sie streichelte und sie die Käferchen spürte, die sie ganz verrückt machten. Sie küßten sich lange, und sie roch den Duft reifer Früchte und fühlte seine Wärme.
„Ich denke auch oft an unser Haus“, sagte er. „Ein großes weißes Haus mit einem Blumengarten. Zwischen den Blumen du, und um dich die Kinder. Unsere Kinder.“
Sie lachte und knöpfte sich die Bluse zu. Die Käferchen waren spurlos verschwunden. Dann verstummte ihr Lachen, und sie wurde ganz ernst. Am liebsten hätte sie gelacht und geweint zugleich. „Liebst du mich?“ fragte sie abwesend.
„Was sind das für Fragen?“
„Alltägliche, langweilige Fragen ...“
„Gehen wir zurück ins Dorf“ – er streckte beide Hände nach ihr aus –, „wir müssen tanzen, viel tanzen.“
„Ich kann nicht tanzen.“
„Das macht nichts, du wirst es schnell lernen.“
„Ich werde mit dir tanzen, und alle Mädchen werden zuschauen und mich beneiden, weil ich den schönsten Jungen habe.“
„Gehen wir“, wiederholte er.
Sie stand auf, strich den Rock glatt und reichte ihm die Hand. Und während sie den schmalen Pfad hinuntergingen, wobei sie ein paarmal stehenblieben und sich küßten und die Bäume geheimnisvoll rauschten, sagten sie kein Wort. Langsam kroch die Dunkelheit das Tal entlang. Halblaut klangen Musik und Stimmen vom Dorfplatz zu ihnen herüber. Der Mond schien ihnen auf den Weg. Und je näher sie dem Dorf kamen, desto schneller wurden ihre Schritte, bis sie schließlich rannten. Er lachte, sie lachte.
„Diese Nacht schlafen wir irgendwo im Heu, und ein Stern, ein kleiner Stern wird vom Himmel auf die Erde fallen.“
„Diese Nacht gehört uns“, sagte sie.
„Diese Nacht gehört uns“, sagte er.

HELMA FEHRMANN UND PETER WEISMANN

Ich mag dich

Der Plattenspieler summte. Paula machte die Augen auf und sah das grüne Lämpchen neben Pauls Kopf.
„Willst du die Platte umdrehen?" fragte sie.
Pauls Gesicht lag an ihrem Hals.
„Nein", sagte er. Und als sie aufstehen wollte: „Bleib so liegen." Seine Hand lag auf ihrem Bauch, ein Bein angewinkelt auf ihrem.
Sie redeten über Verreisen, dahin, wo es warm ist. Wo es immer warm ist, wo man leben kann mit wenig Geld.
Vielleicht, überlegten sie, kann man hier arbeiten und Geld sparen und dann dort leben, solange das Geld reicht.
„Magst du Italien?" fragte Paula. Er antwortete nicht. Seine Hand wanderte zu ihrem Busen. Sie hielt die Luft an und vergaß ihre Frage. Sie klemmte seine Hand mit ihrem Arm ein und kicherte. „Das kitzelt." Sie ließ die Hand wieder frei.
Er streichelte ihren Busen. „Schon wieder." Paula lachte.
„Hör auf zu lachen", sagte er.
Er legte sich auf sie. Sie stemmte ihre Hände gegen seine Schultern. „Mann, bist du schwer."
Er blieb liegen und küßte sie. „Du bist gefangen. Ergib dich!" Sie griff unter seinen Pullover und kniff ihn. Er sollte brüllen. Aua schreien, um Gnade bitten.
Er nahm ihre Hand und zog sie an seinen Bauch. Sie fühlte das Weiche, die Härchen, den Bauchnabel, den Gürtel. Ihre Hand rührte sich nicht. Wollte ausreißen, zurück auf den Rücken. Er drückte seinen Bauch gegen ihre Hand, hielt sie fest.
Seine Lippen waren an ihrem Ohr: „Ich will mit dir schlafen", flüsterte Paul.
Sie erschrak. Wie früher, als sie Fahrradfahren lernte und ihr Vater sie das erste Mal losließ und rief: „Du fährst ja alleine! Du kannst es!" Da war sie umgekippt und hatte geheult.
„Ich will mit dir schlafen." Der Satz nahm ihr die Unbefangenheit, schob sich zwischen sie und Paul. Machte aus ihrem Spiel ernst. Jetzt hatte, was sie machten, einen Namen, ein Ziel. Sie hätte lieber wortlos weitergemacht, vielleicht so weit, wie er jetzt sagte. Das wußte sie nicht. Wollte sie nicht wissen. Jedenfalls nicht vorher. Hinterher hätte sie sagen können: Wir haben zusammen geschlafen. Es wäre einfach passiert.
So passiert wie im Film, wo der Mann die Frau auf den Nacken küßte. Die

Frau hatte ein seidenes Unterkleid an. Sie hatten sich umarmt und waren sanft aufs Bett gefallen. Alles sah lautlos aus. Lautlos schön.
Die Decke kratzte sie am Rücken. Der Schweiß auf ihrer Haut wurde kalt. Sie zitterte.
Plötzlich sah sie sich selber zu, wie sie mit Paul auf der Matratze lag, Paul auf ihr liegend, ihre Beine ineinander verschlungen, ihr T-Shirt bis zum Hals hochgeschoben, der Reißverschluß ihrer Jeans offen. Ihre Hand auf seinem Bauch.
Sie hörte Schritte. „Da kommt jemand!"
„Du hörst Gespenster", flüsterte er, „meine Mutter kommt erst am Abend."
Er stand auf. „Ich schließ ab."
Sie sah ihn zurückkommen und dachte: Ich mag dich. Sie wollte es ihm sagen. Er hatte es vorhin gesagt. Er hat nicht soviel Angst, sowas zu sagen, dachte sie. Ist sowieso viel freier.
Sie sagte es nicht.
Er zog die Schnürsenkel von ihren Turnschuhen auf und fragte: „Willst du?"
Sie nickte und sagte: „Laß, das mach ich selber", und zog den anderen Schnürsenkel auf. Sie dachte: Ich zieh mich nicht aus, weil ich müde bin. Ich zieh mich aus, um mit Paul zu schlafen.
Die Turnschuhe plumpsten auf den Fußboden. Sie dachte an die Frau im seidenen Unterkleid und fühlte sich nicht so schön. Sie hatte Angst vor dem Ausziehen und dem Nacktsein. Sie wollte schnell unter die Decke.
Paul umarmte sie.
„Hast du Angst?"
Ja, dachte sie. Nein, dachte sie.
„Nö", sagte sie.
„Du?" fragte sie.
„Nö", sagte er.
Sie legte sich wieder auf den Rücken. Er legte sein Gesicht wieder an ihren Hals, ein Bein auf ihrem, die Hand auf ihrem Bauch. Die Decke kratzte wieder.
„Die Decke kratzt", sagte sie.
„Komm runter! Hier ist es weicher." Er streckte die Beine unter die Decke.
„Hier ist es schön warm", sagte sie in sein Hemd. Seine Hand lag auf ihrem Bauch. Sie streichelte ihren Busen, wieder den Bauch. Sie spürte, wie die Hand zögerte, weiter nach unten wanderte, bei den offenen Jeans ankam. Ihr wurde heiß.
„Mir ist heiß!" sagte sie.
„Luft!" japste sie und wedelte die Decke hin und her. „Ich ersticke!"
Er küßte ihr den Mund zu.

Ihre Hand lag auf seiner Hüfte. Sie spürte seine Haut zwischen Gürtel und dem rausgerutschten Hemd. Sie schob das Hemd höher, wollte ihn ausziehen.
„Ich trau mich gar nix“, flüsterte sie.
„Zieh die Jeans aus“, flüsterte er zurück.
Sie schüttelte den Kopf.
„Hast du Angst?“ fragte er.
Sie nickte. „Ein bißchen. Jedenfalls vor dem Ausziehen.“
Er zog an ihren Jeans. „Ich zieh die aus.“
„Nein“, sagte sie. „Doch“, sagte sie.
Gesicht an Gesicht, Nase an Nase, Mund an Mund schoben und zogen sie die Jeans runter. Bis zum Knie. Da blieb sie hängen.
„Die ist so eng“. Paula versuchte, die Jeans mit ihren Beinen weiter runter zu kriegen.
Paul streichelte ihren Bauch und schob eine Hand in ihre Unterhose.
„Die blöden Jeans stören mich!“ Sie warf die Jeans aus dem Bett, dann die Unterhose, das T-Shirt.
Sie legte sich schnell neben ihn, zog die Decke hoch, legte die Hände auf ihren Bauch und sagte: „Ich bin jetzt ausgezogen.“ Sie machte die Augen zu und hörte wie er „Scheißknöpfe“ sagte und wie seine Jeans auf die Erde fielen.
Er zog die Decke über ihre Köpfe.
Sie fühlte mit ihrer Zungenspitze seine Lippen und er murmelte: „He, Paula.“
Sie sagte: „Ich mag dich, Paul.“ Sie dachte: Endlich hab ichs gesagt, und umarmte ihn und küßte ihn.
Sie spürte seinen Schwanz an ihrem Bauch.
Ihr fiel Marlene ein, wie die von ihrer Mutter und der Pille erzählt hat.
Sie rutschte ein Stück von ihm weg.
„Was hast du?„ fragte Paul.
„Nix“, sagte sie. „Ich hab grad an Marlene gedacht.“ – „Nicht an Marlene, an die Pille hab ich gedacht. Marlene wollte mir welche geben.“
„Achso“, sagte er und legte sich auf den Bauch. Sie hörte ihn atmen. Dann fragte er: „Und, hast du sie?“ Sein Gesicht lag auf seinen Armen.
Sie überlegte „Ja“ zu sagen und einfach so mit Paul zu schlafen.
Es war fast dunkel im Zimmer. Paula hörte das Summen vom Plattenspieler. Draußen fuhr ein Auto. Die Scheinwerfer beleuchteten einen Moment die Decke. Sie sah die Flecken an der Decke und die Sprüche an der Wand. Das Auto fuhr vorbei. Es war wieder dunkel.
„Nein“, sagte sie. „Ich hab keine.“
Er sagte nichts und lag immer noch mit dem Gesicht auf seinen Armen.
Sie sagten beide nichts.

Sie versuchte, die Sprüche an der Wand zu lesen, aber es war zu dunkel. Sie guckte zum grünen Lämpchen vom Plattenspieler, drehte den Kopf zur Seite und sah die Bücher von Paul im Regal. Sie dachte: Warum sagt der nichts? Er lag so weit weg von ihr und rührte sich nicht.
Sie fragte: „Hast du was?"
Er hob den Kopf und langte mit dem Arm zum Plattenspieler, drückte den Knopf und sagte: „Nö! Der blöde Plattenspieler geht mir auf die Nerven."
Sie sagte schnell: „Mit der Pille, das ist nicht schlimm. Ich krieg bald meine Tage."
Er antwortete nicht.
„Was hast'n du da?" fragte sie.
„Was schon! Pariser", sagte er verlegen.
Sie hörte, wie er die Schachtel aufmachte und sagte sofort: „Das will ich nicht, das will ich nicht!"
„Du bist verrückt, Paula." Paul fummelte weiter an der Schachtel. „Und wenn was passiert?"
„Es passiert nichts. Ich hab doch gesagt, ich krieg bald meine Tage." Sie hielt eine Hand von ihm fest. „Dann kann nichts passieren."
„Ehrlich?" fragte er unsicher.
„Ehrlich", wiederholte Paula und drängte sich dicht an Paul. Sie küßten sich.
„Nie im Leben würde ich das damit machen", hatte Paula zu ihrer Freundin Kiki gesagt, als sie hinter einer Parkbank einen gebrauchten Pariser liegen sahen. Sie hatten sich den Mann damit vorgestellt, und die Frau dazu, und hatten gelacht.
„Ach, naja, aber ohne ist es leichtsinnig", hatte Kiki gesagt.

Ich bin nicht leichtsinnig, dachte Paula, meine Tage kommen bald. Das wußte sie sicher.
Die kommen unregelmäßig, dachte sie, vielleicht schon morgen.
Dann fiel ihr ein: Und wenn die erst in zwei Wochen kommen?
Na und, dachte sie und schob den Gedanken weg.
Paula drückte ihren Bauch an Pauls. Sein Bauch ist auch naß, dachte sie. Seine Finger streichelten ihre Musch.
Paula wollte aufstehen. Sich anziehen. Angezogen mit Paul hier liegen. Wie sonst. Quatschen und Musik hören und Honigbrote essen.
Paul war ihr zu nah. Sie machte die Beine zusammen.
Paul sagte leise: „Paula, ich hab Schiß ohne. Ich nehms doch."
So wie Paul das macht, ist gar nichts dabei, dachte sie und streichelte ihn.
Sie spürte, wie er mit der Hand versuchte, seinen Schwanz in die Musch zu kriegen. Sie waren beide aufgeregt. Sie dachte, daß es weh tun könnte. Sie

machte die Beine auseinander, bewegte sich hin und her, damit es leichter ging. Das war ein schönes Gefühl an ihrer Musch.
Dann traute sie sich, seinen Schwanz anzufassen.
Sie fühlte den Schwanz an ihrer Musch.
Jetzt ist es passiert.
Sie fühlte seinen Schwanz in ihrer Musch.
Paul und Paula bewegten sich, atmeten laut, hörten ihre eigenen Atem.
Es war anders als sie es sich vorgestellt hatte. Es hatte nicht weh getan. Es war warm. Fast heiß.
Sie war froh, daß alles so war wie's war. Daß sie Paul im Arm hatte. Wie sie's gemacht haben.
Sie waren naßgeschwitzt.
Er murmelte: „Es ging so schnell."
Er streichelte sie.
„Ich würde gerne stundenlang so mit dir liegen", sagte Paula.
„Können wir ja."
„Können wir nicht", sagte Paula. „Ich muß bald gehen."
Paula fiel ein, wie Paul am Anfang gesagt hatte: Ich will mit dir schlafen. Jetzt fand sie es gut, daß er es gesagt hatte.
Es war nicht einfach passiert.
Sie wollte mit Paul schlafen und sie hat mit Paul geschlafen.
– Mutti, ich hab mit Paul geschlafen.
Stell dir vor, ich habe gefickt. Zum ersten Mal in meinem Leben richtig gefickt.
Wir waren beide nackt. Wir haben mit geschwitzt und uns geküßt. Meine Musch war mit seinem Schwanz zusammen. Das ist ein irres Gefühl. –
So würde ich's gern meiner Mutter erzählen. Wenn ich's ihr erzählen könnte. Und ich würde sie fragen, wie es bei ihr war. Und sie würde mir erzählen, was sie erlebt hat, wenn sie erzählen könnte ...

ARNFRIED ASTEL

Dumm bleiben

Sie läßt sich nicht an die Brust fassen weil es nicht die Brust ist was den Pullover bauscht sondern das Körbchen über einer sehr kleinen Brust an die sie sich gern fassen ließe wenn sie wüßte daß ich auch an sehr kleine Brüste gern fasse weil ich weiß daß wir beide das gern haben aber weil sie mich für so banal hält wie sie selbst sich deshalb gibt sie mir einen Korb aber ich darf ihn nicht anfassen weder ihn noch die Brust denn wir müssen dumm bleiben.

H. C. ARTMANN

wie der saft einer sehr süßen frucht

von dem man lange im traum trinkt . .
wie der schatten eines jungen tieres,
das leise um eine quelle herumgeht . .
wie ein sehr schöner, belaubter baum,
den die erste zärtlichkeit der nacht
heimsucht mit singenden grillen und tau . .
wie mein eigener finger, geliebtes,
der ganz leicht deine lippen berührt . .

MARIA MARCUS

2. Weihnachtstag

David ist gekommen. Und das Himmelbett wurde eingeweiht.
Also dann . . . Ich muß beschreiben, was geschehen ist. Zuerst saßen wir in aller Gemütlichkeit unten im Wohnzimmer. Sahen etwas fern, wie immer, saßen da und küßten uns. Oh, wie lieb er war. Er erzählte von einem alten Schrottwagen, den sie ein paar Tage vor Weihnachten in die Werkstatt bekommen hätten, und daß er es war, der daraufgekommen ist, einen anderen Zündkerzentyp einzubauen, obwohl der eingebaute in Ordnung hätte sein müssen. Oder so etwas Ähnliches. Er sah so eifrig und stolz aus, und dann entspann sich der folgende, geistreiche Dialog:
Line: So wurde es trotzdem noch Weihnachten in dem kleinen Heim!
David: Das ist doch total klar. Es hätte ein recht feuchtkaltes Fest für ihn werden können, wenn seine alte Schrottmühle auf dem Weg zum Weihnachtsbaum angefangen hätte zu spucken!
Line: Verdammt! Dich mein ich doch, Mann! Du hast dich doch hier so richtig produzieren können und mit den Muskeln spielen! Du warst garantiert der, der sich am meisten gefreut hat, gib's nur zu!
David: Ach zum Teufel, Weib! Kannst du deinem Geliebten nicht einen kleinen Triumph gönnen? Du hast wohl vergessen, wie du damals elf Punkte in Mathematik bekommen hast, was?
Line: Ja, daran kann ich mich gut erinnern. Ich kann mich gut erinnern, daß ich ganz fanatisch bescheiden war und sagte, daß das gar nicht so schwer ist, wenn man soviel für die täglichen Aufgaben büffelt, wie ich, und . . .

David: Und dann strahlten deine Augen wie …
Line (aufgedreht): Wenn du sagst, wie zwei Weihnachtskerzen, dann schreie ich!
David: Ja, es ist schon alles toll bei dir, du alte Heuchlerin. Aber ich kann mich noch gut daran erinnern, daß ich stolz auf dich war.
Dann mußte ich mich geschlagen geben. Ich fand es ja auch wirklich toll, daß er fähig war, die Aufgaben, die er bekommen hatte, zu schaffen. Toll – flott! Ja, jetzt denke ich also schon wieder an David. Es tut mir richtig gut, zu wissen, daß das, was er in seinem Job bringt, etwas taugt. Es gefällt mir, daß wir ein solches Verhältnis miteinander haben.
Er hatte einige Flaschen Bier mitgebracht, und wir saßen da und nuckelten daran. Dann legten wir uns aufs Sofa und er begann, mich zu streicheln. Wir waren ganz zärtlich miteinander und ich konnte fühlen, wie sein Schwanz ganz groß und hart wurde.
So war es schon oft gewesen. Aber ich wußte, daß es ein besonderer Abend war, und das wußte David sicher auch. Er ist ja viel erfahrener als ich. Das finde ich prima.
Abgesehen davon, daß ich dalag und immer erregter wurde (besonders, als er sich auf mich legte und begann, meine Bluse hochzuschieben und meine Brüste zu küssen – oh, ich kann fast nicht schreiben, ohne daß ich wieder erregt werde –), hatte ich die ganze Zeit irgendwo im Hinterkopf ein großes Fragezeichen: Wann sollte ich ihm das Himmelbett zeigen?
Ich sagte, ich hätte vergessen, hinunterzugehen und nach der Heizung zu sehen (ich mußte einfach aufstehen). Und als ich wieder hereinkam, sagte ich zu ihm, er dürfte jetzt mein Hauptweihnachtsgeschenk sehen. Und dann gingen wir hinauf.
„Mach die Augen zu!“ sagte ich, denn ich wollte noch für die richtige Beleuchtung sorgen. „Bitte schön, jetzt darfst du schauen!“
„He, Wahnsinn …“ sagte er.
Ich konnte mir ein Grinsen nicht verbeißen, denn er änderte im Laufe von zweieinhalb Sekunden viermal seinen Gesichtsausdruck. Zuerst sah er aus, als ob er gleich umfallen würde vor Begeisterung. Dann glich er einem, der für den elektrischen Stuhl bestimmt ist und nicht für ein Himmelbett. Dann begannen seine Augen zu flackern, und ich dachte schon, er wäre auf dem Weg zurück zum Fernsehen. Aber dann sah er wieder normal aus.
Ich nahm ihn bei der Hand und zog ihn hin zum Himmelbett, damit er all die kleinen Rüschen richtig anfassen konnte. Und dann sagte ich noch ganz munter: „Kannst du dir nicht vorstellen, daß wir es ausprobieren?“
Wenn ich nicht den ganzen Tag herumgegangen wäre und den Satz geübt hätte – ich hätte es nie geschafft, das zu sagen. Aber so glückte es. Er hatte ja

selbst schon so oft gefragt. Und außerdem meine ich, nur weil man ein Mädchen ist, braucht man noch lange nicht alles den Typen zu überlassen. Deswegen ergriff ich die Initiative.
Aber dann stand ich nur da und schmiegte mich ganz dicht an ihn und wußte nicht, was nun passieren sollte. Aber auf irgendeine mystische Weise lagen wir kurz darauf völlig ausgezogen auf dem Himmelbett.
Ich wußte schon, daß ich mich auf den Rücken legen mußte, damit David sich auf mich legen konnte. Aber ich hatte keine Ahnung, wo ich meine Hände hintun sollte und ob ich etwas Bestimmtes sagen müßte. Ich glaube, ich wurde völlig stumm. Aber das beunruhigte mich überhaupt nicht, denn da war ja David und der wußte über all so was Bescheid. Ich dachte nur: Huh, gut, daß nicht ich der Mann bin – dann würde es nie etwas werden.
Aber David wurde so komisch. Anfangs küßte er mich und strich mir über den ganzen Körper. Ich war zu nervös, um es richtig zu genießen; ich war wahrscheinlich steif wie ein Brett. Und dann legte er sich auf mich. Und dann war Ende. Ich glaube einfach, es war zuviel für ihn!

Er war total impotent. Sein Pimmel war so richtig klein und weich und schlaff. Ih, wie war das unangenehm. Das heißt: Im ersten Moment fühlte ich mich ganz erleichtert. Jetzt konnte ich mich endlich entspannen, denn die großen, dramatischen Ereignisse würden nicht stattfinden. Gleichzeitig wurde mir ganz flau seinetwegen. Ich konnte es beinahe am eigenen Körper spüren, wie peinlich es für ihn sein mußte. Das erste Mal kann er mit mir ins Bett gehen – und dann kann er nicht! Und das in so einem Himmelbett!
Er sah ganz vernichtet aus. „Ich verstehe es einfach nicht, Line“, sagte er. „Bist du sehr enttäuscht von mir?“
„Ach, hör auf, Mann, das ist nicht so schlimm“, sagte die brave Line so locker, wie sie nur konnte.
Aber dann begannen die Worte erst richtig aus dem Mund des armen David zu stürzen – um zu vertuschen, weswegen er wirklich ein schlechtes Gewissen hatte: weil er nicht das bringen konnte, was von ihm erwartet wurde.
„Das ist bloß, weil ich zum Weihnachtsessen draußen bei meiner Schwester war“, sagte er mit einer merkwürdig belegten Stimme. „Ich mußte mich bei ihr durchfressen – Sülze und Leberpastete! Wir wurden aufgefüllt mit Bier und Schnaps, und ich habe einen verdammten Brummschädel seitdem, und dann war ich noch so blöd, dieses starke Bier mit hierher zu bringen. Sonst wäre das hier nie passiert ...“
Einerseits irritierten mich all diese Erklärungen, denn selbstverständlich hatte ich mich gefreut. Aber gleichzeitig hatte ich einfach nur Lust, ihm die Wange zu streicheln und ihm das Haar zu kraulen und zu sagen, daß es gar nichts

ausmacht. Wir würden es schon ein anderes Mal schaffen – das fühlte ich tatsächlich.
Er beruhigte sich, und daß er das konnte, imponierte mir ehrlich gesagt – in dieser Situation. Und genauso plötzlich war es dann um mich geschehen. Und zwar, als mir aufging, daß eigentlich ich es war, die nicht bringen konnte, was sie sollte. Das erste Mal lagen wir zusammen im Bett, und dann konnte ich ihn nicht einmal soviel erregen, wie er es brauchte!
Ich fühlte mich ganz erbärmlich, als mir klarwurde, daß das Ganze in Wirklichkeit meine Schuld war. Und dann konnte ich nicht mehr länger und begann zu heulen. Und dann wurde David ganz warm und liebevoll und sagte: „O Line, du darfst nicht weinen! Können wir es nicht ruhig und leicht nehmen? Ich verspreche dir, daß es besser wird nächstes Mal."
Aber ich heulte nur weiter. Und David fuhr fort (auf die liebevollste Weise): „Sollen wir nicht lieber daran denken, wie schön es ist, dazuliegen und einander zu spüren, ganz ausgezogen?"
Aber alles, was er sagte, drückte ja nur auf eine nette Weise aus, daß ich vielleicht schon ganz süß und gutgebaut bin, aber halt nicht besonders sexy.
Daraufhin klappte er in sich zusammen. Wie sollte er mich auch trösten können. Ich konnte ihm ja unmöglich erklären, was eigentlich der wirkliche Grund für meine Verzweiflung war. Dann hätte er mich ja dafür trösten müssen, daß ich ihn im Stich gelassen hatte . . . nein, wie lief das alles verkehrt und hoffnungslos ab. Es endete damit, daß wir uns einigten, er sollte lieber heimgehen und schlafen.
Er sah ganz süß aus, als er aufstand und seine Jeans wieder anzog. Er hatte mir halb den Rücken zugekehrt, und es sah aus, als reichte sein Kopf bis zum Bauch hinunter, und seine lieben Locken hingen herunter und verdeckten seine Nase. Ich war nahe daran, aufzuspringen, ihn zu umarmen und zu bitten, trotzdem hierzubleiben. Aber ich konnte es nicht über mich bringen, mich in all meiner Nacktheit zu zeigen, die mir so unsexy vorkam, und so mußte sich David damit begnügen, mir einen Abschiedskuß auf die Wange zu geben – und dann war er plötzlich fort.
Das war vielleicht eine schöne Einweihungsnacht: enttäuscht und mit flauem Gefühl im Magen mutterseelenallein in meinem neuen Himmelbett. Ich heulte, bis ich einschlief.

4 *Sehnsucht und Suche*

»I am inhabited by a cry«

Ich bin ein Abbruchhaus.
In mir wohnt
ein knirschender Schrei.

Der Schrei
ruft nach dir
Geliebte
die du mich
nicht
erreichen kannst.

Christoph Derschau

JÜRGEN THEOBALDY

Die Bewohner

Nur die Bewohner machen
eine Wohnung fröhlich,
aber du bist nicht da,
die Heizung ist abgedreht
und kühl sickert die Luft
durch den Spalt im Fenster.
Ich will nicht sagen, daß ich
dich austauschen könnte
gegen irgend jemanden sonst,
ähnlich dir oder ganz
anders. Du bist eine
von Millionen, aber auch ich
bin einer von Millionen.
Wären wir soweit (du und ich
und alle, die wir nicht kennen),
die Türen nicht abzuschließen,
wenn wir wegfahren für länger,
wer weiß, ich wäre eingetreten
in einen fröhlichen Kreis.
So blicke ich auf den Teebeutel,
vertrocknet im Aschenbecher,
stehe im Mantel herum
und vermisse dich, die ich liebe,
vielleicht mehr
als uns lieb sein kann.

HORST KLINKHAMMER

Nach dem Entzug, einer der ersten Tage im Knast

Morgens spricht die Stimme aus dem Lautsprecher – Frühstücksempfang – eine häßliche, unpersönliche Stimme – kurz darauf, Schlüsselgerassel, die ersten Türen werden geschlossen. Der Grüne sagt monoton: Frühstück. Ich werfe die Decke zurück, zwänge mich in die Hose, schnappe den Teller – raus aus der Zelle. Musik quält sich aus dem Lautsprecher – nervend. Ich laufe zum Essenswagen, bekomme meine Ration, vier Scheiben und ein Sternchen Butter. Ich trabe zurück. Bums – Rassel – Türe zu. Hunger oder nicht Hunger; denke, da schon kein Schlaf, kannste auch essen. Langeweile, Langeweile auch beim Kauen. Horror – der Magen füllt sich, die letzte Schnitte, was dann?? Nachrichten 6.30 – die Zeit bleibt stehen. Musik, ich lege mich aufs Bett, kann keine Gedanken fassen – Unruhe – ich starre auf Wände und Decke. Hintergrundmusik, egal, Hauptsache keine Stille. Schlüssel – 7.00 – Arbeitsaufschluß. Da ich nicht arbeite, bleibe ich liegen. Möchte arbeiten, raus aus dem Sarg, raus, raus, raus. Die Zeit steht. Essen, will etwas tun. 12.00 Essen – aber es ist erst 7.10. Hoffentlich geht die Tür mal auf – irgendeine

Abwechslung. Ich liege noch immer – Gedanken kommen und gehen, ich kann sie nicht fassen – schreiben, ich fordere mich auf zu schreiben – Lustlosigkeit. Liege immer noch. Idee, mich zu waschen. Stehe auf und lenke mich mit dem Wasser ab. Putze Zähne – nebenan Schlüsselgerassel – vielleicht auch bei mir – nein, geht wieder – bin nicht gefragt. Frust. 8.00 und ich liege auf dem Bett, der Lautsprecher quäkt immer noch – nervend – ich könnte ihn ausmachen, nein, nur keine Stille. Versuche mich zu konzentrieren – Staatsanwaltschaft, zwölfte große Strafkammer, kann es noch mal gut gehen? Therapie, kann ich die durchhalten? Was dann? Ich liege schlaff auf dem Bett – Musik – stehe auf, mir fehlt das Selbstvertrauen. Ich möchte reden, mache das Radio aus! Unruhe – laufe auf und ab. Kann ich wieder normal werden, ohne Droge, kann ich es schaffen? Ich mache mir Mut, glaube aber nicht dran, schreie nach einer ehrlichen Antwort, finde sie nicht! Lege mich aufs Bett, mache das Radio wieder an, starre gegen die Wände. Schlüssel rasseln – geht die Tür auf? Wieder nicht bei mir. Denken, die Gedanken jagen wieder, ich kriege sie einfach nicht. Ich denke an draußen. Woran kann ich mich noch erinnern? Mir fällt nur Möse ein. Die Eier tun weh – ich werde geil – Möse – draußen – Beine – Zunge – Brust – nasse, warme Möse. Ich wichse mir einen ab – Ekel, keine Befriedigung. 10.00 Musik – nervend. Liege auf dem Bett, lausche auf jedes Geräusch außerhalb der Zelle. Ich denke, bist ganz schön am Arsch, Alter! Gebe mir recht – stehe auf, rauche ne Zigarette – Rauch – Gedanken jagen. Schlüsselgeräusche, zu mir? Die Tür geht auf. Zum Friseur! Ich trabe zum Friseur – tue so, als ob mir der Knast nichts ausmacht. Unterhaltung zwischen mir und dem Friseur, ohne daß ich bewußt dabei bin – Frust. Fertig – trabe zur Zelle. Bums – Türe zu. Lege mich aufs Bett. Musik – blablabla – möchte mal gute Musik hören. Gedanken, manchmal fasse ich sie, bringen mich zum Lachen, nehme sie nicht ernst. Unruhe – Zigarette – Rauch – denke an draußen. Tür geht auf, Mittagessen, runterschlingen, danach Horror – Langeweile. Ich kriege es noch nicht in den Griff – du schaffst es, bin davon überzeugt – kurze Euphorie – ich schaffe es, kann es schaffen, yeah! Danach rasen wieder die Gedanken, ich liege, frage mich, ob ich noch normal bin. 14.00 – versuche zu lesen – kotzt mich an – Unruhe. Lese, ohne etwas mitzubekommen, schlage die Seiten zurück, konzentriere mich, geht nicht, liege nur auf dem Bett, starre die Wände an. Warten auf die Freistunde – Tür auf, Freistunde. Danach Essen – ich freue mich drauf – wieder Langeweile, das gleiche Frustfeeling wie morgens. Kommt Post, schreibt jemand? Nein, selten. Es wird dunkel und ruhiger – denke wieder an Möse – danach der gleiche Ekel. Versuche zu schlafen, nicht denken.

GUNTER PREUSS

Zwischen Abend und Morgen

Das Mädchen

Das Mädchen hatte die Bücher weggeschoben, auch den Malkasten und das Strickzeug, hatte das Licht ausgeschaltet und war an das Fenster des Zimmers getreten. Draußen war es so dunkel und bedrückend warm wie im Zimmer, und sie sah zwischen den Kastanien die Lichter aus den gegenüberliegenden Häusern.

Sie sah sie wie kleine unruhige Feuer im Geäst der Bäume, grün aufsprühend, wenn sie eine der prallen Knospen umschlossen. Das Mädchen hörte die Stadt nicht, nicht den Lärm der Autos und Straßenbahnen und die Stimmen und Schritte von der Straße, sie hörte nur ein schnelles, behagliches Pochen, das aus den Bäumen zu ihr kam, und sie fühlte heiße Hände, die sie anrührten, denen sie sich nicht entziehen konnte und die nun immer zudringlicher wurden. Es waren zärtliche Hände, die über das Gesicht, den Körper, zu den Beinen hinunter streichelten, die Haut, angespannte Muskeln und Sehnen spüren ließen.

Das Mädchen preßte den Leib in das Kissen, das auf dem Fensterbrett lag. Ihr war, als hätte sie heißen Wein getrunken, sie atmete hastig mit offenem Mund, und sie fühlte die Hände jetzt im Nacken, und es fröstelte sie unter dieser Berührung.

Sie wollte weg vom Fenster, sie fürchtete sich vor dieser dunklen warmen Nacht, vor dem betäubenden Geruch nach Erde und Blüten, vor der Stille, die lockend tönte wie die Saite einer Geige, und sie fürchtete sich vor diesen Händen, die ihr Lust und Schmerz bereiteten, die sie jetzt an den Hüften faßten und mit sich hinausziehen wollten, weg, weit weg, auf eine kleine sonnige Insel, wo sie mit *ihm* ganz allein sein würde.

„Nein!“ rief das Mädchen und sprang vom Fenster weg, erschrocken vor der eigenen Stimme, und sie warf sich auf das Bett und versteckten den Kopf unter den Kissen. Aber bald riß sie das Kissen weg und wälzte sich von der Bauchlage auf den Rücken und lauschte angestrengt nach nebenan in die Küche, von wo sie deutlich *seine* ruhige, etwas kratzige Stimme hörte, dazwischen das Lachen ihrer Mutter.

Das Mädchen hörte nur noch *seine* Stimme, und sie sprach mit ihm, nur mit ihm, und *seine* Hände kamen wieder, es waren *seine* Hände, und sie waren so ganz anders als sonst, wenn sie ihr freundschaftlich durchs Haar gefahren waren oder ihr auf der Schulter gelegen hatten. Jetzt waren die Hände unter ihrem Kleid, zärtlich, stark, rauh, und als sie jetzt wieder brennend auf ihren Hüften lagen, mußte sie sich die Fäuste auf den Mund drücken, um nicht zu schreien. Hitze schlug durch ihren Körper, und ein erregendes Wohlgefühl breitete sich in ihr aus, gleichzeitig fror sie, und sie glaubte ersticken zu müssen.

Sie zwang sich aufzustehen, rannte zur Tür, ihre Faust schlug auf den Druckknopf, das Licht erhellte das Zimmer und zeigte das zerdrückte Bett, den mit Theaterplakaten beklebten Schrank, ein Bücherregal mit buntblumigem Vorhang, zwei tiefe Sessel und die orangefarbenen Wände, die mit Landkarten und Fotos von Schauspielern und Schlagersängern behangen waren – und auf dem Ofen saß der braune Teddy mit dem grimmig-gutmütigen Gesicht.

Das Mädchen trank einen Schluck Limonade, ihr war jetzt sehr schlecht, und sie klappte den Flügel des großen Spiegels herum, um sich nicht sehen zu müssen. Die Arme über der Brust gekreuzt, stand sie an die kühlen Kacheln des Ofens gelehnt und fror. Sie verstand sich nicht mehr, sie verstand auch nicht diese Nacht, die so geheimnisvoll und fremd in sie eingedrungen war und ihr doch für Sekunden so bekannt und vertraut erschien, als hätte sie sie schon oft durchlebt.

Sie dachte, daß sie krank wäre, aber etwas in ihr sagte ihr, daß etwas anderes sie beunruhigte und voll Sehnsucht nach etwas Unbekanntem erfüllte. Sie hätte weglaufen wollen jetzt, weg aus diesem engen Zimmer, dem niedrigen Haus, der allgegenwärtigen Stadt, weg aus dieser dunklen Nacht in einen hellen Tag hinein – aber sie wünschte sich auch hierzubleiben, sie spürte, etwas war geschehen mit ihr, etwas Unerklärliches, sie war nicht mehr das Mädchen, das sie noch vor ein paar Stunden, noch bevor sich diese unruhige Nacht in ihr Zimmer geschlichen hatte, gewesen war. Und sie ahnte, es würde, es mußte noch mehr passieren in den nächsten Stunden, und sie hatte Angst davor, und sie nahm sich den großen Bären vom Ofen und umschlang ihn fest und weinte haltlos, wie nur ein Kind weinen kann.

So stand sie lange, den Bären im Arm, nicht wissend, was sie tun sollte, bis sie dann aus der Küche wieder *seine* Stimme hörte. *Er* sang etwas, und sie ließ den Bären fallen und lachte froh. Sie setzte sich in einen Sessel und legte die Beine auf den Couchtisch neben die Bücher und das Strickzeug. Sie nahm ein Buch – es war die Geschichte des einsamen Robinson Crusoe –, aber sie blieb schon bei den ersten Zeilen stecken, die Buchstaben flimmerten ihr vor den Augen, und sie warf das Buch in den anderen Sessel, und sie dachte an Peter, ihren Freund, der mit ihr in eine Klasse ging, mit dem sie, seit dieser warme Frühling begonnen hatte, nicht mehr weggegangen war. Sie waren früher viel zusammen gewesen, sie hatten zusammen die Schularbeiten gemacht, waren ins Kino gegangen, in die Milchbar, ins Theater und einmal sogar heimlich zum Tanz in ein Gartenlokal. Das Mädchen sah ihn in den letzten Wochen einfach nicht mehr, und es freute sie, daß er um sie litt, daß er ihr trotzdem nachlief und sie immer wieder fragte, was sie so plötzlich habe, und ob sie nicht doch mit ihm ins Kino käme. Das Mädchen lachte glucksend. Kino, Fußball, Jazzplatten, hundertmal an einem Abend fünfzig Meter Waldweg auf und ab laufen und Kaugummi kauen – das alles lag nun weit und unwiederbringlich zurück.

Das Mädchen dehnte sich im Sessel und streckte die Arme immer weiter ins Leere, bis es in den Schultergelenken weh tat. Sie konnte nicht einmal an so vieles denken, ohne daß sie sich noch erregte darüber, an den Lehrer Werner zum Beispiel, in den alle Mädchen verliebt waren – sie konnte sich deutlich sein blasses, von braunem welligem Haar eingerahmtes Gesicht vorstellen, seine strengen, aber irgendwie spöttisch lachenden Augen, seine Lippen, die sie einmal bedichtet hatte: „... zartes Moos, auf dem ewig der Tau liegt – Werkzeug, das das Krumme gerad biegt; seid gerecht zu jedem und zärtlich nur zu mir – Liebster, mit den Frühjahrsbächen, durch die stillen Wiesen komm ich zu dir ...“ Das Gesicht des Lehrers erregte sie nicht mehr, sie schämte sich jetzt, daß sie alle ihre Kleider für einen Kuß von ihm eingetauscht hätte. Sie schämte sich dieser Kindereien, dieses Getuschels der Mädchen in den Pausen über läppische, damals großartige Neuigkeiten, als Rita Junker davon erzählte, wie nach dem Schwimmunterricht der „wilde Ferdi“ plötzlich nackt in ihrer Umkleidekabine herumgesprungen sei, nichts davon war wahr gewesen, wie sich später herausstellte ... Das alles war vorbei, endlich, und ihr war, als hätte sie schon lange Zeit darauf gewartet, auf diesen Schluß von etwas – von was nur?

Sie sah jetzt neugierig auf ihre Füße, die Waden, die Knie, die Oberschenkel, sie zog das Kleid bis zu den Hüften hoch, aber sie konnte die Abdrücke der Berührungen *seiner* Hände nicht entdecken, und sie tastete ihre Beine ab, die sie lockerte und wieder anspannte und deren Fleisch sich fest anfaßte. Das Mädchen war froh und unglücklich darüber, daß sie auf ihren Beinen den Abdruck seiner Hände nicht erkennen konnte.

Die Stimmen in der Küche waren lauter geworden. Da war auch wieder das Lachen der Mutter. Das Mädchen stand auf, sie schüttelte sich abwehrend, dieses Lachen kannte sie nicht, es war die Stimme eines Tieres, heiser, rollend, es war unruhig und fremd wie diese Nacht. Das Mädchen schämte sich für dieses Lachen, und als sie diese abstoßenden Laute wieder hörte, dachte sie, daß ihre Mutter nackt sei und *ihn* umarme.

Sie wollte schon in die Küche laufen – aber sie drückte nur das Licht aus, stellte sich an die Wand, die ihr Zimmer von der Küche trennte, und horchte.

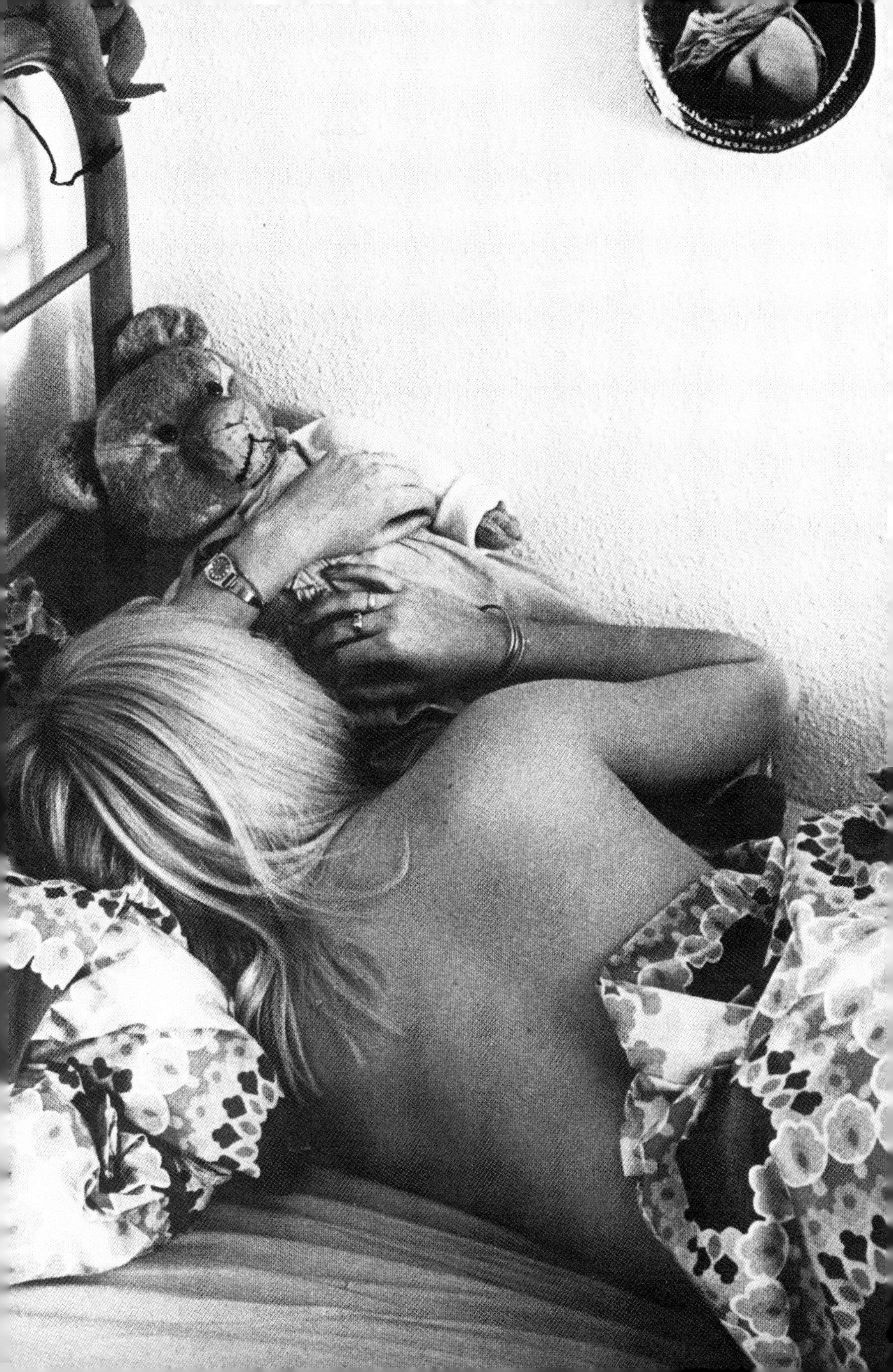

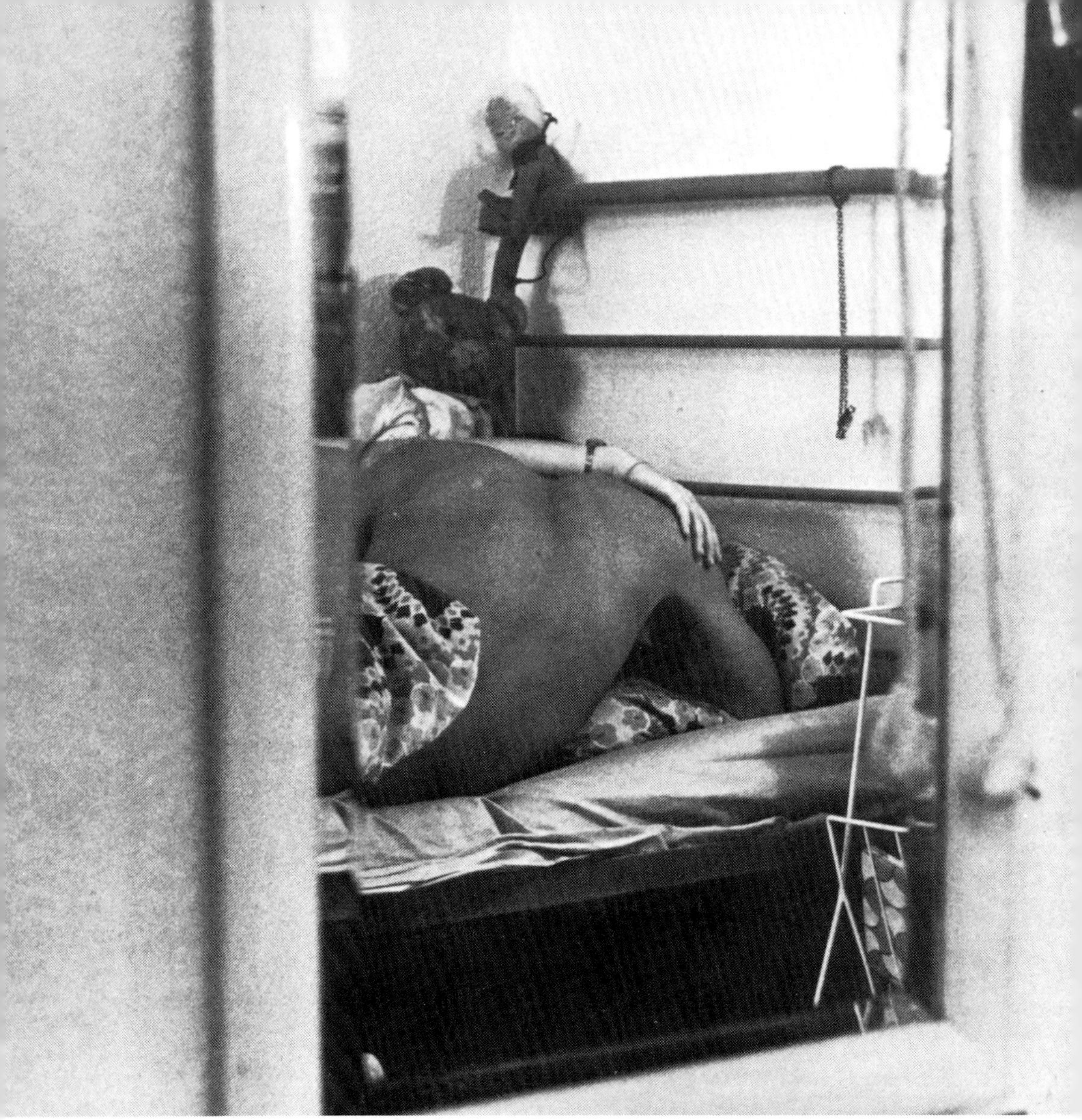

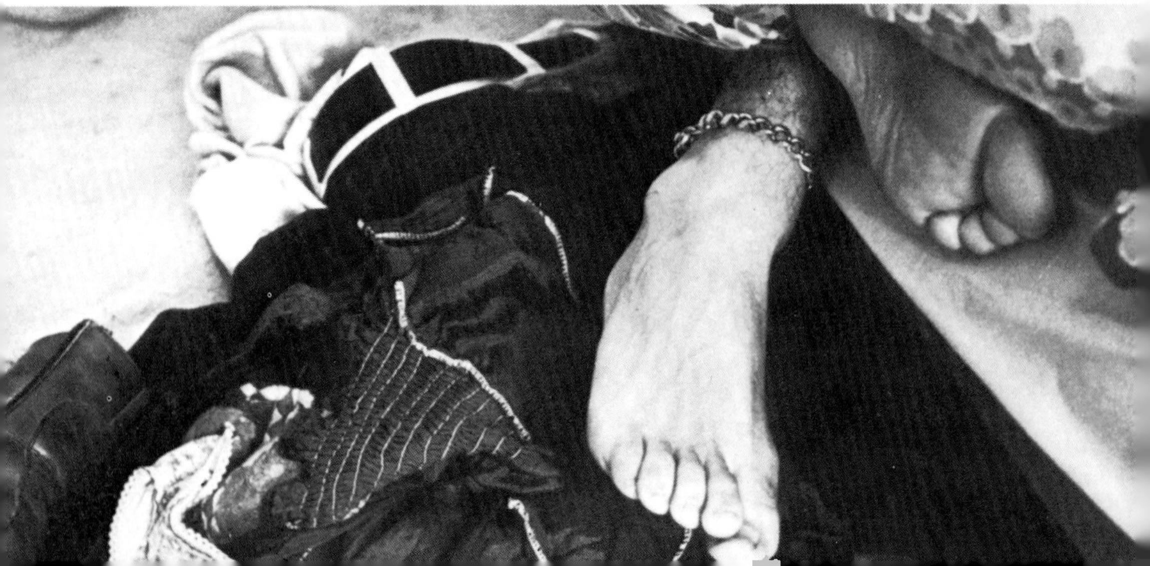

Sie hörte leise Musik, manchmal das Klingen von Gläsern und nur vereinzelte Worte, an denen sie aber erkannte, daß Mutter und *er* sich über die baldige Hochzeit unterhielten.

Wieder schrillte dieses Lachen auf, das dem Mädchen weh tat, und plötzlich war in ihren Gedanken wieder ein lange vergessenes Bild: Hinter den Eisenstäben die Löwin, sie wälzt sich auf den Dielen, schlägt abwehrend und heranziehend mit den Pranken nach dem Löwen, der mächtig über ihr steht, dürr vor Anspannung aller Kräfte, heiß, daß sein Fell gelb auffunkelt und der Körper dampft, und die Löwin wälzt sich ruhelos unter ihm, und ihre anhaltenden schmerzlichen Schreie sind von großer unerfüllter Sehnsucht ...

Das Mädchen sah noch, wie der Löwe auf die Löwin niederbrach, und sie hörte noch beider alles erstickenden Aufschrei ... Dann fiel sie auf das Bett und schlug mit den Fäusten in das Kissen und gegen das Holz, sprang hoch, riß die Schranktür auf, warf die Wäsche beiseite, zog das Mosaikbild einer Sonnenblume heraus und zerschlug es auf dem Tisch. Dann stand sie vor den Scherben, keiner Bewegung fähig, und böse Freude erfüllte sie. Sie erlebte noch einmal in Sekunden die wochenlange mühselige Arbeit, mit der sie diese Sonnenblume aus Hunderten winziger, bunter Glasstückchen zusammengesetzt hatte; und nun hatte sie sie zerstört, die Blume, für immer, ihr Hochzeitsgeschenk.

Als das Mädchen sich von den Scherben abwandte, sah sie sich im Dunkel undeutlich im Spiegel; sie sah das Gesicht einer Frau, sah die vollen, geöffneten Lippen, und sie erschrak vor den kühl und wissend blickenden Augen. Erst als sie nahe, sehr nahe an den Spiegel herantrat, erkannte sie sich, ihr schmales, etwas blasses Gesicht, das spröde kurze Haar, das nicht wachsen wollte, die tiefroten trockenen Lippen – aber in ihren Augen war diese Kälte, etwas Mitleidloses, die Bereitschaft zu hassen geblieben.

Sie konnte jetzt zum erstenmal in dieser Nacht *seinen* Namen aussprechen: Herbert. Sie wiederholte ihn mehrmals, und es bereitete ihr große Freude, ihn immer wieder anders auszusprechen: zärtlich, wütend, geflüstert, laut, böse und gut. „Herbert!“ sagte sie noch einmal mit einer Stimme, die ihren Besitz, ihre Herrschaft über *ihn* anmeldete.

„Sie darf dich nicht heiraten! Du bist mein Freund!“ rief sie drohend. Das Mädchen erschrak heftig über sich selbst, sie kam sich mit einmal sehr schlecht vor, und die Mutter tat ihr leid, sie fühlte sich wie mitten entzwei geschnitten, sie war nicht mehr eins, sie war zweimal da, und das eine stand gegen das andere im Streit. Eine Stimme sprach für sie, die andere gegen sie. Und da war die Frage, warum sie so plötzlich gegen diese Heirat war, die sie sich so sehr gewünscht hatte, die ihr zum erstenmal im Leben einen Vater bringen sollte? Aber lieber wollte sie mit der Mutter allein weiterleben, als daß die Mutter Herbert zum Mann bekam. Lieber sollte er gehen, weit, weit weg, dorthin, wo sie ihn nie wieder sehen könnte, so daß sie ihn vergessen würde. Sie würde weiter zur Schule gehen, dann würde sie auf jeden Fall studieren; sie würde jedes Land der Erde bereisen und wollte alle Menschen verstehen, und Mutter würde weiter die Straßenbahn durch die Stadt fahren, und sie würde ihr wie sonst oft im heißen Sommer kalten Tee und im Winter heißen Kaffee bringen und ein paar Stationen oder auch länger mit ihr fahren, die Ruhe und die Sicherheit, mit der Mutter die menschengefüllte Bahn durch die enge Stadt fuhr, würde ihr selbst Ruhe und Geborgenheit geben, und erst in einem ruhigen Vorort der Stadt würde sie aussteigen und in die Wohnung zurückfahren.

Ja, Herbert sollte gehen. „Geh fort!" rief das Mädchen. „Bleib, bitte!" flüsterte sie. Herbert war ihr Freund, er war interessanter und klüger als Peter und alle Jungen, die sie kannte, mit Herbert hatte sie über alles sprechen können, sie hatte ihm erzählt, was niemand, nicht einmal ihre Mutter wußte, daß sie selbst es gewesen war, die an Lehrer Werner die drei Liebesbriefe geschrieben hatte, die eines Tages an der Wandzeitung der Schule hingen. Sie hatte vor der Tafel gestanden, und sie hatte gedacht, daß sie jetzt sterben müßte unter den Blicken der anderen, und dann war sie auf die Toilette gerannt und hatte gebrochen und geheult, denn sie fand die Briefe schmutzig und gemein, und sie hatte sich immer fester eingeredet, daß sie die Briefe nicht selbst geschrieben hatte, sie hatte mit den anderen voll Eifer die geheimnisvolle Briefschreiberin gesucht und am lautesten von allen geschimpft.

Herbert hatte ihr auch zugehört, wenn sie laut träumte von dem, was sie in ihrem Leben alles tun würde, er hatte nicht einmal gelächelt, als sie ihm erzählte, daß sie mit Katrin und Inge als Krankenschwester nach Vietnam wollte, oder sie wollten Brot nach Indien bringen, und wenn das nicht ginge, wollten sie nach Amerika, wo sie inmitten der Neger stehen wollten, die Fäuste schwarz gefärbt und hoch erhoben.

Und Herbert – er hatte bestimmt nur ihr erzählt von seiner ersten Frau Rosa, einer dunkelhaarigen kleinen Frau mit großen freundlichen Augen; sie hatten gut zusammen gelebt, einer hatte sich unbedingt auf den anderen verlassen können, sie waren glücklich gewesen, bis ihre Mutter plötzlich wieder da war, es hieß, sie wäre aus Amerika oder aus Italien zurückgekommen, keiner wußte das genau, und sie selbst sagte nichts. Sie war arm und krank und pflegebedürftig zurückgekehrt, und ihre Schmerzen hatten sie böse gemacht, und sie schaffte es, die beiden mehr und mehr gegeneinanderzustellen, bis bald alles, was schön war zwischen ihnen, zerbrach und sie schließlich auseinandergingen.

Sie hatte im Bett gelegen und Herbert hatte bei ihr gesessen, und sie hatte ihre

Hände in Herberts Hände gelegt, und er hatte ihr immer wieder erzählen müssen von seinem Heimatdorf, dessen bröcklige, schiefe Häuser weit ab von den Städten zwischen dichten, nach Pilzen und Harz riechenden Wäldern, dürren Wiesen und steinigen Feldern hockten. Er hatte ihr Geschichten von seinem Vater erzählt, bis das Mädchen ihn kannte und liebte wie er. Sein Vater war groß und hager gewesen, die Feldarbeit hatte seine Schultern gekrümmt und seinen Kopf gebeugt, er war ein schweigsamer Mann, der selten lachte und nie fluchte wie die anderen Bauern im Dorf, er war von starkem Gerechtigkeitssinn erfüllt, selbst gegen das Vieh, und er kannte und liebte die Bäume und Gräser, ja selbst die Steine auf den Feldern, die ihm die schwere Arbeit noch schwerer machten. Er hatte bis zu seinem Tod gegen diese Steine auf den Feldern angekämpft, manchmal schienen sie ihn schon besiegt zu haben, wenn seine Freunde ihn nach Hause brachten, bis zur Besinnungslosigkeit betrunken. Aber am nächsten Morgen war er wieder auf dem Feld, unbesiegbar, und er hatte die Steine auf den Karren geladen und weggefahren, aber neue waren wie Pilze aus der Erde gekrochen. – Er war aus dem Krieg nicht zurückgekehrt, lag irgendwo zwischen Berlin und Moskau. An seine Mutter erinnerte sich das Mädchen nur schwach, eine alte, gütige Frau mit gichtigen Händen, die ihrem Sohn mit ihrem bunten Kopftuch die Tränen getrocknet hatte – die Mutter interessierte das Mädchen nicht.
Das Mädchen stand noch immer vor dem Spiegel und sah sich nicht mehr. Mit der Erinnerung war etwas Ruhe in sie gekommen. Die Gedanken an Herbert lenkten sie ab von sich und dieser Nacht, die sie gefangenhielt. Sie dachte, daß sie sehr viel von Herbert wußte, daß sie damit ein Recht auf ihn hatte; sie wußte Dinge über ihn, die anderen verborgen blieben, sie kannte seine Arbeit, diese weißzischende Flamme, die die Augen blendet und mit ungeheurer Hitze die harten Metalle miteinander verbindet. Herbert beherrschte diese Flamme, wie sein Vater die Felder beherrscht hatte. Das Mädchen erinnerte sich genau, daß er sie einmal mit auf die Werft genommen hatte zum Stapellauf eines Frachtschiffes, das er mit gebaut hatte. Sie hatten beide inmitten seiner Kollegen und vieler Menschen gestanden, und beide hatten die Luft angehalten und waren vor Aufregung rot geworden, als der mächtige Schiffsleib ins aufschäumende Wasser rutschte. Dann erst hatten sie wieder geatmet, und sie hatten sich angesehen und gelacht.
Und sie wußte noch mehr, so viel mehr von ihm; sie kannte fast jeden Schmetterling in seiner Sammlung: die Falter, Schwärmer, Spinner, die Eulen, die Motten und die Wickler – sie wußte, bei welchen Temperaturen sie ausflogen, sie freute sich wie er an ihren blumigen Farben und ihrer zarten Schönheit.
Die Erinnerung an ihr Wissen über Herbert hatte dem Mädchen die Sicher-

heit zurückgegeben. Sie wollte jetzt schlafen, schnell schlafen und von diesem Tag auf der Werft träumen, wo die Sonne mild war und ein warmer Regen niederging, wo es nur sie zwei gegeben hatte, nur sie zwei ... Ja, Herbert war ihr Freund, ihr wirklicher Freund!

Das Mädchen warf das Kleid und die Unterwäsche auf einen Sessel, zog sich das derbe, schmucklose Nachthemd über und legte sich ins Bett.

Sie zögerte, stand noch einmal auf und nahm den großen Bären mit ins Bett. Sie zog die Knie zur Brust, legte sich seitlich und schloß fest die Augen. Aber der Schlaf kam nicht sofort wie sonst, sie lag hellwach, und es gelang ihr nicht, die Augen geschlossen zu halten. Als sie die seitliche Lage nicht mehr aushalten konnte, drehte sie sich auf den Bauch und sah angestrengt in die knisternden Flammen der Kastanienblüten, die sich blendend rot zu öffnen schienen. Das Mädchen horchte auf die Stimmen aus der Küche.

Da hörte sie Herberts Stimme wie ein Wispern, dann wie ein Singen, und mit seiner Stimme kamen wieder seine brennenden Hände, die ihr jetzt an die Brüste griffen, daß sie sich abwehrend zusammenkrümmte und die Finger in die Ohren bohrte, aber die Stimme wurde noch eindringlicher, lockender, und die Hände ließen sich nicht mehr abwehren, sie ergriffen jetzt ihren Körper und brachten ihn zum Glühen. Das Mädchen wehrte sich nicht länger, sie wimmerte, lag auf dem Rücken, die Beine und Arme gebreitet. Als ihre Hände hilflos Halt suchten, fand sie den Bären, den sie nun endgültig wegstieß. Die Flammen zuckten jetzt rot an den Zimmerwänden und der Decke, sie flackerten auf und verloschen, näherten sich, sprangen ineinander und zuckten voneinander weg, und die Nacht war dunkel, so warm, die alles verbergende stille Nacht, und seine Stimme sang dem Mädchen jetzt ein fremdes und doch oft gehörtes Lied, und seine Hände gaben sie nicht mehr frei.

Das Mädchen zog das Nachthemd vom Körper und lag nackt auf dem Bett; alle Flammen aus den Bäumen und von den Wänden des Zimmers hatten sich zu einem großen Feuer in ihrem Körper vereint. Das Mädchen spürte ein schmerzliches Ziehen in den Brüsten und im Unterleib, und sie wußte mit den Händen nicht, wohin. Überall fand sie seine Hände, gewalttätige Hände, der Schmerz in ihr wurde stärker, und ihre Knie zitterten – dann lag sie entspannt und kraftlos und sagte immerzu leise und froh: „Er gehört mir ...!"

Sie lag, ohne zu denken, aber dann drängte leidenschaftliche Neugier sie zum Spiegel; sie wollte sich jetzt sehen, unbekleidet, sie wollte sehen, was mit ihr passiert war, etwas mußte mit ihr passiert sein!

Das Mädchen ging ganz nah an den Spiegel heran und drehte sich nach allen Seiten. Ihre Brüste und Hüften erschienen ihr voller, so wie bei den Frauen, mit denen sie im Stadtbad unter der Dusche gestanden hatte. Sie sah auch ihr

Gesicht, es war älter geworden, und ihre Augen, die sie vorhin noch erschreckt hatten, beruhigten sie jetzt, es waren ihre alten, neuen Augen, und sie blickten voller Stolz in den Spiegel.

Das Mädchen dachte, daß sie jetzt kein Kind mehr sei, sondern eine Frau, die Kinder haben konnte, und es machte sie so glücklich und stolz, daß sie den Kopf in den Nacken warf. Und sie sagte ihren Namen, Birgit, und er klang auch neu und schöner als früher.

Birgit nahm aus dem Schrank eine Kette, ein Geschenk von Herbert, echt Bernstein, rotgelb funkelnd auch im Dunkeln, sie wußte, daß so eine Kette teuer war und daß Herbert sie ihr darum gekauft hatte. Sie legte sich vor dem Spiegel die Kette um, die sie nie wieder ablegen wollte.

Aber die Kette zeigte ihr ihre Nacktheit, es war ihr plötzlich unmöglich, so hier zu stehen vor dem Spiegel, unbekleidet vor den tausend begehrlich blickenden Augen der Nacht, sie durfte nicht mehr nackt stehen, sie mußte ihren Körper von nun an verbergen. Sie griff schnell nach dem Nachthemd, legte es aber gleich wieder weg und zog sich ein dünnes fliederfarbenes Unterhemd über.

Damit war Birgit zufrieden. Das Unterhemd lag eng am Körper an, es war tief ausgeschnitten, es verdeckte und es zeigte, aber nicht alles.

Sie zupfte noch ein wenig an den Trägern, dann ging sie zum Bett, setzte sich und lachte, als sie die Scherben des Mosaikbildes auf Tisch und Fußboden glitzern sah – und sie zuckte zusammen, als sie die Wohnungstür auf- und zuklappen hörte. Sie wußte, die Mutter war jetzt zur Nachtschicht gegangen. Sie sah auf die Uhr, die Mutter war zeitiger als sonst gegangen, sie würde noch bei Oma Wegereit vorbeisehen, die allein und krank lag.

Birgit dachte daran, daß sie jetzt ganz allein mit Herbert in der Wohnung war, und sie wünschte sich einen Schlüssel, mit dem sie ihre Tür hätte verschließen können – und sie wollte zur Tür laufen, sie aufstoßen und Herbert zu sich hereinrufen. Birgit saß auf dem Bett. Nichts geschah. Die Nacht schwieg. Nur das Pochen schickte sie wieder, Birgit spürte es immer schneller und stärker in sich. Sosehr sie sich auch anstrengte, sie konnte Herberts Stimme nicht hören, sie hörte nur leise Musik und Schritte, er mußte das Radio eingestellt haben, und er lief durch die Küche, auf und ab, wieder und wieder ...

Birgit wünschte sich jetzt sehr, daß er käme, und sie wollte das Erstaunen in seinem guten Gesicht sehen, wenn er erkannte, wie sehr sie sich verändert hatte.

Aber er kam nicht, es tönten nur seine unruhigen Schritte aus der Küche herüber. Birgit wollte rufen; aber er sollte von allein zu ihr kommen, nein, rufen wollte sie ihn nicht. Er sollte es sein, der in dieser Nacht unaufgefordert

in ihr Zimmer kam. Doch die Nacht verpochte immer schneller in ihr, immer mehr Flammen starben im Geäst der Kastanien.
Birgit begann zu weinen, sie konnte nicht begreifen, daß er nicht so fühlte wie sie, daß er nicht voller Sehnsucht war nach ihr, daß er nicht zu ihr kam, um bei ihr zu sein. Und sie weinte lauter, er mußte es doch hören, er sollte es wissen, wie sie litt, und ihr Weinen wurde ein Ruf nach ihm, es wurde zum Schrei ...

Der Freund

Herbert durchmaß mit fünf Schritten die Küche. Er versuchte es mit vier zu schaffen, aber dafür war er zu klein, waren seine Beine zu kurz. Er blieb vor dem Tisch stehen, goß sich ein Wasserglas viertelvoll Weinbrand, trank und schüttelte sich. Herbert schwitzte, er zog das Oberhemd aus und begann wieder unablässig die Küche zu durchmessen. Er wußte nicht, was mit ihm passiert war, woher diese unerklärliche dumme Unruhe kam, die ihn den Weinbrand wie Wasser trinken ließ; aber er war voller Freude, er wollte nicht nachdenken jetzt; er lief, und er ließ sich von den Fersen zu den Zehenspitzen abrollen, dann lief er breitbeinig mit schwingenden Armen, so wie die jungen Matrosen laufen, wenn sie ihre erste Fahrt hinter sich haben. Ja sogar ihre trotzigen vorgeschobenen Lippen ahmte er nach und das halb kindlich-lustige und halb männlich-verführerische Zwinkern in den Augen, wenn sie in ihren Uniformen im Hafenviertel auf den Bänken saßen und die vorübergehenden Mädchen und Frauen musterten.
Machmal, wenn Herbert am Fenster wendete, sah er auch das Flackern der Lichter in den Bäumen, das ihn eigenartig berührte und ihn an die Irrlichter in irgendeinem Märchen erinnerte. Er hörte bei seinem Lauf den Wellensittich in dem schwarz abgedeckten Käfig flattern, und er fuhr sich mit dem Taschentuch über das spärlich schwarze Haar, und er wünschte sich jetzt Lisa ins Bett, die zum Nachtdienst war und die bald seine Frau sein würde. Er wußte, diese Heirat würde ihm wieder das Zuhause bringen, nach dem er sich sehnte, die Familie, die er brauchte, um nicht zu vergrämen und zu verbittern. Seine Arbeit, die ihn erregte, die er liebte, war ihm das eine, das er brauchte zum Leben, und das andere, ohne das ihm die Arbeit nichts bedeutete, war die Frau, die Ehe, die Familie, die er brauchte, die ihn brauchte. Und er begriff es als ein großes Glück, daß er in seinem Alter – und er wußte, er war noch nie ein gutaussehender Mann gewesen, dessen Äußeres auf Frauen Eindruck gemacht hätte – noch eine Frau bekommen sollte, die er liebte und die ihn liebte.
Herbert lehnte jetzt am geöffneten Fenster, und er hatte ein starkes Verlangen, Lisa neben sich zu haben, ihren vollen warmen Körper zu spüren und ihre

ruhige, frauliche Stimme zu hören. Sie würde ihm diese Unruhe nehmen, dieses belustigende und doch beunruhigende Gefühl, losrennen, tanzen oder ein Gedicht aufsagen zu müssen; aber das war auch eine Nacht, in der das Frühjahr alles Winterliche, alles Erstarrte abschüttelte, da waren sehnsüchtige Stimmen, die sich jahrhundertealte Geheimnisse erzählten – es war eine leidenschaftliche, eine junge Nacht, und es war kein Wind im Geäst der Kastanien, es war nur Dunkelheit, nur Stille, nur Nacht ... Da hörte Herbert diesen Schrei, lang anhaltend, gequält, und Herberts Hände strichen nervös über seine zuckenden Augenbrauen, er dachte: Das Kind! Birgit! – und es widerstrebte ihm, jetzt in ihr Zimmer zu gehen und nachzusehen, was passiert war; er konnte sich selbst nicht begreifen, daß er nicht sofort loslief.
Er ging langsam und zögernd aus der Küche, und als er die Tür zu Birgits Zimmer öffnete und das Licht einschaltete, wußte er, was er nur im Unterbewußtsein geahnt hatte.
Birgit lag im Bett, das dünne Hemd hielt sie mit verkrampften Händen über ihren Unterleib gezogen, ihr Gesicht, ihr Körper glühten wie im Fieber, und er sah den sonst wohlbehüteten Bären Mischka zwischen den Glasscherben liegen, er sah das Mosaikbild, von dem er schon gewußt hatte, zerschlagen auf dem Tisch liegen.
Herbert kam sich hilflos, schäbig, viel zu klein und häßlich, ja schlecht vor, wie er hier unbeweglich mit hängenden Armen in der Tür stand und auf das Mädchen starrte, das zu schreien aufgehört hatte und ihn mit fast geschlossenen Augen ansah.
Herbert wußte nicht, was er tun sollte, er fluchte innerlich, daß er in Birgits Zimmer gegangen war. Er hatte selbst nie Kinder gehabt, sosehr er sich welche gewünscht hatte, also wußte er nichts anzufangen mit einem Mädchen, das plötzlich in einer Nacht zur Frau geworden war. Er bereute es heftig, daß er nicht mit Lisa aus dem Haus gegangen war, anstatt sinnlos durch die Küche zu rennen und zu trinken.
Doch nun stand er hier, festgehalten durch die Augen, die auf eine Bewegung von ihm warteten, und er griff sich nach dem Hals, nach dem Hemdkragen, der ihn drückte, aber er fand das Hemd nicht, er hatte es ja in der Küche ausgezogen, und er kam sich in Hosen und Unterhemd völlig entblößt vor. Herbert spürte, er mußte etwas sagen, das ihn vor Birgit wieder sicher machte.
„Du hast geschrien ... Du hast geweint. Was ist denn ...!" Sie schüttelte den Kopf. Das Hemd spannte sich durchsichtig über ihren Brüsten.
Herbert schluckte, er drehte sich um, tastete nach dem Lichtschalter und sagte: „Schlaf jetzt, Kin ... Birgit!"
Birgit federte hoch, kniete auf dem Bett und rief: „Bleib! Du mußt!" Herbert

drehte sich wieder zu ihr und sagte ärgerlich: „Zieh dir dein Nachthemd an. Was soll denn das!"

Er sah, wie sie unter seinen Worten zusammenzuckte, als hätte er sie geschlagen, und er dachte, daß er so nicht mit ihr sprechen durfte. Aber daran war seine jämmerliche Unsicherheit schuld. Wie sollte er nur mit ihr sprechen? War es nicht besser zu gehen? Dort im Bett saß doch nicht mehr Birgit, das Kind, das er liebte wie ein Vater seine Tochter, zu der er sich ans Bett setzen und ihre kühlen kleinen Hände in seine derben nehmen konnte, um dann mit ihr zu sprechen über alles, was sie beide sorgte und freute. Sie hatten doch großes Vertrauen zueinander gehabt und sich alles gesagt, sie hatten über ihren Freund Peter gesprochen, den sie nicht mehr mochte, von dem sie aber immer wieder sehr viel erzählte, und er selbst hatte zu ihr von seinem Freund gesprochen, der vor einem Jahr mit dem Motorrad tödlich verunglückt war und den er nicht vergessen konnte ...

Und jetzt – er konnte sich doch nicht zu ihr setzen, heute, in dieser Nacht, und ihr erzählen von dem neuen Frachtschiff, das sie bauen würden, oder etwas von seinen Schmetterlingen, vom „Kaisermantel", der ihm noch fehlte, oder vom „Totenkopf", den er dieses Jahr unbedingt haben mußte für seine Sammlung, diesen größten der in Mitteleuropa verbreiteten Schwärmer, der etwa von Mai an aus dem Mittelmeergebiet und Nordafrika in unser Gebiet einfliegt, dieser Honigsauger, der manchmal sogar in die Bienenstöcke eindringt ...

Herbert war sich jetzt seiner wieder sicherer, er hatte sich mit seinen Gedanken von Birgit wegtragen lassen, und er sah das Mädchen jetzt zart und schön und verletzlich wie seine Schmetterlinge, und er stellte sie sich vor als Falter, den buntesten und lebendigsten, den schönsten ... Er mußte über sich lächeln, und er sagte ruhig und bestimmt: „Ich muß jetzt gehen. Nach Hause. Ich bin jämmerlich müde."

Birgit hatte sich schnell auf den Bettrand gesetzt, machte eine Bewegung mit den Händen nach ihm und sagte hastig: „Du hast so oft hier geschlafen, gestern auch, du kannst auch heute hier schlafen, Muttis Bett ist doch leer ..."

Als er nicht antwortete, sagte sie: „Du mußt bleiben. Diese Nacht ... Mir ist so heiß ... so komisch ... Ich kann nicht schlafen."

„Ja", sagte Herbert, „es ist schon eine schwüle Nacht ...", und er sah aus dem Fenster in die schwarzen Bäume, und ihm war so, als hörte er die verborgenen Kräfte und Säfte sich in den Bäumen regen, als sähe er dieses Fließen, dieses Strömen zu den Knospen ... und es roch nach warmem, sonnengebeugtem Gras, und der Himmel über den Bäumen, den er nicht sehen konnte, mußte leise bewegt sein, nachtbunte Flügel eines großen, sonderbaren Falters ...

Das Licht verlosch, Herbert spürte einen Ruck, Birgit hing an ihm; sie hatte die Arme um seinen Hals geschlungen, Birgit, das Mädchen, die Frau, und ihr Atem lag warm auf seinem Gesicht, ihr Körper war trocken-heiß, und ihre Augen waren reine Kinderaugen, klar wie Waldseen, auf deren Grund jeder Stein deutlich zu erkennen ist, und es waren erfahrene Frauenaugen, leidenschaftlich bewegt wie das Meer, und er fühlte ihre spröden, sich bewegenden Lippen an seinem Ohr: „Ich hab dich so lieb ..."

Er stand, unfähig zu denken und zu handeln. Das alles schien ihm unbegreiflich, unmöglich, nicht wahr, furchtbar, herrlich, er begriff sich und die Zeit nicht mehr, er hatte die Augen geschlossen, und etwas trug ihn weg, und die Wärme nahm zu und der Geruch nach der Sonne in den abendlichen Wiesen, und der Himmel lag auf ihm wie eine lichtblaue Feder, sie war von der Schönheit, die Unglück bringt.

Herbert zwang die Augen auf, derb stieß er Birgit zurück, daß sie aufschrie, ihn fassungslos ansah, sich dann frierend und gebeugt auf den Bettrand setzte und auf den Fußboden stierte.

Herbert lief in die Küche, er trank den Weinbrand aus der Flasche, und er dachte: Mein Gott, was hast du angerichtet ... was hast du grober Kerl, du Idiot, da angerichtet ...? Er lief zurück in Birgits Zimmer, sie saß noch immer so, wie zerbrochen, wie ohne Leben, und ihn befiel eine entsetzliche Angst, daß das so bleiben könnte mit ihr, daß er, der auf der Werft die feinsten Schweißnähte zauberte, hier etwas zerbrochen hatte, das ihm wichtiger war als alle Schiffe der Welt. Warum nur verstand er nichts von den häßlichen und schönen Gefühlen im Menschen – sollte er sein Leben lang die Schuld daran tragen müssen, daß Birgit nie wieder herzlich lachen, nie zärtlich zu einem Mann würde sein können? War denn die Welt, die er liebte, nicht wirklich in ihm, und war er nicht fähig, anderen davon mitzuteilen? Hatte er schon bei Rosa, seiner Frau, versagt? War es so schwer, die Menschen, die er liebte, zu verstehen, ihre Gefühle zu achten und sie nicht zu verletzen?

Oder war er sich seiner selbst einen Augenblick unsicher gewesen gegenüber dieser überspringenden Leidenschaft und der Schönheit des Mädchens? Es war schrecklich schwer, zu leben und das Richtige zu tun. Aber er mußte etwas tun. Er mußte etwas tun für Birgit, auch für sich, und er verfluchte seine Unbeholfenheit, er wußte nicht, was er tun konnte. Seine Hände arbeiteten gegeneinander, und er hätte wegrennen wollen, aber er wagte keinen Schritt vor oder zurück, bevor er sich nicht sicher war, wohin der ihn führen würde. Er dachte, daß er sich das alles leichter vorgestellt hatte: ein Kind, eine Tochter zu haben. Und er verabscheute diese Nacht, die jetzt wie ein häßlicher schwarzer Sumpf war, der alles Gute und Schöne verschlang.

Herbert wußte sofort, daß es zu einfach, daß es falsch war, dieser Nacht die

Verantwortung zu geben, er wußte doch, das Leben wollte gelebt werden. Nein, er durfte nicht gehen, so nicht, da würde er seine Familie verlieren, bevor er sie gewonnen hatte. So ging er langsam und zögernd, nur von seinem Willen wiedergutzumachen vorangetrieben, zu Birgit. Er stand vor ihr und sagte: „Birgit ... hörst du ...?", und er hoffte auf eine Bewegung von ihr zu ihm hin oder auf ein Wort, daß sie ihn bemerkte, daß sie bereit war, ihm zuzuhören. Aber sie rührte sich nicht, und er setzte sich neben sie und mühte sich, einen Anfang, das richtige Wort zu finden. Da bemerkte er die Kette, die um ihren Hals lag, und er erinnerte sich, daß er sie ihr geschenkt hatte, als Lisa ihn zum erstenmal mit nach Hause genommen und ihrer Tochter vorgestellt hatte. Er sagte: „Kleines – du, die Kette, ich schenke dir eine neue, eine schönere ..."

Herbert empfand Birgits Schweigen und ihre Bewegungslosigkeit als unnatürlich, es quälte ihn. So still und einfach er lebte, mußte er doch mit einem Menschen sprechen können über das, was ihn bewegte. Das Schweigen anderer konnte ihm körperlich weh tun, ja fast den Zustand einer Erkrankung herbeiführen. Nie kam er sich so hilflos vor, wie wenn Menschen, mit denen er zusammen lebte, nicht mit ihm sprachen.

Er redete gegen dieses Schweigen an, gegen diesen Schmerz, die Worte kamen, und er ließ sie aus sich heraus, er erzählte von der Kette, die er ihr kaufen würde, von dem Tanker, der noch auf der Helling lag, vom „Eisenfresser" aus der Härterei, der den Zeigefinger seiner rechten Hand in flüssigen Stahl tauchen konnte, ohne sich zu verbrennen; er sprach vom „Kaisermantel", dem „Argynnis paphia", diesem goldfarbigen, schwarzpunktigen Edelfalter, der an sonnigen Tagen über die hohen Gräser der stillen Waldwiesen schaukelt, und von ihrem gemeinsamen Ausflug am kommenden Wochenende nach Berlin, sie würden mit einem Dampfer der „Weißen Flotte" auf der Spree fahren, danach wollten sie auf den Fernsehturm, von dem man weit über die Stadt hinaus sah ... Er war sehr glücklich, als er bemerkte, wie sich Birgits blasses Gesicht wieder rötete, wie ein Lächeln ihre zusammengepreßten Lippen öffnete, und dann sagte sie leise mitten hinein in sein Erzählen: „Ich will keine andere Kette. Diese ist die schönste. Sie ist aus echtem Bernstein."

Er lachte, wollte ihr sagen, daß die Kette nur eine schlechte Imitation sei, aber er hielt sich rechtzeitig zurück und nahm sich vor, ihr gleich morgen eine echte Bernsteinkette zu kaufen und sie heimlich gegen die Imitation einzutauschen. Er ließ es zu, daß Birgit sich an ihn lehnte, sich an seiner Brust zurechtschmiegte – und als sie ihn bat, er solle doch weitererzählen, da legte er seinen Arm um ihre Schultern und erzählte ...

Lisa ging in dieser Nacht nicht gern aus der Wohnung, und doch hatte sie sich eher als sonst auf den Weg gemacht. Oma Wegereit würde schon ungeduldig auf sie warten. Lisa dachte kurz an die alte Frau, die sich gegen eine Einlieferung ins Krankenhaus wehrte und nun von den Hausbewohnern und von ehemaligen Arbeitskollegen gepflegt wurde.

Lisa schloß die Haustür hinter sich ab. Sie knöpfte die Jacke ihrer Uniform wieder auf, es war doch eine ungewöhnlich warme Frühjahrsnacht. Auf dem welligen Fahrdamm, an den Bordsteinkanten standen noch dunkelgrün schimmernde Wasserlachen, denn es hatte am Tage geregnet, die Gaslaternen brannten matt und blau, die Fenster in den Häusern rechts und links der engen Straßen waren geöffnet. Die Leute hatten Kissen auf die Fensterbretter gelegt, lehnten die Ellbogen darauf, sahen prüfend in den Himmel und schwiegen. Die Jungen und Mädchen standen an den Hecken oder auf der Straße und warfen mit kleinen Geldstücken nach der Bordkante. Ihre Kofferradios und Tonbandgeräte schwiegen, auch ihr übermütiges Lachen fehlte, die Jungen standen abseits von den Mädchen.

Lisa fand, etwas wie eine unruhige Erwartung habe sich mit der Dunkelheit auf die Stadt und die Menschen gelegt. Auch in sich fühlte sie eine Nervosität, die sie sonst nicht kannte, sie merkte, daß sie schneller als gewöhnlich lief und dabei ihre Tasche weiter schwenkte, und sie dachte daran, daß sie vergessen hatte, Birgit gute Nacht zu sagen; aber das Kind würde schon schlafen, es war heute ein anstrengender Tag für sie gewesen, sie hatten gleich zwei Klassenarbeiten schreiben müssen; und sich dachte an Herbert, der heute sehr zärtlich zu ihr gewesen war und ihr wie ein verliebter Junge viel lieben Unsinn gesagt hatte. Er hatte sehr viel getrunken, und er war in großartiger Laune gewesen, und immer wieder hatte er über ihre Hochzeit gesprochen, als hinge sein Leben davon ab. Wie ein Kind freute er sich auf ihr Hochzeitskostüm, das sie in den nächsten Tagen kaufen wollten, er hatte davon ganz bestimmte Vorstellungen, es mußte unbedingt kaffeebraun sein und an der Jacke große aufgesetzte Taschen haben und einen breiten Gürtel. Sie mußte lachen über ihn, über seinen Eigensinn in manchen Dingen des Lebens, die ihr nicht wichtig erschienen. Dort, wo es nach ihrer Meinung darauf ankam, eigensinnig zu sein, war er von grenzenloser Gutmütigkeit, in seiner Brigade machte er nun schon jahrelang die kompliziertesten Arbeiten, ohne dafür mehr Geld zu bekommen als seine Kollegen, die leichtere Arbeit hatten. Er lachte nur zufrieden, wenn sie darüber schimpfte, und sagte: „Sollen sie mich doch ausnutzen, Lisa, es ist doch etwas Großartiges, wenn man andern etwas von sich geben kann, das sie selbst nicht besitzen und dringend brauchen."

Lisa bog in die Elsbethstraße ein. Sie prüfte ihre Tasche nach, ob sie auch alle Lebensmittel für Oma Wegereit mitgenommen hatte. Als sie weitergehen wollte, saß vor ihr der kleine Benno Hinz auf einem neuen Lederball. Lisa sah hinauf zu dem Fenster im zweiten Stock, wo Benno mit seiner Mutter in einem Zimmer wohnte, sie sah durch die zugezogenen Vorhänge rotes Licht schimmern, sie wußte, die Hinz hatte wieder einen Freund oben. Lisa strich dem Jungen durchs Haar und nahm sich zum drittenmal vor, auf das Jugendamt zu gehen und die Angelegenheit zur Sprache zu bringen. Benno lief neben ihr, den Ball vor sich her stoßend, bis zu Oma Wegereits Haus, dann rannte er zurück, setzte sich wieder auf den Ball und sah wartend hinauf zu dem Fenster.

Lisa stieg langsam die Treppen zu Oma Wegereits Wohnung hinauf. Ihr fehlte die Freude auf den Nachtdienst, sie wünschte sich nur, diese Nacht solle schnell vorbeigehen, und daß morgen ein heller, sonniger Tag sei. Sie fuhr sonst gern nachts, es stimmte sie immer ein bißchen traurig und zugleich froh, wenn die Stadt von Stunde zu Stunde ruhiger wurde, mehr und mehr Lichter in den Häuserreihen verloschen, wenn Punkt Viertel nach zwölf am Connewitzer Kreuz der alte Gregor seinen Stock schwenkte und ächzend zustieg, seinen struppigen Vollbart zauste, aufstieß, bissigen Kneipengeruch ausdünstete. – Lisa behauptete, daß die Menschen nachts ruhiger, nachdenklicher, ja besser wären als am Tage. Jedenfalls in ihrer Straßenbahn war es so. Sie hatte nachts nie Schwierigkeiten mit den Fahrgästen, auch mit den Betrunkenen nicht.

Lisa schloß eilig Oma Wegereits Wohnungstür auf. Als sie eintrat, schlug ihr wie immer ein derber Geruch nach Medizin und Kamillentee entgegen, sie schaltete das Licht ein, ging in die Küche, öffnete das Fenster und stellte die Lebensmittel auf den Tisch. Sie gab ihre Stimme ungezwungen und fröhlich: „Na, Oma Wegereit, wie geht's heute?“

Lisa trat in die Wohnstube, die alte Frau saß im Sessel am geöffneten Fenster und lächelte ihr zu.

„Ich sehe schon“, sagte Lisa, „heute geht's Ihnen besser“, und sie klopfte das Bett auf, prüfte, ob die Medizin genommen war, auf dem Nachttisch lagen die Bibel und noch ein Buch aufgeschlagen. Lisa stellte sich neben die alte Frau ans Fenster. Sie schwiegen und sahen hinaus auf die gegenüberliegenden Häuser, über die Dächer ins Dunkel. Oma Wegereit griff nach Lisas Hand und sagte: „Sie sind ein so gutes Mädchen“, und nach einer Weile, in der sie sich vom Fenster abgewandt, ihre Brille wieder aufgesetzt und die Watte wieder in die Ohren gesteckt hatte, sagte sie: „So eine Nacht ist für mich ein Geschenk Gottes. Sie läßt mich noch einmal auf das Leben hoffen, wo ich dumme alte Frau genau weiß, daß es zu Ende geht mit mir.“

„Reden Sie nicht solch Zeug", sagte Lisa, und sie fühlte sich wieder verlegen, vielleicht sogar rot werden, als die alte Frau über ihren Tod sprach, und sie dachte daran, daß Oma Wegereit noch vor einem Jahr im Mökkernschen Straßenbahnhof gearbeitet hatte und eine fröhliche, immer zu kleinen Neckereien aufgelegte Frau gewesen war ... Lisa nahm das Buch vom Nachttisch und las: „Seghers – Überfahrt – Eine Liebesgeschichte." Lisa kannte das Buch nicht, sie hatte in ihrem Leben nie viel gelesen, und auch jetzt drängte es sie nicht dazu, ihr war das Leben interessanter als die Bücher, lieber stickte sie Blusen oder Muster in eine Tischdecke, aber jetzt, als sie las „Eine Liebesgeschichte", war es ihr, als hätte sie sich und erst recht die alte Frau bei etwas Ungehörigem, etwas Verbotenem ertappt – dieses Buch auf dem Nachttisch der sterbenden Frau ...

„Es ist zum Lachen. Nicht wahr?" sagte Oma Wegereit. „Ich lese eine Liebesgeschichte. Kurz vor meinem Ende reicht mir die Bibel nicht mehr. Vielleicht ist auch die Lenka, die Kästner, daran schuld. Es ist die Dicke von der Kontrolle, die ins Büro mußte, weil sie einen Schwarzfahrer geohrfeigt hatte. Er wollte ihr ausreißen. Erinnern Sie sich? Das ‚Riesenweib' nannten wir sie. Sie kam vor drei Tagen zu mir und heulte wie ein Schloßhund. Das Buch gab sie mir. Sie sagte, es wäre genau das Richtige für mich."

Oma Wegereit war aus dem Sessel aufgestanden und stützte sich dankbar auf Lisa, die sie zum Bett führte. Die alte Frau legte sich, und Lisa merkte ihr an, daß sie wieder starke Schmerzen hatte, aber Oma Wegereit winkte ab, als Lisa nach der Medizinflasche griff, sie nahm mit ihren zittrigen Händen das Buch, schlug die Seite auf, wo sie ein Lineal eingelegt hatte, und sagte: „Lesen Sie mir bitte die angekreuzte Stelle laut vor, mein Kind."

Lisa hielt das Buch unsicher in ihren Händen, die gewohnt waren, die Straßenbahn durch den stärksten Stadtverkehr zu fahren, und sie las mit stockender Stimme: „In dieser sich ständig verändernden, weiterstrebenden Welt, in der wir jetzt leben, ist es gut, wenn etwas Festes in einem für immer erhalten bleibt, auch wenn das Feste ein unvergeßliches Leid ist. Weil er etwas Schweres erlebt hat, werden ihm alle Menschen begreiflich sein, die etwas Schweres erlebten. Und diese ‚anderen Menschen begreifen' wird seinem ganzen Leben nutzen und auch seiner Arbeit."

Die alte Frau hatte die Tischlampe abgedunkelt, die Nacht war ins Zimmer gestürzt, lebendig und unruhig wie das, was Lisa eben gelesen hatte. Lisa war froh, daß sie das Buch weglegen konnte, sie sah, daß Oma Wegereit müde war und die Hände wie zum Gebet gefaltet hatte, und sie hörte sie sagen: „Das ist es. Wer ‚die anderen Menschen begreifen' kann, der wird das Leben begreifen können. Und wer das Leben begreifen kann, der wird den Tod begreifen können."

Die alte Frau weinte, Lisa glaubte es zu hören, und sie wußte nicht, ob es Tränen der Freude oder der Angst waren. Lisa nahm ihre Tasche und ging auf Zehenspitzen aus dem Zimmer, aber Oma Wegereit rief sie zurück, sie zog unter einem Packen Zeitungen eine Flasche hervor, steckte sie in Lisas Tasche und sagte: „Nehmen Sie. Für Ihren Guten."

Sie winkte ab, als Lisa etwas einwenden wollte, und Lisa ging leise und bedrückt aus der Wohnung.

Dann stand sie vor dem Haus und schaute unschlüssig auf die Uhr. Sie hatte noch Zeit. Oma Wegereit hatte sich heute allein gewaschen, es war kaum zu glauben, aber die alte Frau hatte heute wieder vieles allein geschafft.

Lisa nahm die Flasche aus der Tasche; es war tschechisches Pilsner, das könnte sie noch Herbert bringen. Es zog sie noch einmal zurück in die Wohnung, und plötzlich war mit dem Gefühl der Unruhe die Unsicherheit wieder da, die sie überwunden und vergessen zu haben geglaubt hatte. Wer war denn Herbert? Was wußte sie eigentlich von ihm? Alles. Das war ihr zuwenig. Er hatte sie beschworen, ihm zu vertrauen, und mit der Zeit hatte sie ihm vertraut. Er hatte ihr auch nicht einmal Anlaß gegeben, ihm zu mißtrauen, er liebte sie, er war geachtet unter seinen Freunden und Kollegen, Herbert war ein guter, ein nützlicher Mensch. Aber Lisa war jetzt zu erregt, zu unsicher, als daß sie hätte zur Arbeit gehen können, sie lief durch die Straßen, die ihr nun noch finsterer und enger erschienen als vor einer Stunde.

Benno Hinz und sein neuer Ball waren nicht mehr auf der Straße. Lisa nahm sich vor, endgültig morgen auf das Jugendamt zu gehen. Die Jungen und Mädchen standen nicht mehr an den Hecken. Lisa lief, in der einen Hand hielt sie die Tasche, in der anderen Hand die Flasche, wie als Beweisstück dafür, daß sie noch einmal nach Hause mußte. Drei Wörter aus den Sätzen, die sie Oma Wegereit hatte vorlesen müssen, gingen ihr nicht aus dem Sinn, „andere Menschen begreifen", und sie glaubte, daß sie Herbert nicht richtig würde begreifen können und auch nicht vertrauen. Die Enttäuschung über Birgits Vater lebte noch zu stark in ihr. Er hatte sie auch beschworen, ihm zu vertrauen, und nur zu gern hatte sie ihm vertraut, seinen guten Manieren, seiner Klugheit und seiner starken Männlichkeit. Als sie ihm damals voller Glück sagte, daß sie von ihm ein Kind erwarte, hatte er ihr geantwortet, daß er verheiratet sei, und er hatte seine guten Manieren und seine Klugheit beibehalten und davon gesprochen, daß sie eine richtige Lösung finden müßten, die für alle Beteiligten gut wäre. Sie hatte nur zu gut gewußt, daß sich dort, wo man mit falschen Zahlen rechnet, keine richtige Lösung finden läßt. Vielleicht hatte er sie wirklich geliebt, der Torsten, der eigentlich Paul hieß, wie sie später erfuhr, aber geliebt auf seine Weise, wo zuallererst das Ich stand und dann das Du. Vielleicht hätte sie damals mit ihm sprechen sollen, aber sie

hatte ihm jedes Gespräch und jede Begegnung verwehrt. Es war wohl dieser Egoismus und dieser falsche Stolz in ihr gewesen, den ihr die Mutter anerzogen hatte, diese enge Denkweise, innerhalb der es unmöglich war, daß ein Mann oder eine Frau die Ehe löste, um mit einem anderen Partner glücklicher zu werden. Die Mutter war zu dieser Zeit noch öfter in die Kirche gegangen und hatte für sie und das Kind gebetet, auch für den Vater, den sie nicht kannte. Als Birgit geboren war, hatte Lisa auf Drängen ihrer Mutter den Vater nicht auf dem Jugendamt angegeben. Bis heute wußte niemand außer ihr selbst, wer Birgits Vater war. Das Geld, das er ihr nach Birgits Geburt zwei Jahre lang monatlich überwies, war unangerührt von ihr zurückgeschickt worden, ebenso die Briefe, die er schickte. Birgit war *ihr* Kind. Nur ihr Kind. Das hatte sie sich immer wieder gesagt. Er war für sie gestorben, aber ihr Mißtrauen war wach geblieben, immer, wenn sie einen Mann kennenlernte, fand sie etwas von ihm wieder, das sie die Bekanntschaft bald abbrechen ließ.
Lisa blieb zögernd vor der Haustür stehen. Ein Motorrad fuhr langsam auf der holprigen Straße, das Licht des Scheinwerfers sprang ein paar Meter vor ihr her. Die Straße lag wie ein dunkles, tückisches Wasser zwischen den ungewohnt stillen Häusern.
Lisa gestand sich ein, daß sie die Vergangenheit eigentlich nie überwunden hatte: das weiße Haus in dem Vorort, die schweren braunen Möbel, die lichtlosen Zimmer mit den schwarzen Kreuzen an den Wänden, den sonntäglichen Kirchgang unter den spöttischen Blicken des Nachbarn, der zum Sportplatz neben der Kirche lief; Vaters und Mutters Schweigsamkeit, unter der sie ihren Haß aufeinander verbergen wollten, und der daher rührte, daß sie sich gegenseitig beschuldigten – ohne es auszusprechen –, ihren Sohn in den Tod getrieben zu haben; Gerhard, dem sie verboten hatten, zu den mörderischen Spielen der Hitler-Jugend zu gehen, der aber alle seine Freunde dort hatte und nach einem Streit mit dem Eltern aus dem Haus und in ein vorüberfahrendes Auto gerannt war. Und den ohnehin kleinen Vorgarten, in dem die Kohlrabi und Tomaten obendrein jedes Stück Rasen verdrängten, auf das Lisa sich hätte legen können, um in dem wunderbar weiten Himmel den Gott zu suchen, der ihr so viele Fragen beantworten sollte ...
Lisa dachte, daß sie sich von Kindheit an nicht gestattet hatte, den Menschen zu vertrauen; ihre Eltern hatten einander mißtraut und sie den Eltern und allen Menschen. Paul war der erste Mann für sie gewesen, dem sie hatte vertrauen können, und gerade ihm hätte sie nicht vertrauen dürfen. Ja, und da war noch der Krieg gewesen, unvergeßlich; das Heulen der Sirenen, die Angstschreie der Menschen, die weißen Steine des Hauses zerbrochen auf ihr und der Mutter, der graue Mann, der ihnen sagte, Vater sei bei Stalingrad gefallen, der ihnen, als er ging, einen Brief zusteckte, in dem Vater schrieb,

Gott möge ihm verzeihen, wenn er nun als Selbstmörder aus diesem unerträglichen Leben ginge ...
Nach dem Krieg war es ihre Arbeit gewesen, die ihr wieder Mut zum Leben gegeben hatte, vor allem nach der Trennung von Paul. Eigentlich hatte sie sich trotz Birgit immer etwas allein gefühlt, sie wußte, auch Birgit kannte dieses Gefühl; sie hatten sehr selten darüber gesprochen, und sie sehnte sich immer mehr nach einem Mann, nicht nur fürs Bett, den hätte sie schnell finden können, sie wollte einen Ehemann, einen Freund, einen Vater für Birgit. Sie wollte einen Mann, dem sie vertrauen, den sie lieben konnte. Und sie hatte Herbert kennengelernt, er hatte ihr in der Straßenbahn an einem schneidend kalten Wintertag heißen Tee angeboten. Bei Herbert hatte sie nichts von Paul, von der Vergangenheit entdecken können, er war ehrlich bei allem, was er tat, ob er wütend war oder zufrieden, ob er sich gut oder schlecht fühlte, ob er Geld hatte oder nicht, von ihm ging viel innere Ruhe und Sicherheit aus, die ihr und Birgit das ersehnte Gefühl der Geborgenheit gaben. Sie hatte trotzdem sehr lange gebraucht, sich zu entscheiden.
Lisa schloß hastig die Haustür auf. Sie drückte das Treppenlicht nicht an und blieb auf den Steinstufen zum Hochparterre stehen. Sie lehnte am Treppengeländer, wo sonst Steiners Jürgen mit einer seiner Freundinnen stand, rieb sich die Augen und schüttelte den Kopf über sich – sie konnte die Treppe nicht weiter hochsteigen. Dieses „andere Menschen begreifen" – schaffte man es nicht, war kein Vertrauen, war kein Zusammenleben möglich. Würde sie ihn denn begreifen können, seine Arbeitslust, die manchmal beinahe wütig war, die Vorliebe für gutes Bier und langes Schlafen, das Sammeln dieser Tiere, dieser Falter – was war da noch, was war da noch alles, von dem sie nichts wußte ...? Was würde die Zukunft bringen? Wer wußte das? Niemand. Sie mußte jetzt die Treppe hoch, es ihm sagen: Hör mal, wir müssen uns das alles noch einmal gründlich überlegen – unserer Heirat, gründlich ...
Sie steckte die Flasche in die Tasche und zog sich am Geländer die Stufen hoch. Sie schloß die Wohnungstür auf, in der Küche brannte noch Licht, die Schnapsflasche stand leer auf dem Tisch, sein Oberhemd hing über dem Stuhl.
Lisa öffnete vorsichtig ihr Schlafzimmer, aber das Bett war unberührt, sie lief zurück in die Küche, setzte sich auf einen Stuhl, sprang erschrocken auf und rannte in den Flur, riß die Tür zu Birgits Zimmer auf und schaltete das Licht ein.
Ihr verschlug es den Atem, als hätte man sie in eisiges Wasser geworfen, sie mußte sich an der Tür festhalten und schloß die Augen. Dann sah sie fest hin. Die beiden saßen immer noch so, das Kind – nein, das war kein Kind mehr, Birgit, ihre Tochter, lag fast nackt, nur mit diesem Wisch von Hemd bekleidet

in seinen Armen, und er hielt Birgit fest, wie er sie immer festgehalten hatte, wenn sie ängstlich oder unsicher war oder wenn sie sich nach einem langen Arbeitstag nach seiner Liebe gesehnt hatte. Lisa wurde übel vor Enttäuschung, sie wußte nicht, was in der Zeit, in der sie bei Oma Wegereit gewesen war, hier passiert war, aber sie wußte, daß dieses „andere Menschen begreifen" völlig unsinnig war für sie, weil die anderen Menschen Unbegreifliches taten, sie wußte auch, daß sie diesen Mann nicht heiraten würde, daß sie weiter mit ihrer Tochter allein leben mußte; sie hatte es auch bisher geschafft, allein sauber und gut zu leben; und sie hatte alle Mühen auf sich genommen, damit Birgit einmal ihren Kindern eine gute Mutter sein könnte. Wie war es nur möglich, daß Herbert ...

Lisa versuchte sich zu straffen, und sie sagte kaum hörbar zu ihm: „Geh raus. Geh jetzt. Die Sachen schicke ich ..."

Herbert und Birgit ließen sich langsam los.

Birgit kroch unter die Bettdecke, zog sie hoch bis zum Hals und schaute ihre Mutter mit verständnislosen bösen Blicken an.

Herbert war vom Bett aufgestanden, er griff nach seinem Hemdkragen, und als er ihn nicht fand, strich er sich mit beiden Händen über die Augen zum Kinn und sagte: „Du ... das kannst du doch nicht ... Du bist wohl nicht gescheit ... Lisa ...!"

Aber Lisa war in die Küche gelaufen, hatte sein Hemd und seine Tasche geholt, warf ihm beides zu und sagte noch einmal: „Raus!" Sie hielt die Wohnungstür offen, mit abgewandtem Gesicht, sie hörte Birgit heulen, und Herbert ging, er preßte die Tasche und das Hemd fest an sich, schüttelte fassungslos den Kopf und konnte nichts sagen.

Lisa ging zurück in Birgits Zimmer, sie wartete, daß Birgit sich ihr zuwenden, die Augen öffnen und etwas sagen würde – dann ging sie zum Fenster und schloß es, die Nacht war doch kühl geworden, und sie sagte, als sie aus dem Zimmer ging: „Ich mußte das tun. Es ist besser so für uns alle."

Sie suchte in der Küche überall den Flaschenöffner, bis sie ihn fand, wo er immer lag.

Sie öffnete die mitgebrachte Bierflasche, ließ den Inhalt ins Waschbecken laufen und stellte sie zu den leeren Flaschen.

Dann nahm sie ihre Tasche und verließ die Wohnung.

Der Morgen

Die dunkle Nacht hatte einen kühlen und hellen Morgen gebracht. Wind bewegte die Gardinen in Birgits Zimmer, die noch blaßgelben Sonnenflecken flatterten auf dem Bett und dem gedeckten Tisch.

Birgit hatte sonst nie den Frühstückstisch in ihrem Zimmer gedeckt. Sie saß ihrer Mutter gegenüber. Lisa war gerade aus dem Nachtdienst gekommen. Birgit hatte noch ein drittes Gedeck aufgelegt. Aus drei Tassen verbreitete der heiße Tee einen würzigen Duft. Mutter und Tochter hatten noch kein Wort miteinander gesprochen. Beide sahen übermüdet aus. Beide rührten mit den Löffeln im Tee, und beide saßen, als warteten sie auf etwas. Lisa dachte an diese Nacht und an die Worte des alten Gregor; sie hatte reden müssen, sie hatte ihm alles über den Anfang dieser Nacht erzählt, und er war zweimal mit ihr von Endhaltestelle zu Endhaltestelle gefahren und hatte geduldig zugehört. Und dann hatte er ihr beim Aussteigen gesagt: „Dich sollte man übers Knie legen, Mädchen. Wenn er der Vater deiner Tochter werden soll, muß er sich auch wie der Vater deiner Tochter benehmen dürfen!"

Sie hatte abgeklingelt, und Gregor hatte wütend seinen Stock aufs Straßenpflaster gestoßen und war gegangen.

Lisa sah aus den Augenwinkeln ihre Tochter an, sie wirkte an diesem Morgen wieder jünger, kindhafter als in der Nacht, das kurze blaue Kleid stand ihr gut, doch ihre Brüste und Hüften erschienen ihr fraulicher; aber was hatte sich in ihr verändert? Ja, sie konnte in Birgit nicht mehr das Kind sehen, das mit dem großen Teddy zu Bett ging und ohne ihn nicht schlafen konnte – der Bär lag in der Ecke unter dem Bücherregal, und um Birgits Hals hing die Kette, die Herbert ihr einmal mitgebracht hatte.

Herbert ...! Lisa wollte die Tasse zum Mund heben, doch der Tee schwappte über und lief auf die Tischdecke. Er muß kommen, dachte sie. Wenn er mich begreifen kann, wird er kommen!

Birgit nahm noch einen Löffel Zucker für den Tee. Die Mutter tat ihr leid, sie sah heute morgen alt und müde aus, ihr Haar war schlecht gekämmt, um den Mund zogen sich winzige Falten, und Birgit entdeckte auf Lisas sonst tadellos sauberer Bluse einen Ölfleck.

Birgit hatte diese Nacht nicht schlafen können, ihre Augen brannten, und sie fühlte sich schwach. Als Mutter zum Nachtdienst gegangen war, hatte sie noch lange weinen müssen, und sie hatte ihre Wut, ihr Leid hinausgeschrien, aber das hatte nichts genützt, um sie war es still geblieben. Da hatte sie begonnen nachzudenken über diese Nacht, über sich und Herbert und die Mutter, über Peter und andere Menschen, die sie kannte und von denen sie vieles nicht verstand. Oft passierte etwas, das man nicht verstehen konnte, man mußte andere Menschen, denen man vertraute, fragen. Und in dieser Nacht war etwas mit ihr passiert, das zu verstehen ihr Herbert zu helfen versucht hatte, das wußte sie jetzt am Morgen, aber Mutter hatte Herbert nicht verstanden, und sie verstand die Mutter nicht. Aber das war doch vor einem Tag noch anders gewesen, sie hatten sich doch alles erzählt, und Mutter hatte nicht wie andere Eltern Geheimnisse, Angelegenheiten, die nichts für Kinder waren, gehabt. Sie hatte viele neue Fragen seit dieser Nacht, und sie brauchte Mutter und Herbert dazu, sie zu beantworten. Dies wollte sie der Mutter sagen, aber die saß, den Kopf in die Hände gestützt, und sah in den verschütteten Tee.

Als es klingelte, sprangen beide auf. Sie setzten sich wieder, als die Wohnungstür geöffnet wurde. Herbert trat ins Zimmer, er roch nach Rasierwasser und hatte den unmodernen grauen Anzug an, in dem er Lisa am besten gefiel. Er sah beide am Tisch sitzen und ihn anblicken, er sah auch die dritte Tasse auf dem Tisch und sagte nichts, holte nur tief Luft. Geräuschvoll wickelte er Blumen aus dem Papier, lief in die Küche, ließ Wasser in die Vase, strich, als er zurückkam, die Tischdecke glatt, stellte die Vase mit den Blumen darauf. Dann setzte er sich erschöpft, rührte wie Lisa und Birgit mit dem Löffel im Tee, und endlich sagte er, froh, daß ihm das eingefallen war: „Beeil dich – Peter wartet unten. Er sagt, gemeinsam liefe es sich besser zur Schule."

Birgit sprang auf, nahm den letzten Schluck, biß von dem Brötchen ab, griff ihre Tasche, und beim Hinauslaufen sah sie noch einmal Mutter und Herbert, die Tee zu trinken begonnen hatten, und vor dem Fenster sah sie die Kastanienbäume, in denen jetzt die Flammen brannten.

REGINA RÖHNER

Bedenkzeit

Manchmal sehn ich mich nach einem
der ganz leise mit mir spricht

der, wenn neben ihm ich liege
auch nachher noch zärtlich ist

LUTZ RATHENOW

Sie geht mit ihm ohne ein Wort

Das Nicken nur, als er sie nachts (zwei Uhr) auf einer Straße anspricht. Dies Nicken noch einmal dann in der Wohnung – nach seiner Frage, ob sie hier mit ihm

Sie decken sich nicht zu obwohl kein Sommer ist. Und zwischen ihrem schönen Nahesein erzählt er viel von sich. Sie geizt mit Sätzen: Danke (wenn er das Weinglas nachfüllt) Ja (als er die Platte aufzulegen vorschlägt) Doch ihre Gesten: Wie sie das Haar zurückstreicht

Wie sie seine Hand beißt, bleibt er zu sanft. Und irgendwann ihr Ruf: Der Himmel unter meinen Füßen reißt, kein Boden über uns. Du hältst mich vierundzwanzig Stunden

Ein Fenster gegenüber zeigt noch Licht. Zum vierten Mal legt er die Platte auf. Sie schließt (wie stets beim ersten Lied) die Augen und streift von ihrer Schulter seine Hand. Er wagt es nicht zu fragen

Beim sechsten Mal Flamenco wird das Zimmer gegenüber dunkel, der Hof schon hell. Sie berühren weiter ihre Körper: Schlafen kurz

Oder glauben nur zu schlafen. Oder träumen wach zu sein

Der Tag war noch

nicht alt, da steht sie auf. Spricht nichts, geht

Er sagt etwas vom Wiedersehen: seine Adresse hätt sie ja

Die Nacht darauf lebt sie nicht mehr

5 *Erkennen und Finden*

Ich und du,
einmal groß und einmal klein
geschrieben –
das ist die Weltformel.
Ich und Du,
und ich und du.

Christian Morgenstern (1871–1914)

DENIS DUPERLY

Kinderspiele auf Jamaica

Eines Sonntagnachmittags bestieg Großvater Old Pierre den klapprigen alten Ford und startete hinauf nach Maudeville. Als die Familie ins Krankenhaus kam, sagten die Ärzte nur: „Das Ende ist abzusehen." Großvater starb noch um acht Uhr am selben Abend.

Großmutter Mathilda weinte nicht. Sie erschien ungeheuer betriebsam, bestellte Eis für die Leiche, Blumen für das Totenzimmer und Kerzen für den Leuchter. Die sterbliche Hülle des entschlafenen Pierre lag auf Eis in einem halbverdunkelten Haus, und die Diegos aus der Stadt und vom Land versammelten sich.

Morales und seine Schwester Annee machten die Festlichkeiten Spaß. Noch nie hatten sie so viele unbekannte tränenüberströmte Gesichter so hingebungsvoll schmausen und trinken sehen. Es war ganz wie Weihnachten.

Diese Nacht sollten Morales und Annee im gleichen Zimmer schlafen, ein Zimmer, das nur durch eine Glastür ohne Glas vom Gästezimmer getrennt war, in dem der alte Pierre in geisterhafter Würde aufgebahrt lag. Maria, die Mutter, hatte einen roten Samtvorhang über die Tür gehängt, damit die Kinder nicht durch die hohe Gegenwart im *anderen Zimmer* verwirrt würden.

Zahllosen Vettern und Kusinen ersten und zweiten Grades wurden Morales und Annee vorgestellt.

Yutey Bueno und Negril Jones, beide gute Freunde ihres Vaters, saßen verdrießlich zwischen Tanten vom Land, aber Morales konnte es nicht entgehen, daß Yutey Bueno einer neuen großen Kusine namens Jupiter laufend Sonderportionen gebackener Feigen antrug. Jupiter machte den Eindruck, als hocke sie ewig mit gespreizten Beinen da, und weil diese Beine einen erfreulicheren Anblick boten als die seiner Mutter, fragte Morales seine Schwester um ihre Meinung.

„Sie ist zu dick", sagte Annee. „Obendrein stinkt sie aus dem Hals und unter den Armen, wir waren gemeinsam im Badezimmer. Ich konnte mir nicht verkneifen zu sagen, daß Mama eine Spezialseife gegen Körpergeruch benutzt. Darauf nannte sie mich eine unverschämte kleine Hure. Sie ist ziemlich fies." Morales enthielt sich der Zustimmung.

Nachts wandte sich Morales im Finstern an seine Schwester und flüsterte: „Annee, was meinst du, wollen wir den Vorhang ein bißchen lupfen und einen letzten Blick auf Großvater werfen, wie er gefroren ist?"

„Nein, bitte nein!" krächzte Annee und schüttelte sich. „Wenn wir das tun, erscheint er uns als Geist!"

„Woher willst du das wissen? Er war doch unser Großvater und ich glaub nicht, daß er uns erscheint. Gespenster kommen nur zu Fremden – los, schauen wir nach!“
Ermutigt durch ihres Bruders Vorrücken gegen die Tür, schälte sich Annee vorsichtig aus ihren Decken und schlich auf Zehenspitzen hinterher. Morales hob den roten Samtvorhang, die riesigen Kerzenlichter wogten und zitterten an den Wänden.
Da, in jähem Schrecken faßten sich die Geschwister an – irgendetwas bewegte sich im Totenzimmer. Auf dem Reservebett neben dem gefrorenen Großvater lag eine Frau auf der Seite, ihr Hintern zeigte in Richtung Tür, bog sich wie ein Rumbatänzer und war sehr unangezogen.
Aufgeregt starrten die Kinder ins Totenzimmer. Die Frau lag jetzt auf dem Rücken und ein Mann steckte seinen mächtigen braunen Penis wild in sie hinein.
„Ach, das ist bloß Jupiter“, sagte Annee gleichmütig, „mit Papas Freund Yuety Bueno. Er tut ihr wohl weh – oh, der ist ja fast so groß wie der von Tante Tillys Pferd!“
Die Kinder beobachteten die Vorgänge bis der erste Akt vorüber war und ließen dann den Vorhang fallen, ehe sie von der anderen Seite gesehen werden konnten. Morales kehrte in sein Bett zurück, Annee aber kam zu ihm herüber.
„Morales, ich möchte das auch gern versuchen, ich hab gesehen, daß dein Ding fast genauso groß war wie das von Papas Freund. Meinst du, es tut weh?“
Morales antwortete nicht, sondern kletterte auf Annee und fing an, sein Ding hineinzustoßen.
Annee stöhnte, zitterte und blutete, und Morales erschrak. Aber als er seinen Penis herauszog, sagte Annee sanft: „Komm zurück, es ist nichts, mach dir nichts aus dem Blut.“
Die Kinder spielten das Spiel in dieser Nacht noch ein paarmal. Sie bewahrten ihr Geheimnis wie nur etwas. Sie wußten, daß es ihre Mutter nicht überleben würde, wenn sie es jemals herausbekam.

LUTZ RATHENOW

„Deine Hände werden krank“

Er eilte zu seinen über dem halben Teppich ausgebreiteten Landkarten: ein neues Spiel, er bastelte Kontinente. Ein Schulatlas war schon zerschnitten: vor ihm lagen die Länder und das Meer, das er für die Lücken zwischen den Staaten verwenden wollte, da diese sonst nicht richtig ineinanderpaßten. Auch hatte so jeder seinen Teil Wasser. Die neuen Kontinente sollten in ihrer Form an die alten erinnern, die Namen wollte er beibehalten, nur die Anordnung der Länder galt es neu zu regeln. Ferner würde er große Staaten vierteilen, sonst gewänne ein neuer Kontinent nie das von ihm gewünschte vielfarbige Bild: annähernd gleichgroße Staaten gewährleisteten auch friedfertige Beziehungen.

Er klebte ein Stück Wasser aus der ehemals intakten Landkarte auf die erste Pappe und Südamerika war fertig:

ganz oben Belgien

darunter Frankreich Burma Madagaskar

Guatemala Island Portugal Finnland Laos

Niger Israel Afghanistan Rumänien Südkorea Panama

DDR Kenia Syrien Irland Viertelaustralien

Sudan Thailand Italien

Schweden Ghana

Japan

Hongkong Andorra Vatikanstadt setzte er als Inseln auf die drei größten Flecken Meer zwischen den Ländern. Dann dachte er, er hätte genug gearbeitet und könne sich eine Pause leisten, er griff unter das Bett und zog zwischen Buchseiten versteckte Fotos hervor: eine Sammlung nackter Frauen aus dem Magazin, die rasch den neuen Kontinent und umliegende Karten bedeckten. Eine Frau gefiel ihm besonders: auf drei Bildern war sie in jeweils unterschiedlicher Pose zu sehen. Er griff nach dem Wecker und onanierte: die Frau vor ihm bewegte sich, er spürte die Berührung ihrer Brust, die Wärme des Schoßes.

Der Geruch der Samen. Die Staubausdünstung des Teppichs.

Wenn er prüfte, ob sich jemand dem Zimmer näherte, setzte für Momente sein Keuchen aus. Zweimal ertappten ihn die Eltern bei dieser Beschäftigung, die er früher im Beisein der Schwestern vollführte. Einmal rieben sie gegenseitig ihr Geschlechtsteil, was in ihm heftige Schuldgefühle auslöste, so daß er fortan allein masturbierte. Deine Hände werden krank, sagte die Mutter das erste Mal und schlug ihn. Beim nächsten Entdecken blieb es bei Vorhaltun-

gen, den Prophezeihungen künftiger Krankheiten. Vater äußerte sich dazu nicht: offenbar war er außerstande, über sexuelle Dinge zu sprechen. Mutter dagegen ließ später sogar das Drohen, als sie jene Sammlung von Aktbildern aufstöberte: sie setzte ihren Sohn auf einen Stuhl im Wohnzimmer, schloß die Tür und fragte, was denn an diesen Frauen besonders sei, sie würde nackt genauso aussehen. In seine Erleichterung über die harmlose Reaktion mischte sich Heiterkeit bei der Vorstellung, seine Mutter in jenem Magazin wiederzufinden, aus dem er später keine Bilder mehr riß, er legte es aufgeschlagen auf den Teppich oder das Bett und machte es dann schon mit dem Wissen, daß gesundheitliche Schäden nicht zu befürchten waren. Er hatte ein Buch gelesen.
Am Tag der Geburt seines ersten Kontinentes verfügte er über jene Gelöstheit nicht, er hielt das Abfaulen der Hände, zumindest ihr Schrumpfen für möglich: deshalb umgriffen seine Finger einen Wecker, der auf dem bereits zum zweiten Mal steif werdenden Glied hin und her rutschte. Neben dem Wecker nutzte er zusammengerollte Zeitungen, Flaschen, Aschenbecher, Bücher waren unhandlich, Handschuhe, Kleidungsstücke ließ er als Schutz vor einer direkten Berührung der Haut nicht gelten, denn diese wollte er vermeiden. Neben der Angst vor Krankheiten war es wohl eine Art Strafe, eine Demütigung: das vorhandene Schuldgefühl wegen dem er sich größtmöglichstes Lustempfinden verweigerte. Doch der schöne Schauer beim Erregen des nur durch die Hand bedeckten Gliedes, nicht immer widerstand er jener Versuchung.

JOHN DONOVAN

Er hat mich angelächelt

„Er hat mich angelächelt."
„Hunde lächeln nicht."
„Fred kann lächeln", beharrt Altschuler. „Er hat sich gefreut, weil ich ihn gelobt habe."
„Vielleicht kann Fred wirklich lächeln. Er ist ein ungewöhnlicher Hund. Lächele mal, Fred." Er wedelt mit dem Schwanz. „Das ist kein Lächeln."
„Fred macht das nur für mich", sagt Altschuler.
„Manche Leute unterstellen Tieren menschliche Verhaltensweisen. Das erzählt mir meine Mutter immer."
„Deine Mutter weiß nicht, wovon sie redet."
„Da hast du recht."
Wir gehen wieder ins Haus. Altschuler und ich jagen Fred durch die Wohnung. Fred macht es einen Riesenspaß, sich jagen zu lassen, sich unter die Sessel zu retten und wieder darunter hervorzuschießen. Er möchte sich gern fangen lassen, aber er läßt sich genauso gern jagen. Er schleppt seinen Lieblingsfetzen mit, als wäre es ein kostbarer Gegenstand, den er vor uns retten muß. Wenn er einen Augenblick unter einem Sessel oder der Couch verschnauft, gehen seine Augen ständig hin und her, um einen Fluchtweg an den Füßen vorbei zu finden, die ihn verfolgen. Es macht Spaß, sich dann auf den Boden fallen zu lassen, hinunter auf Freds Augenhöhe, und ihm die schrecklichsten Dinge anzudrohen, falls er den Fetzen nicht hergibt. Fred hat das gern.
Ich lasse mich an einem Ende der Couch im Wohnzimmer auf den Boden fallen, und Altschuler mir gegenüber. Fred hockt zwischen uns unter der Couch, und wir drohen ihm beide mit den fürchterlichsten Folgen, wenn er seinen Fetzen nicht endlich herausrückt. Fred ist entzückt. Sein Blick zuckt zwischen Altschuler und mir hin und her. Lieber Himmel! Er sitzt in der Falle, gleich haben wir ihn, mitsamt seinem Fetzen! Altschuler und ich greifen gleichzeitig nach Freds Fetzen, aber Fred ist schneller. Er reißt den Fetzen zurück und saust blitzschnell dicht an der Wand entlang unter der Couch hervor und davon.
„Er hat uns hereingelegt!" schreit Altschuler.
„Der gescheiteste Hund auf Erden!" schreie ich.
Wir lachen. Beinahe hätte ich gesagt, wir lachen alle drei, aber Fred hockt jetzt am anderen Ende des Raumes. Altschuler und ich liegen auf dem Boden, die Arme noch immer nach Freds Fetzen ausgestreckt. Wir lachen lauter und

lauter. Fred hat uns gezeigt, daß er der gescheiteste, schnellste Hund auf Erden ist. Er ist ein Hund! Und was sind wir? Bloß Menschen.
Allmählich hören wir auf zu lachen, aber wir lächeln ein bißchen. Ich weiß nicht genau, was dann passiert. Ich glaube, wie wollen beide aufstehen und Fred wieder jagen, aber wir können uns nicht aufraffen. Fred beobachtet uns von der anderen Zimmerseite her, und wir blicken halb zu Fred hinüber und wollen weiter mit ihm spielen, aber gleichzeitig wollen wir auch gar nicht wieder aufstehen. Ich schließe die Augen. Mir ist seltsam zumute, wie ich da so liege, so nahe bei Altschuler. Ich will nicht aufstehen. Ich will so liegen bleiben. Ein leichter Schauer überläuft mich. Aber nicht unangenehm. Merkwürdig. Also mache ich die Augen wieder auf. Altschuler liegt noch immer da. Er schaut mich seltsam an, und ich bin sicher, daß ich ihn genauso anschaue. Plötzlich springt Fred zwischen uns. Zuerst leckt er mir übers Gesicht, dann Altschuler. Ich denke, daß dieses komische Gefühl, das ich habe, gleich vorbeigehen wird, aber im nächsten Augenblick liegen wir da, die Köpfe dicht beieinander, und Fred zwischen uns. Ich küsse Altschuler, und er küßt mich. Es ist nicht wie der blöde Kuß, den ich Mary in Massachusetts gegeben habe, ehe ich fort mußte. Es passiert einfach. Und als es aufhört, setzen wir uns auf und wenden uns voneinander ab. Fred ist schon davongetrottet, vielleicht hat er inzwischen genug von uns beiden.
„Mann, was war denn das?“ sage ich.
„Ich weiß nicht“, antwortet Altschuler.
Wir stehen auf und vermeiden es, einander anzusehen. Als unsere Blicke sich doch begegnen, lachen wir, aber nicht wie vorher.
Fred kommt wieder an, und wir albern noch eine Weile mit ihm herum. Dann sagt Altschuler, er müsse nach Hause. Ich sage, er brauche nicht nach Hause zu gehen, bloß wegen der Sache auf dem Fußboden. Er antwortet, das wisse er, und er sagt noch einmal, daß wir in dem Theaterstück großartig waren.
„Wir sind eben ein paar großartige Burschen“, erwidere ich.
„Natürlich“, meint Altschuler. Und dann geht er mit den Fäusten auf mich los wie ein Boxer. Wir boxen ein paar Sekunden zum Spaß und tun so, als ob wir zwei harte Burschen im Fliegengewicht wären. Ich meine, sehr harte Burschen. Ich meine, Burschen wie Altschuler und ich brauchen sich keine Sorgen zu machen, daß sie nicht ganz normal sind oder irgend so was. Zum Teufel, nein.

MAROCKH LAUTENSCHLAG

Das Andersrum

Eines Tages erzählte mir ein Mädchen aus meiner Klasse, Silvia sei andersrum.
Sie begleitete diesen Satz mit Gekicher und Gequiekse. Mein Magen senkte sich ein wenig und ein Flattern ging durch meinen Körper nach unten. Es war ein geheimnisvolles Wort – dieses Andersrum.
Von nun an beobachtete ich Silvia öfters. Sie war mir vorher nie besonders aufgefallen, obwohl sie nur drei Bänke hinter mir saß. Sie war ein großes, stämmiges Mädchen, bestimmt einen ganzen Kopf größer als ich, mit derben, strohigen Haaren, eine Tatsache, um die ich sie sofort glühend beneidete, denn meine eigenen Haare waren immer noch so dünn und fein wie die eines Kindes. Zu dieser Zeit saß Silvia alleine in der Bank, denn ihre Freundin war vor einigen Wochen aus F. weggezogen. Silvia hatte Mühe, ihre schon ganz schön langen Beine unter der niedrigen Bank unterzubringen. Ihre Kleidung war einfach unmöglich. Quergestreifte Röcke, in der Taille breit gefältelt, und Blusen – o Gott, zarte, gerüschte Blusen! Ich konnte mitfühlen, wie sie litt. Mit trotzigen, gehemmten Bewegungen segelte sie zur Tafel und zurück, mit einem Gesicht wie ein Unglücksrabe.

Unsre Klasse spaltete sich in diesen Monaten in zwei Lager. Auf der einen Seite standen die Eingeweihten, das waren die, die schon mal ... (Kicher, Flüster, Kicher) und auf der andren Seite hockten die kleinen, die dummen Gänschen, kurzgesagt, die Jungfrauen. Ich hockte mittendrin. Mit meiner Freundin stand ich auf Kriegsfuß. Sie zog ständig einen Schwarm abgrundtief häßlicher, pickeliger Jünglinge hinter sich her, von denen immer einer, wie ein Wunder, für mich reserviert schien. Auf diese Art und Weise kam ich zu meinem ersten Kuß, einem feuchten Schmatzer auf den Mund, bei dem es mich durch und durch schüttelte. Ich rannte fort, quer durch das Freibad, in dem wir uns gerade befanden, und sprang mit einem Satz ins große Bassin. Bis zu diesem Zeitpunkt konnte ich überhaupt nicht schwimmen, aber an dem Nachmittag lernte ich es. Sogar tauchen konnte ich plötzlich, denn ich wollte nicht gesehen werden, als die anderen oben am Rand vorbeiliefen und mich verzweifelt suchten. Schließlich hing ich zähneklappernd und mit blaugefrorenen Lippen am Beckenrand, bis meine Freundin mich herauszog. Ich war traurig und wußte nicht, warum. Mit einem Bein war ich noch Winnetou in unseren Karl-May-Spielen, und mit dem anderen zog es mich bereits in ein Leben hinein, das ich nicht kannte.

Nicht, daß ich sagen könnte, daß ich mich besonders für Silvia interessierte. Es war nur diese geheimnisvolle Aura, die sie hatte, daß ich sie immer wieder beobachten mußte. Ich fand sie nett, und sie tat mir leid, weil sie keine neue Freundin fand. Und das Andersrum imponierte mir mächtig, obwohl ich nicht genau wußte, was es eigentlich hieß. Es hing mit Frauen zusammen, so viel war mir klar, und es hatte einen Hauch des Tragischen.
Eines Tages ging ich durch die Straße, in der Silvia wohnte, und zu meinem großen Schreck kam sie mir gerade entgegen. Blitzschnell überlegte ich, ob ich so tun sollte, als sähe ich sie nicht, aber dann entschied ich mich anders und sagte ihr guten Tag. Vielleicht begleitete sie mich ein Stück nach Hause. Es stellte sich heraus, daß sie gerade aus dem Hallenbad kam, ihre Haare waren noch feucht.
Sie lud mich ein, mit ihr nach oben zu kommen, weil sie sich gleich die Haare fönen wollte. Niemand war bei ihr zu Hause.
Mein Blick streifte durch die Wohnung, und ich hörte nur mit halbem Ohr hin, als Silvia mir von ihrer Mutter und ihren Geschwistern erzählte. Während sie ihre Haare fönte, stöberte ich im Plattenständer.
„Darf ich die auflegen?" Ich hielt Silvia eine Baez-Platte vors Gesicht. Ohne die Antwort abzuwarten, legte ich sie auf den Plattenteller. Silvia zeigte mir, wie der Plattenspieler eingeschaltete wurde. Es begann, gemütlich zu werden. Wir rekelten uns auf dem bunten, flauschigen Teppich, der in der Mitte ihres Zimmers lag, und immer wenn das Lied zu Ende war, sagte eine von uns: „Noch mal von vorne?" und die andere nickte gelassen, wodurch wir die Platte bestimmt zwanzigmal laufenließen.
Das Gespräch kam auf die Schule und was wir hinterher tun wollten. Ich zuckte die Schultern. Handelsschule. Vielleicht Wirtschaftsgymnasium. Oder Büro. Ich wußte es nicht. Silvia wollte Sportlehrerin werden, und ich fand, das paßte zu ihr. In zwei Monaten war die Schule hier zu Ende, und wir würden in alle Winde zerstreut werden. Auf dem kleinen Holztisch neben ihrer Couch sah ich ein Foto von Anette, ihrer früheren Freundin, stehen.
„Hast du etwas von Anette gehört?" fragte ich und wies auf das Bild. Es war wohl dusselig von mir, denn sie antwortete erst gar nichts.
„Nein", erwiderte sie dann zögernd. „Ich glaube, es geht ihr gut. Sie hat wenig Zeit zum Schreiben." Ihre Stimme klang bedrückt.
„Mensch, Silvia", sagte ich. „Habt ihr euch gekracht, oder was? Nimm's nicht so ernst."
Silvia schaute angestrengt auf den Teppich. Sie fieselte die Wollfäden auf.
„Wir haben uns nicht verkracht", antwortete sie leise.
„Mhm." Ich räusperte mich und wußte nicht, was ich sagen sollte. Unser Gespräch war plötzlich unterbrochen. Ich betrachtete angestrengt die Bilder

an den Wänden. Gehen wollte ich nicht. Silvia spielte mit ihren Händen.
„Hör mal, Silvia", sagte ich nach einer Weile. „Ich weiß nicht, ob ich es dir sagen soll, aber vielleicht interessiert es dich. Es geht darum, was die anderen Mädchen in der Klasse über dich sagen. Willst du es hören?"
Silvia zuckte ein wenig zusammen. Ihre Augen wurden einige Grade wachsamer, aber sie nickte und sagte:
„Ja. Erzähl's mir."
„Sie sagen, du bist andersrum. Stimmt das?"
Ein fürchterliches Schweigen senkte sich über uns. Mein Gesicht lief plötzlich puterrot an, und ich hatte das Gefühl, in einem Meer von Scham zu versinken. Jetzt hatte ich sie beleidigt. Lieber Himmel, was war ich dumm! Genauso wie die anderen Mädchen, die hinter ihrem Rücken über sie tuschelten.
„Sag mal, weißt du eigentlich, was das ist, andersrum?" fragte Silvia. Ich schüttelte den Kopf. Mein Gesicht glühte.
„Ich glaube nicht, daß ich es weiß", murmelte ich. „Aber es ist bestimmt nichts Schlimmes, glaube ich. Was zwischen Frauen, stimmt's? Ich meine, wenn du ..."
Silvia gluckste zwischen Lachen und Tränen.
„Diese blöden Gänse", sagte sie. „Was weiß ich, wie sie es gemerkt haben. Anette ... hey, dich scheint es gar nicht zu stören, was?"
Ich grinste. Es ging mir wieder besser. Anscheinend hatte ich sie doch nicht beleidigt. Ich nahm Anettes Foto und sagte hastig, damit das Thema nicht unterging: „Anette ... und du?" Mein Herz zog sich zusammen. „Liebst du sie? Ich meine – wie Jungen Mädchen lieben?"
„Ich weiß nicht, wie Jungen Mädchen lieben", erwiderte Silvia prompt. Mir blieb der Mund offen stehen. Schlagartig kam mir die Plumpheit meiner Frage zu Bewußtsein:
„Ich auch nicht", stotterte ich, „und ich will es auch gar nicht wissen."
Silvia hob den Kopf. Mein Herz schlug bis zum Hals. Wir sahen uns eine Zeitlang in die Augen, und ich glaube, es war das erste Mal in meinem Leben, daß ich begriff, was das hieß – das Leben. Es streifte mich ganz komisch, als sähe ich in ihren Augen plötzlich die Welt, die sich vor mir auftat. Ich sah etwas, was mir gehörte, nur mir allein, und daß es eine eigene, unverwechselbare Art gab, die Welt zu betrachten. Es klingelte.
Silvia ging hinaus, und als sie wieder ins Zimmer kam, sagte sie: „Meine Mutter ist gekommen. Sie fragt, ob du mit uns abendessen willst!"
„Nein, ich muß heim. Sonst gibt's Krach." Ich stand auf. „Tschüß", sagte ich lahm. Ich merkte, wie meine Füße förmlich über den Teppich schleiften, so wenig Lust hatte ich zu gehen. „Tschüß", sagte ich noch einmal und blieb vor Silvia stehen. Sie lächelte.

„Wenn du dich zu mir herunterbückst, gebe ich dir einen Kuß“, sagte ich. „Sonst nicht.“. Das tat sie dann auch, und ich drückte ihr einen sehr scheuen Kuß auf den Mund. Es sollte wohl so etwas wie ein Bund sein, daß ich jetzt auch dazugehörte oder so. Außerdem gefiel es mir. Dann ging ich nach Hause.

Silvia sah ich nicht mehr wieder. Sie schrieb mir später einen kurzen Brief, weil die Schule nun zu Ende war und sie fortziehen wollte, in die gleiche Stadt, in der Anette wohnte.

Einige Jahre später, als ich mit einigen alten Schulfreundinnen zusammensaß, kam die Rede auf Silvia, und ich fragte, wie sie denn das mit Anette und ihr gemerkt hätten. Sie fielen aus allen Wolken. Das war das erste, was sie hörten. Nein, das Gerücht hatte einen anderen Grund gehabt. Es war entstanden, weil Silvia einen so starken Haarwuchs auf den Beinen hatte.

RICHARD L. WAGNER

Darling Ultra ist nicht schön

Darling Ultra ist nicht schön, nicht reich und nicht sexy
Die männer sehen an ihr vorbei und keiner träumt von ihr
Sie läßt in deinem kopf keinen pornofilm entstehen
und niemand will ihr bild für seine brieftasche
Aber ich steh auf sie, und betrüg sie nie
denn Darling Ultra ist das bunteste mädchen der stadt
sie trägt gelbe socken und silberne schuhe
und rosa petticoats unterm roten rock
und eine bluse auf der „Harvard University" steht
und in ihrem pferdeschwanz steckt 'ne blume aus papier
Darling Ultra ist nicht schön, nicht reich und nicht sexy
sie hat breite hüften und dicke beine
und 'ne menge pickel im gesicht
wenn sie modehefte gelesen hat, traut sie sich nicht
mehr auf die straße raus
Aber ich steh auf sie, und betrüg sie nie
denn Darling Ultra ist das bunteste mädchen der stadt
Sie hat schwarze kleider wo silbersternchen aufgestickt sind
und schuhe die sie fünfzehn centimeter größer machen
und sie hat lippen und augen mit einem schwarzen strich außenrum
Wirklich, das hat sie, das macht sie und das die ganze zeit
Darling Ultra ist nicht schön, nicht reich und nicht sexy
wenn sie redet hört sie nicht mehr auf
wenn sie tanzt muß ich wegschaun
wenn sie sich schminkt kommen wir immer zu spät
und die jungs sagen ich bin blöd mit ihr zu gehen
Aber ich steh auf sie, und betrüg sie nie
denn Darling Ultra ist das bunteste mädchen der stadt
und mam und papa werden nervös wenn sie sehen
wie wir samstags die straße zur discothek raufgehen
Weil Darling Ultra ist das bunteste mädchen der stadt
und ich steh auf sie
Wirklich, so ist das
und das die ganze zeit

KARLHANS FRANK

Die über Nacht gewachsene Liebe eines nicht-emanzipierten Mannes

Manfred langweilt sich. Sein Notizblatt hat er mit weichen, runden Mustern vollgekritzelt, konturiert hier einen Po, schmückt eine Apfelform mit Knospe, schraffiert einen Mund, hört mehr aus Zufall, weil er keine Klappen an den Ohren hat, weil das dichte, lange, schwarze Haar den Schall nicht schluckt, Worte des Redners über die „Lage des Druckgewerbes", über den „unaufhaltbaren Fortschritt", über das „Wachstum, das wir alle wollen, das aber nicht unsere Arbeitsplätze überwuchern darf".

Manfred ist es egal. Er sitzt im sonnigen Saal des Gewerkschaftshauses, weil die Kollegen ihn überredet hatten, zu dieser Tagung zu fahren. Manfred war aus Versehen Drucker geworden, weil die Schulnoten ein Studium dem Vater nicht sinnvoll erscheinen ließen.

Manfreds verpennter Blick schlenderte um den langen Sitzungstisch. Mehr Männer als Frauen sind hier. Er kennt niemanden genauer, ist mit niemandem Freund. Ihn interessiert auch niemand besonders. Die Mädchen sind nicht seine Kragenweite. Naja, dieser knabenhafte Typ schräg gegenüber ging zur Not noch an; sie ist ganz niedlich, hat eine gute Figur, aber sie wirkt so angespannt, hat den Mund gepreßt, die Stirnhaut gedackelt; außerdem scheint sie in festen Händen zu sein.

Mal auf der Teilnehmerliste nachsehen – „Anni Wolters, Heidelberg, Typografin, *1957" – das muß sie sein. Neben ihr der Bursche ist wohl ihr Macker, „Wolfgang Recke, Heidelberg, Maschinensetzer". Recke, so sieht der nicht aus. Manchesterhose, offenes Hemd, kurzes Haar, fanatischer Blick – wegen dem guckt sie so ernst.

Könnte reizvoll sein, ihre Lippen ganz sanft zu machen.

Der Redner hat sich ausgequatscht. Endlich. Jetzt gibt es Abendbrot.

Manfred sitzt mit Anni und Wolfgang an einem Tisch. Manfred hat nicht nachgeholfen. An diesem Tisch war ein Stuhl frei. Wolfgang redet seine Funktionärs-Sätze in den Tee, auf die Käseplatte, fuchtelt mit der Gabel vor den Gesichtern seiner Zuhörer. Anni lauscht ihm gläubig. Sie hat schöne Zähne. Manfred mag solche ausgeprägten Wangenknochen. Als sie für ihren Wolfgang vom Nachbartisch eine Kanne Tee holt, sieht Manfred: Ihr Hintern ist fest und hoch; und sie trägt keinen Büstenhalter.

Später hockt man noch zusammen, kippt Bier in sich hinein. Manfred auch. Manfred macht immer mit, was um ihn herum geschieht – nicht lustvoll, einfach so. Und weil ihn sonst nichts fesselt, schaut er häufig zu Anni. Sie

bemerkt das, lächelt ihm zu. Dabei verändert sich ihr ganzes Gesicht, die Augen werde größer, die Lippen runder.
Den Manfred wundert nicht, daß Anni ihm zulächelt. Manfred ist „in". Die Frauenzeitschriften proklamieren zur Zeit den „Softy". Manfred ist aus Veranlagung und ohne Engagement sanft. Er mag keine Anstrengungen. Er erwartet, was ihm zufällt. Lilie auf dem Felde.
In der Nacht, ehe er einschläft, huschelts durch seinen Bierschädel, daß der Wolfgang jetzt wahrscheinlich die Anni hat. Aber der kann sicherlich nicht mit ihr umgehen.
Und am Morgen kommt Manfred zu spät. Alle sitzen schon und lauschen einem Vortrag. Einige Gesichter schauen kurz mißbilligend, als Manfred eintritt. Anni sieht frisch aus, schreibt Kluges mit.
Nachmittags wird diskutiert. Tierisch! Wolfgang erweist sich als wilder Maschinenstürmer, erntet wechselweise Beifall und Unmut für seine rauhen Analysen und Forderungen. Dann meldet sich Anni zu Wort, und sie steht am Tisch, ruhig und – „schön wie die Jungfrau von Orleans", denkt Manfred, „Jungfrau wohl nicht mehr, und statt Orleans Heidelberg".
Was sie sagt, erfaßt Manfred nicht ganz, aber er mag ihre Stimme. Das ist gut durchdacht, was sie sagt. Irgendwie richtet es sich gegen Wolfgang, das registriert Manfred. So absolut, wie er anfangs meinte, scheint ihm die Bindung nicht zu sein – Patriarchenmuster: Der Mann sei der Kopf, *sein* Weib ihm höchstens schmeichelnde Locke auf der Stirn.
„Dieses Mädchen wäre schon eine Attacke wert!"
Auch Wolfgang ist vom Patriarchenmuster geprägt – nach dem Beifall für Anni rückt er sichtbar von ihr ab. Am Abendtisch, bei der Sitzordnung wie am Tag vorher, schweigt er. Dann schützt er Arbeit vor, will angeblich etwas für eine Zeitschrift schreiben, verschwindet allein in seinem Zimmer. Die Gelegenheit ist günstig, macht Diebe, Liebe vielleicht – aber an Liebe denkt Manfred nicht.
Einige der Tagungsteilnehmer wollen „Luft schnappen", „paar Schritte laufen", „Hirn durchpusten lassen". Manfred wirft sich an die aus seiner Sicht einsame Anni. Sie ist bereit, mit ihm ins Dorf hinunterzugehen. Manfred läßt seinen ihm angeborenen lässigen Charme tanzen.
Er hat da so eingefahrene Redensarten. Gesten, die meistens erfolgreich waren, den Weg ins Bett ebneten – und wenn mal nicht, war's dem Manfred bislang doch egal. Jetzt wandert er neben der Anni her, beplaudert sie heiter, erzählt lebhaft und mit Gesten von seiner Trampfahrt durch Südfrankreich, all die kleinen Geschichten, auch über Mädchen – ohne Angabe, aber mit verstohlenen Hinweisen auf seine imponierenden Qualitäten. Anni hört zu, wird locker, lacht manchmal.

Manfred hat Methoden. Er weiß, bei einem Mädchen wie Anni (oder wie er sie einschätzt) muß man winzige Schritte unaufhaltsam voran tun, jedes Wort, jede Handlung muß ihn dem Ziel ein wenig näher treiben, kein Wort, keine Handlung darf sie erschrecken, zum Abbruch der keimenden Beziehung bringen. Manfred hat die Methoden nicht bewußt gelernt. Diese eigentlich aus Gleichgültigkeit geborene Abfolge von Zeichen ist ihm angeboren, zumindest früh in ihm angelegt. Sie führte ihn meistens zum Sieg. Da war er positiv konditioniert. Schließlich machte er sich die Muster bewußt. Jetzt kann er sie einsetzen.

Manfred glaubt, daß seine stets schwelende Zärtlichkeitsgier Liebe ist. Er glaubt, daß die von anderen oder in Romanen beschriebene Liebe reine Angabe von Romantikern ist, die unbedingt einen Sinn in ihrer Geilheit sehen wollen, der über Fortpflanzungsmechanismen hinausweist.

In seinen auf Anni niederregnenden Erzählschauer läßt er nicht zu dicke, jederzeit zurücknehmbare, frozzelnde Komplimente einfließen. Sie beziehen sich zuerst auf Haar, Kleidung, Augen, später auf Mund, Hals, Bewegungen, schließlich auf Figur, Beine, Busen. So geht das. Der Weg ins Dorf ist lang genug.

Dann kommt die von Manfred erwartete Bodenunebenheit, vor der er sanft und beschützend den Arm an Annis Arm legt, die ihn seitlich anblitzt, aber nicht scheut, und so kann Manfred jetzt den Arm leicht um Annis Schulter legen, sie zu führen.

Natürlich mag Manfred solche Berührungen, mochte sie immer, aber sie waren bislang nur Etappen. Jetzt passiert ihm etwas Eigenartiges! Ihm strömt Wärme zu von der Handfläche, die er auf Annis Schulter ruhen hat. Der Wald wird grüner.

„Mich hat's ganz schön erwischt", denkt Manfred, aber an Liebe in diesem romantischen Sinn, an „Ewig Dein" und so, daran denkt Manfred nicht, und auch sein Regelspiel durchbricht er nicht, läßt die Hand sanft unruhig werden, damit sie ihr bewußt wird durch Streicheln, durch variierten Druck.

Anni ist nicht zickig. Sie ist sogar ein wenig nachgiebig. Das hat er so schnell nicht erwartet. Ist sie auf diesen Wolfgang sauer? Hat sie sich in Manfred verknallt? Er kann es nicht ausschließen.

Aber auf eine leichte Test-Bemerkung, Wolfgang und dessen Diskussionsbeiträge betreffend, sagt Anni ohne Schärfe, sachlich: „Mir sind die Fehler der Ungeduldigen lieber als die Fehlerlosigkeit der Gleichgültigen."

Manfred fühlt sich ertappt. Aber die Hand muß er nicht von Anni lassen, das merkt er. Sein vorsichtiges Spiel kann nicht über Wolfgang weiterlaufen.

Sie sind im Dorf angekommen. Das Dorf ist auf Fremdenverkehr eingerichtet. Da ist ein Hotel mit Gaststube, Bar und respektabler Speisekarte. Er fragt,

ob sie nicht einen Wein mit ihm trinken will. Die weltmännische Masche, aber auch die zieht nicht so richtig. Anni will Bier. Bier ist Manfred eigentlich lieber, aber manchen Mädchen imponiert Wein. Ein wenig Alkohol, nicht zu viel, aber ein endgültig beschwingter Zustand, ist sowieso eingeplant.
Manfred sitzt mit Anni in einer Nische. Beide trinken Bier. Jetzt ist das psychologische Stadium an der Reihe, die herzenbezwingende „Ich-kenne-Dich-längst"- und „Ich-verstehe-alles"-Tour.
Manfred ist Weltmeister im Zuhören. Oft hört er einem Mädchen zu, verstehend lächelnd, und könnte nie ein einziges Wort von dem wiederholen, was sie ihm anvertraut, weil er nur auf die Schlüsselstellen lauert, auf die Passagen in der Erzählung des Mädchens, die ihn veranlassen, ihre Hand zu nehmen, sie zu streicheln, ihren Kopf an seine Schulter zu ziehen, den Kuß aufs Haar, auf die Stirn zu drücken, schließlich im gegenseitigen Kuß zu versinken.
Das ist dann oft die Stelle, an der die letzte Runde eingeläutet wird.
Manfred hat auch Anni seine Routine-Lockrufe zugebalzt, etwa: „Du hattest es schwer als Kind, nicht wahr?" Sie war auch ins Erzählen gekommen, aber dieses Mal hört Manfred tatsächlich zu. Ihn interessiert tatsächlich, wie das war, als Anni als Elfjährige nach Mitternacht von einer Party nach Hause kam, oder als sie dreimal das Geld für ein Biologiebuch nicht in die Schule bringen konnte, weil die Mutter kein Geld hatte.
Und plötzlich hat er sein eigenes Konzept verlassen, erzählt von sich, findet, sie ist eine wunderbare Zuhörerin, spürt plötzlich, wie sie seinen Kopf an ihre Schulter zieht, ihm tröstend übers Haar wuschelt, sagt: „Jetzt verstehe ich Deine impertinente Gelangweiltheit."
Manfred hat Herzklopfen. Manfred hat feuchte Hände. Manfred ist verwirrt.
Aber es läuft ja doch so, wie es soll.
Anni ist natürlich nicht so ein leichter Fall, aber es lohnt sich.
Sie hat eine Haut, die fühlt sich an wie chinesisches Porzellan. Noch nie hat Manfred bemerkt, daß ein anderer Mensch eine ganz eigene Haut hat.
Er muß ihr jetzt, vor dem endgültigen Erstürmen der Festung, körperlich nahe kommen. Er schlägt vor, in die Bar zu gehen, zu tanzen.
Anni ist einverstanden.
Sie trinken nun doch noch Wein, weil Manfred danach ist, weil ihm so feierlich zumute ist, weil Bier für dieses Abenteuer viel zu profan ist, und sie tanzen immer enger aneinandergeschmiegt.
Anni tanzt gern. Anni hat einen Schwips. Anni liebt Zärtlichkeit. Anni scheint Zärtlichkeit gewohnt zu sein. Sie läßt sich küssen. Sie küßt zurück.
Alles geht seinen gewohnten Gang.
Oder nicht.
Anni zieht eine scharfe Grenze. Er darf auf der dunklen Tanzfläche die Hand

unter ihren Pullover schieben, ihre Rückenhaut fühlen, ihren Rückenwirbeln nachfahren, aber er darf nicht den Ansatz ihrer Brüste berühren. Naja, das ergibt auch keine gute Tanzhaltung.
Und ihre Küsse bleiben Spiele. Nicht sie verliert sich. Dem Manfred passiert es, daß er rote Wolken sieht hinter seinen geschlossenen Augenlidern, daß er dann ihr Lachen hört.
„Hallo, Casanova! Guckst wie ein Schaf", sagt sie.
Aber er will sie!
Sie wandern den Weg zum Gewerkschaftshaus, durch den Wald, bergauf. Manfred stellt sich vor sie, läßt sie auf sich auflaufen, schlingt fest seine Arme um sie. Sie küssen sich. Manfred streichelt Anni, und sie wird ganz weich. Er spürt das. Will die Hand unter ihren Rock gleiten lassen.
„Laß das!" sagt sie, schiebt die Hand weg.
Nicht, daß das Manfred noch nie passiert wäre. Je nach Laune hat er dann abgelassen von dem Mädchen, oder es beharrlich immer wieder mit zäher Sanftheit versucht. Hier fühlt er sich hilflos.
Er begehrt sie, wie er noch nie ein Mädchen begehrt hat.
„Warum nicht?" fragt er. „Warum nicht?"
„Ich will nicht", sagt sie.
„Aber ich – ich – ich liebe Dich!"
Was heißt das? Will er immer mit ihr zusammen sein? Will er sie mehr als andere? Im Augenblick will er mit ihr zusammen sein. Er kann sich vorstellen, lange mit ihr zusammen zu sein. Er will ihr etwas bedeuten. Er will nahe bei ihr sein. Er will in ihr sein. Er will, möchte, wünscht . . .
Er ist hilflos.
Sie sind im Gewerkschaftshaus. Alle anderen schlafen schon. Sie stehen vor seiner Zimmertür. „Komm noch mit", bettelt er. „Ich will mit Dir reden."
„Gut."
Das hat er nicht erwartet. Sie kommt mit in sein Zimmer.
„Anni!" Und er meint „Anni", niemanden sonst.
Da stehen die beiden inmitten dieser unpersönlichen Einrichtung – ein kleiner Tisch, ein Holzstuhl, ein Bett, Schrank und Waschbecken. Da stehen sie in einem Raum, der nur zu flüchtigem Bewohnen geschaffen ist, zum Bewohnen für eine Nacht, höchstens für eine Woche.
Noch nie ist dem Manfred so etwas eingefallen, aufgefallen. Die flüchtigen Wohnungen waren das Zuhause für seine flüchtigen Begegnungen. Jetzt schämt er sich. Sie haben nichts zu trinken, denn die zum Spiel gehörende obligatorische Flasche Wein hat Manfred nicht mitgebracht. Sie haben nur zu reden. Manfred hat zu reden. Er will alles über sich sagen. Er leidet unter einem Geständnis-Zwang. Und sie hört zu.

„Komm zu mir. Ich will dich spüren", bittet er.
Sie legt sich zu ihm aufs Bett. Er hätte es nicht erwartet. Er streichelt sie. Er schmiegt sich an sie. Er wird verrückt vor Begierde, vor Sehnsucht, vor Liebe!
„Zieh dich aus. Laß mich Deine Haut spüren", wünscht er, und er wünscht es wirklich.
Dann liegen beide nackt in seinem Bett. Er streichelt ihre Porzellanhaut, er saugt den Duft ihres Haares, er erforscht das Pulsen des Blutes in ihrer Halsschlagader, er ist von wahnsinniger Zärtlichkeit für die Blinddarmnarbe an ihrem Bauch erfüllt.
Sie fühlt sich wohl. Sie kuschelt sich an ihn. Sie läßt sich seine Liebkosungen gefallen, bis auf den Moment, da er mit ängstlicher Hand ihren Schoß erweichen will. Sie dreht sich weg, sagt „Bitte, nicht", und er weiß, es ist ernst, sie will nicht, nicht, weil sie prüde ist, nicht, weil sie es nicht gerne tun will, aber sie will nicht jetzt, nicht hier, nicht mit Manfred.
Und am Morgen sind beide zusammen pünktlich im Frühstücksraum. Sie haben nebeneinander geschlafen, nicht miteinander.
Anni ist unbefangen, heiter, vielleicht doch gelöster, als am ersten Tag der Tagung.
Manfred aber ist anders, als er es jemals war.
Manfred weiß, daß es die Liebe gibt.

ARNFRIED ASTEL

„ZWEI verschiedene Welten" seien wir.
Ich freue mich, daß du deine Rundheit fühlst,
deine Vollständigkeit. Ich meinerseits
empfinde mich allenfalls als eine halbe Welt.
Oft scheint es mir, als gäbe es nichts außer uns.
Ich überlasse dir die Entscheidung,
ob du die einzige Welt sein willst
– ich wäre dann nichts –
oder ob wir zusammen diese Welt ausmachen.

6 *Liebelei und Lachen*

Match

Für die Dauer unserer Beziehung
schreibe ich deine Telefonnummer
auf eine Streichholzschachtel.

Arnfried Astel

WOLF WONDRATSCHEK

43 Liebesgeschichten

Didi will immer. Olga ist bekannt dafür. Ursel hat schon dreimal Pech gehabt. Heidi macht keinen Hehl daraus.
Bei Elke weiß man nicht genau. Petra zögert. Barbara schweigt.
Andrea hat die Nase voll. Elisabeth rechnet nach. Eva sucht überall. Ute ist einfach zu kompliziert.
Gaby findet keinen. Sylvia findet es prima. Marianne bekommt Anfälle.
Nadine spricht davon. Edith weint dabei. Hannelore lacht darüber. Erika freut sich wie ein Kind. Bei Loni könnte man einen Hut dazwischenwerfen.
Katharina muß man dazu überreden. Ria ist sofort dabei. Brigitte ist tatsächlich eine Überraschung. Angela will nichts davon wissen.
Helga kann es.
Tanja hat Angst. Lisa nimmt alles tragisch. Bei Carola, Anke und Hanna hat es keinen Zweck.
Sabine wartet ab. Mit Ulla ist das so eine Sache. Ilse kann sich erstaunlich beherrschen.
Gretel denkt nicht daran. Vera denkt sich nichts dabei. Für Margot ist es bestimmt nicht einfach.
Christel weiß, was sie will. Camilla kann nicht darauf verzichten. Gundula übertreibt. Nina ziert sich noch. Ariane lehnt es einfach ab. Alexandra ist eben Alexandra.
Vroni ist verrückt danach. Claudia hört auf ihre Eltern.
Didi will immer.

LUTZ RATHENOW

SieErSie

Sie wollte ihren Mann testen und hatte eine glänzende Idee: die beste Freundin sollte ihn verführen. Es gelang nicht. Auch in der zweiten, von ihr arrangierten Situation, ließ er sich nicht zu einem außerehelichen Vergnügen verleiten. Sein Argument: die Frau könne davon erfahren. Als die Frau es erfährt, stellt sie ihn zur Rede: schon längere Zeit beobachte sie seine beklemmende Inaktivität, aber daß er so leidenschaftslos sei, habe sie nicht erwartet. Er gibt sich bestürzt: die beiden Frauen hätten ihn keineswegs kalt gelassen, nur mit Rücksicht auf sie habe er auf den Verkehr, er gebrauchte dieses Wort, verzichtet. Daraufhin reicht sie die Scheidung ein. Begründung: sie könne das Bewußtsein nicht ertragen, mit einem Mann zusammenzuleben, den sie an der Befriedigung seiner Bedürfnisse hindere.

WOLFGANG MUNDT

Solche Liebe

You say stop I say go (The Beatles)

Ich sage Schatten du sagst Spiegel
Ich sage Dach du sagst Rose
Ich sage Experiment du sagst Trauer
Gehen wir den Weg zurück sage ich Entkleide dich sagst du

Ich sage Kreis du sagst Schlaf
Ich sage Brief du sagst Blut
Ich blute und du schreibst den Absender erneut aufs Papier

Donnerstagabend sage ich du sagst Freitag
Ich sage I can't control myself
Du sagst sich die Vögel ziehn im Schwarm
Ich schlafe im botanischen Garten und du zerreißt die Fahrkarten

Du sagst das Grün ich sage es wird den Schnee nie sehn
Ich sage der Abend der Morgen du sagst der Tag
Ich sage Du du sagst ja

ANNA WAHLGREN-FELDT

Mit Rücksicht auf das Privatleben einer Ehefrau

Es ging schon auf drei Uhr nachts zu, als sie nach Hause kamen. Er kehrte ein paar Minuten nach ihr zurück. Sie hatte gerade abgelegt, als sie seinen Schlüssel im Schloß hörte.

„Hallo, Liebling", sagte sie und küßte ihn flüchtig. „Wie war es denn?"

„Eigentlich ziemlich traurig", antwortete er. „Es waren zuviel Leute dort."

„Wie schade! Ich habe einen wunderbaren Abend hinter mir."

„Das ist schön." Er ging an ihr vorbei in die Küche. „Ich mache mir ein Brot. Möchtest du auch?"

„Gern! Ich habe wahnsinnigen Hunger ... Ist das nicht albern? Da schlägt man sich bis obenhin mit einem guten Abendessen voll, und doch hat man ein paar Stunden später wieder Hunger. Aber selbstverständlich ist es auch schon ziemlich lange her, daß wir gegessen haben."

„Ja, ich habe seit fünf Uhr nichts mehr zu mir genommen."

„Wir waren im ‚Ambassador', erzählte sie und setzte Kaffeewasser auf. „Ein entzückendes Lokal. Auf die Dauer dürfte es einem freilich über werden. Aber so dann und wann – da ist es wirklich bezaubernd ..."

„Das glaube ich." Er lächelte säuerlich. „Dein Kavalier hat jetzt wohl ein beachtliches Loch in der Kasse."

„Nein! Er ist wohlhabend, weißt du. Er ißt täglich außer Haus, Mittag und auch zu Abend. Und der Ärmste ist es so leid ... Er möchte so gern etwas Einfacheres haben, schlichte Hausmannskost ..." Sie lachte. „Na ja, hab meine eigene Meinung dazu. Abgesehen davon, geht sicher alles auf Rechnung der Firma."

Sie setzten sich an den Küchentisch.

„Du siehst müde aus, finde ich", sagte sie. „War sie nicht nett?"

„Doch", antwortete er. „Sie war nett."

„Was stimmte denn nicht?"

„Der Umgang mit vielen Leuten auf einmal fällt mir schwer. Da gibt es zuviel seichte Unterhaltung."

„Wie dumm. Daß sie dich zu einer solchen Volksversammlung mitnahm, meine ich. Statt dessen hättet ihr gut allein beisammen sein können."

„Das waren wir auch. Später."

„So?"

„Ja."

„Also war es doch schön."

Er lachte. „Es war schön", sagte er.

„Worüber lachst du?"
„Über deine Neugier ..."
„Ich bin nicht im geringsten neugierig!" Sie runzelte die Stirn. „Versuch nicht, mich eifersüchtig zu machen. Ich bin keinen Deut eifersüchtig. Das müßtest du inzwischen wissen."
„Ich weiß es. Ich wollte dich bloß necken. Macht Spaß, nicht wahr?"
Sie blickte ihn mißtrauisch an, antwortete jedoch nicht.
„Kalbspastete", sagte sie dann verträumt. „Mein Gott, war das köstlich. Ich habe schon ewig keine Kalbspastete mehr gegessen. Möchtest du Kaffee?"
Er hielt ihr die Tasse hin.
„Wirst du ihn wiedertreffen?"
„Ich weiß nicht." Sie schien nachzudenken. „Er ist charmant und unterhaltend", fuhr sie fort, „aber ich habe nicht gern mit verheirateten Männern zu tun."
„Woher plötzlich diese Moral?"
„Du verstehst schon, was ich meine. Seine Frau weiß nicht, was er tut. Und ich halte nichts davon, jemanden hinters Licht zu führen. Ganz anders sähe es aus, wenn sie, wie wir, ihr Privatleben gegenseitig respektieren würden. Aber er bleibt bei der alten Masche. Er macht angeblich Überstunden und so was. Das ist nicht gerade lustig."
„Ja, ich verstehe."
„Und deine kleine Zufallsbekanntschaft, ist sie verheiratet?"
„Nein, sie ist nicht verheiratet."
„Aha! Sie ist also jung?"
„Sehr jung."
„Hm. Ich fühle mich schon ganz alt." Sie lächelte.
„Das glaube ich nicht. Du wirst nie alt."
„Du Schmeichler!" Sie lachte. „Aber das ist lieb von dir", fuhr sie fort, „daß du mir dauernd schmeichelst ... Nach all diesen Jahren!"
„Vierzehn", präzisierte er.
„Vierzehn!" Sie starrte ihn an. „Ist das möglich! Ja, mein Gott ... Die Leute müssen glauben, daß wir eine ideale Ehe führen", stellte sie leicht verwundert fest. „Unzertrennlich, wie wir nach Jahr und Tag sind ... Wenn die wüßten!"
„Ja, hinter der Fassade sieht es wohl nicht so schön aus", sagte er trocken.
„Vielleicht nicht für sie, aber für uns", sagte sie. „Eigentlich sind wir erstaunlich modern. Wie viele, glaubst du, sehen die Ehe so vorurteilsfrei wie wir? Die Leute reden dies und jenes über völlige persönliche Freiheit, und es gibt sogar welche, die einen Vertrag aufsetzen, worin die Partner Untreue und Eifersucht und ähnlichen altmodischen Kram regeln. Aber wie viele praktizieren das wie wir ohne alle Vorurteile? Das möchte ich mal wissen! Liebling ...

Ich bin so froh, daß es bei uns so ist und nicht anders. Ich finde unsere Übereinkunft immer wieder wirklich großartig."
„Das freut mich", sagte er. „Das freut mich sehr."

„Wir treffen uns um halb sieben", sagte sie. „Ich habe ihm gesagt, daß er mich ebensogut hier zu Hause abholen könne, aber er wollte es nicht glauben. Er kann sich nicht vorstellen, daß du alles weißt. Und noch weniger, daß du nichts dagegen hast. Vorurteile!"
Sie war im Badezimmer und legte Make-up auf.
„Hörst du mir zu, Liebling?"
„Ja, ich höre", antwortete er.
„Eigentlich glaube ich, daß er ein bißchen Heimlichtuerei mag", fuhr sie lächelnd fort. „Er ist es so gewohnt. Himmel, was für eine grelle Farbe hat der Lippenstift. Und was ist mit dir? Bist du heute abend verabredet?"
„Ja ..."
„Mit diesem kleinen Mädchen?"
„So klein ist sie wiederum nicht."
„Aha, dann geht es also nicht um Verführung Minderjähriger." Sie lachte kurz auf. „Liebling, ich glaube, daß du nicht richtig froh bist. Willst du dich wirklich mit ihr treffen?"
„Warum sollte ich nicht?"
„Begeistert scheinst du nicht gerade zu sein ..."
Er antwortete nicht.
„Was ist sie eigentlich für ein Mädchen? Hast du etwas davon, wenn du mit ihr zusammen bist?"
„Ja", sagte er. „Ich habe etwas davon."
„Auch eine Antwort." Sie hob die Schultern. „Ich finde, du benimmst dich seltsam. Willst du dich nicht umziehen?"
„Das eilt nicht. Sie kommt nicht vor neun Uhr."
„Sie kommt? Was sagst du? Sie kommt hierher?"
„Ja."
„Soll das heißen, daß sie *hier* bleibt?"
„Ja ... Wenn du nichts dagegen hast."
Sie ging zu ihm hin.
„Ich habe es selbstverständlich als stilles Übereinkommen aufgefaßt", sagte sie, „daß wir unsere Bekannten nicht mit nach Hause bringen. Das haben wir ja niemals getan. Ich glaube nicht, daß das lustig ist ... Es ist doch unser Heim! Indes ... Na ja, ich weiß nicht."
„Wenn du es nicht gern siehst, mußt du es natürlich sagen. Wir können auch irgendwo anders hingehen. Ich bin zum Ausgehen bloß etwas zu müde. Und

sie wohnt bei ihren Eltern, so daß wir dort auch nicht gut hin können."
„Tja, so gesehen ... Unter diesen Umständen ist es hier natürlich besser. Hier seid ihr ungestört. Wenn ich nicht zu früh nach Hause komme ..."
„Das ist nicht zu befürchten, glaube ich. Sie bleibt nicht lange."
„Auf alle Fälle ... Ich kann ja klingeln." Sie lachte gezwungen. „Wenn es auch unleugbar etwas merkwürdig ist, an der eigenen Tür zu läuten und zu fragen, ob es genehm ist, daß man hereinkommt."
„Du brauchst dich nicht zu beunruhigen. Es handelt sich höchstens um ein paar Stunden. Zu der Zeit etwa werdet ihr, du und dein Kavalier, gerade erst das Dessert zu euch genommen haben. Im ‚Ambassador' oder sonstwo."
„Wie ironisch das klingt! Glaubst du, es ist irgendwie komisch, ins ‚Ambassador' zu gehen."
„Keineswegs." Er seufzte. „Ich würde mir bei solchen Umständlichkeiten vielmehr lächerlich vorkommen."
Eine Weile war sie unschlüssig.
„Ja, na dann", sagte sie schließlich. „Hoffen wir, daß ihr es hier gemütlich habt."

Er drehte sich hastig um.
„So früh zurück", sagte er. „Wie kommt das?"
„Ich habe mich nicht wohl gefühlt." Sie hängte den Mantel auf. „Ich habe ein Taxi genommen. Nach dem Dessert, wie du gesagt hast."
„Wie schade! Aus dem Abend ist wohl nichts geworden?"
„Deiner ist offenbar gelungen." Sie blickte ihn an. „Ich habe sie nämlich getroffen, als sie fortging."
„Hast du?"
„Ein hübsches Mädchen. Sie sah jedoch ein wenig ängstlich aus, finde ich. Sehr selbstsicher wirkte sie nicht."
Er antwortete nicht.
„War es schön?"
„Nein, nicht besonders. Sie war nicht gern hier. Sie halte sich für einen Eindringling, sagte sie."
„Sehr lieb von ihr. Sie steckt offenbar noch voller Illusionen ..."
„Na ja, die hat dein Disponent, oder was er nun ist, auch."
„Es spielt keine Rolle, was er ist." Sie war kurz angebunden. „Ich werde ihn nicht mehr treffen."
„Nicht? War er ungemütlich?"
„Keineswegs. Aber ich bin der ganzen Sache müde. Ich werde künftig zu Hause bleiben. Ich habe kein Verlangen mehr nach weiteren Stelldichein. Ich muß mit mir selber zu Rande kommen." Sie lächelte leicht.

„Davon wirst du mich schwerlich überzeugen können."
„Du wirst schon sehen", antwortete sie unwirsch.
„Das kann interessant werden", sagte er.

„Ich mag das nicht", sagte sie schließlich. „Ich mag das ganz und gar nicht."
„Was magst du nicht?"
„Du solltest dir eine Geliebte deines eigenen Jahrgangs zulegen! Die hier ... Sie ist ja kaum erwachsen! Überlege einmal, wenn sie nun glaubt, daß du es ernst meinst? Daran mußt du denken! Übrigens begreife ich nicht, was sie an dir findet. Du mußt doch doppelt so alt sein wie sie ... Und außerdem bist du verheiratet. Sie sollte sich einen ledigen Mann suchen, der ihr eine Zukunft bieten kann."
Er antwortete nicht.
„Und dann der Einfall, sie hier ins Haus zu bringen!" fuhr sie empört fort. „Wozu soll das gut sein? Das war zwischen uns nicht vereinbart. Unser beider Geschichten sollten sauber sein, sagten wir. Der andere sollte dadurch nicht gestört werden. Was soll daraus werden, wenn wir mit einemmal anfangen, die Wohnung für unsere privaten Bedürfnisse mit Beschlag zu belegen und den anderen hinauszuwerfen? Das Heim sollte doch außerhalb solcher Dinge bleiben, meine ich."
Er schwieg noch immer und schlürfte nachdenklich seinen Kaffee.
„Was mich angeht", fuhr sie fort, „so werde ich künftig zu Hause bleiben. Ob du es nun glaubst oder nicht."
Sie blickte ihn forschend an.
„Hast du es nicht auch satt?"
„Was?"
„Das Ausgehen. Mit immer anderen Menschen."
„Ich bin nicht mit immer anderen Menschen ausgegangen."
„Was willst du damit sagen?"
„Ich bin die ganze Zeit nur mit ihr zusammen gewesen", antwortete er gelassen. „Seit fast einem Jahr."
Sie starrte ihn wütend an.
„Das hast du verschwiegen", stammelte sie. „Davon hatte ich keinerlei Ahnung."
„Du hast nicht danach gefragt."
„Herrgott! Es gibt doch gewisse Grenzen, die wir respektieren ..." Sie nahm sich zusammen. „Schön, du bist also seit einem Jahr mit ihr zusammen. Nun ja, somit kann von einer zufälligen Verbindung natürlich keine Rede sein ... Ich war naiv genug, das zu glauben."
„Nein, das kann man nicht sagen."

„Und selbstverständlich möchtest du dich weiter mit ihr treffen." Sie lachte lustlos auf. „Es ist wirklich komisch. Gerade wollte ich vorschlagen, daß wir für einige Zeit zusammen verreisen sollten. Aber selbstverständlich brauchen wir davon jetzt nicht mehr zu sprechen. Jetzt müssen wir ja auf sie Rücksicht nehmen. Sie würde die Trennung von dir ja nicht aushalten. Denn mitnehmen können wir sie ja nicht gut! Oder möchtest du das vielleicht?"
Er antwortete nicht.
„Ich habe gefragt, ob du das möchtest!" Ihre Stimme wurde schrill. „Hättest du es gern, wenn wir alle drei zusammen verreisten? Ist es das, was du willst?"
„Ich gedenke nirgendwohin zu reisen", antwortete er müde. „Reg dich nicht auf."
„Aufregen!" Sie schnellte vom Stuhl hoch. „Soll ich hier bierruhig herumsitzen und es entzückend finden, daß du seit einem Jahr ein Verhältnis mit einer jungen Dame hast! Meinst du das? Ich bin doch deine Frau ... Wenn du schon kein Verantwortungsgefühl für deine Handlungen aufbringst, so muß ich es wenigstens in gewissem Maße haben. Ich hätte in der Tat Lust, sie anzurufen und zu erzählen, was du für einer bist. Daß du es mit weiß Gott wie vielen Frauen getrieben hast ... Daß du keinen Gedanken an die Folgen verschwendest ... Daß du dich sogar in deiner eigenen Ehe abgesichert hast, um ungehindert deine Seitensprünge unternehmen zu können. Was, glaubst du, wird sie dazu wohl sagen!"
„Sie weiß, was sie wissen muß", entgegnete er kalt. „Und nun sollten wir diese Unterhaltung beenden ... Sie amüsiert mich nicht."
„Aber mir macht sie Spaß! Mir! Ich werde sie anrufen, jawohl, das werde ich! Was hat sie für eine Nummer? Glaube nicht, daß ich das nicht herausbekomme! Ich werde sie schon finden."
„Gib dir keine Mühe." Er blickte sie an. „Ich möchte die Scheidung einreichen. Ich werde mich wieder verheiraten."
Sie sank sprachlos auf den Stuhl zurück.
„Ich wollte darüber eigentlich erst später sprechen", fuhr er fort, „aber was tut's, wenn du jetzt schon Bescheid weißt. Vielleicht kommen wir so auf eine andere Verhandlungsebene."
Sie glaubte nicht recht zu hören.
„Wie ... wie lächerlich", sagte sie schwach. „Du meinst, daß du sie liebst ... Du! Oder bekommt sie ein Kind? Vielleicht bekommt sie ein Kind? Möglicherweise willst du sie deshalb heiraten?"
„Sie erwartet kein Kind."
„Nein, hoffentlich ... Das wäre was gewesen ... Das ..." Sie schwieg verwirrt.

„Wenn du willst, können wir später darüber reden", sagte er.
„Keineswegs." Sie war kühl, wieder beherrscht. „Ich brauchte ein paar Sekunden, um mich zu sammeln, vielleicht verstehst du das."
„Mir kommt das völlig idiotisch vor", nahm sie den Faden wieder auf. „Scheidung! Ist das nicht ein bißchen drastisch? Ich dachte, wir stimmten völlig überein ... Wir sind jahrelang zusammen gewesen und haben nach gemeinsam aufgestellten Regeln gelebt. Wir hatten uns geeinigt, daß zufällige Seitensprünge nichts bedeuten würden, während eine andere Lage entstünde, wenn einer von uns sich ernsthaft engagiere. In diesem Fall wollten wir die Sache besprechen und eine Lösung finden. Und jetzt stellst du mich ganz einfach vor vollendete Tatsachen. Du willst die Scheidung! Haben wir überhaupt über länger dauernde Verbindungen gesprochen? Ging es bei unseren Erörterungen nicht bloß um gelegentliche Untreue? Waren wir nicht der Meinung, daß unsere persönliche Freiheit mehr bedeutet als unverbrüchliche Treue? War das nicht der Ausgangspunkt unserer Vereinbarung? Und ich habe geglaubt, daß alles perfekt funktioniere! Ich habe einen Mann nach dem anderen kennengelernt, was für mich von unerhörtem Reiz war, ohne daß ich mich deswegen gebunden oder mich zu irgend etwas gezwungen gefühlt hätte. Ich habe mich offen und frei und sicherlich viel froher und zufriedener mit dem Dasein gefühlt, als wenn ich lediglich hier daheim gesessen und mich darüber gegrämt hätte, nicht mehr anziehend zu sein. Und ich habe mir eingebildet, daß ich den Platz als deine Frau besser als sonst ausgefüllt habe. Ich habe wirklich völliges Vertrauen in uns beide gesetzt. Ein Gefühl gegenseitiger Rücksichtnahme. Aber was machst du? Jawohl, du hast mich konsequent hinters Licht geführt! Du hast mich in dem Glauben gelassen, daß du je nach Laune gelegentlich über die Stränge schlägst, ansonsten aber alles in Ordnung ist. Statt dessen legst du dir eine Geliebte zu. Dagegen habe ich nichts, wie du weißt. Aber anstatt es dabei zu belassen, triffst du dich weiter mit ihr. Mit ein und demselben Mädchen, und das ein ganzes Jahr lang! Und nun willst du sie nach all den Jahren, die wir zusammen waren, Hals über Kopf heiraten! Du hast unsere Ehe bewußt zerstört. Ich muß sagen, daß ich das als Betrug auffasse! Zumal, wenn ich daran denke, daß wir uns einig waren, wie wir es halten wollten!"
„Jawohl, du warst einverstanden", sagte er. „Du hast erklärt, daß jedermann seine Freiheit haben sollte. Punktum. Was im Klartext bedeutete, daß du machen wolltest, was dir gerade gefiel, weshalb ich folglich auch tun könne, was mir behagte, wenn ich bloß nicht deine teure Freiheit antastete. Diese Frage haben wir nicht vor unserer Ehe geklärt, sondern erst später ... Es war schwer, denke ich, unsere Liebe im Alltag lebendig zu halten. Und so wählten wir den Weg des geringsten Widerstands. Damit wir um keinen Preis auf

etwas zu verzichten brauchten! Ist das nicht so? Und was ist das für eine seltsame Vereinbarung, wonach sogenannte zufällige Seitensprünge nichts bedeuten, wenn man sich nur nicht engagiert? Weshalb sollte man dann überhaupt Seitensprünge machen?"

„Hör auf zu moralisieren, du!" schrie sie wütend. „Als ob du selbst besser wärst! Du hättest ja den Mund aufmachen können, als wir unsere Absprache trafen. Dann wäre das vielleicht nie passiert."

„Sollte ich dich denn zur Treue zwingen? Oder ein Ultimatum stellen und dir androhen, dich zu verlassen? Wie hätte ein solches Räsonnement zu deinen salbungsvollen Darlegungen über die persönliche Freiheit gepaßt, die verlogene Eigentumsmoral in der Ehe und so weiter?"

„Du verstehst es, die Worte zu verdrehen!" zischte sie. „Du verstehst wirklich was von der Kunst, jede Schuld von dir abzuwälzen. Aber jetzt ist dein Gewissen selbstverständlich rein, nachdem du beschlossen hast, die kleine Unschuld zu heiraten! Und wie geht es weiter? Was werdet ihr beide machen, wenn *ihr* anfangt, einander satt zu haben? Hast du auch daran gedacht?"

„*Wir* haben daran gedacht."

„Ach ja, ihr *liebt* euch ja, Gott behüte. So hübsch und so unwiderstehlich. Und gegen die Liebe ist kein Kraut gewachsen. Da hört mit einmal die Vernunft auf! Aber ich werde es dir zeigen ... Du bist doch wohl nicht so dumm, zu glauben, daß ich dich ohne weiteres gehen lasse? Erst einmal werde ich dich wegen Untreue verklagen! Ich werde sie als Zeugin vorladen lassen, dieses kleine Biest ... Und ich werde Unterhaltszahlungen verlangen, daß du nur so staunst! Schadenersatz will ich haben! Und ich werde alles Mobiliar dieser Wohnung behalten! Damit du siehst, wie lustig es ist, von neuem anzufangen. Aber ihr liebt euch ja, so daß ihr die nächsten zehn Jahre weder Heim noch Essen noch Geld braucht! Herrgott, du Betrüger ... Wie konnte ich dir jemals vertrauen!"

CHRISTIAN MORGENSTERN

Man verliebt sich oft nur in einen Zustand des andern, in seine Heiterkeit oder in seine Schwermut. Schwindet dieser Zustand dann, so ist damit auch der feine besondere Reiz jenes Menschen geschwunden. Daher die vielen Enttäuschungen.

ARNFRIED ASTEL

Grober Unfug

In Saarbrücken
heißen die Pariser
Londoner, hauchdünn,
aber der Zusatz
„mit Schneeketten“
ist grober Unfug.

IRMTRAUD MORGNER

Wahre Geschichte

Kaffee verkehrt: Als neulich unsere Frauenbrigade im Espresso am Alex Kapuziner trank, betrat ein Mann das Etablissement, der meinen Augen wohltat. Ich pfiff also eine Tonleiter rauf und runter und sah mir den Herrn an, auch rauf und runter. Als er an unserem Tisch vorbeiging, sagte ich „Donnerwetter“. Dann unterhielt sich unsere Brigade über seine Füße, denen Socken fehlten, den Taillenumfang schätzten wir auf siebzig, Alter auf zweiunddreißig. Das Exquisithemd zeichnete die Schulterblätter ab, was auf Hagerkeit schließen ließ. Schmale Schädelform mit rausragenden Ohren, stumpfes Haar, das irgendein hinterweltlerischer Friseur im Nacken rasiert hatte, wodurch die Perücke nicht bis zum Hemdkragen reichte, was meine Spezialität ist. Wegen schlechter Haltung der schönen Schultern riet ich zu Rudersport. Da der Herr in der Ecke des Lokals Platz genommen hatte, mußten wir sehr laut sprechen. Ich ließ ihm und mir einen doppelten Wodka servieren und prostete ihm zu, als er der Bedienung ein Versehen anlasten wollte. Später ging ich zu seinem Tisch, entschuldigte mich, sagte, daß wir uns von irgendwoher kennen müßten, und besetzte den nächsten Stuhl. Ich nötigte dem Herrn die Getränkekarte auf und fragte nach seinen Wünschen. Da er keine hatte, drückte ich meine Knie gegen seine, bestellte drei Lagen Sliwowitz und drohte mit Vergeltung für den Beleidigungsfall, der einträte, wenn er nicht tränke. Obgleich der Herr weder dankbar noch kurzweilig war, sondern wortlos, bezahlte ich alles und begleitete ihn aus dem Lokal. In der Tür ließ ich meine Hand wie zufällig über eine Hinterbacke gleiten, um zu prüfen, ob die Gewebestruktur in Ordnung war. Da ich keine Mängel feststellen konnte, fragte ich den Herrn, ob er heute abend etwas vorhätte, und lud ihn ein ins Kino „International“. Eine innere Anstrengung, die zunehmend sein hübsches Gesicht zeichnete, verzerrte es jetzt grimassenhaft, konnte die Verblüffung aber doch endlich lösen und die Zunge, also daß der Herr sprach: „Hören Sie mal, Sie haben ja unerhörte Umgangsformen.“ – „Gewöhnliche“, entgegnete ich, „Sie sind nur nichts Gutes gewöhnt, weil Sie keine Dame sind.“

7 *Lust und Spiel*

So birgt die erotische Liebe alle Übertreibungen der Selbstsucht wie des Wohlwollens, beide zur Leidenschaft geworden und, unbekümmert um den Widerspruch, miteinander zu ein und demselben Gefühl vermählt. Es ist, als entstände wirklich ein schmaler Riß in unserem Innenleben, durch den hindurch wir aus uns heraus in den ganzen Überschwang des Lebens außer uns trunken zu taumeln vermöchten, während wir gerade im leidenschaftlichsten Egoismus begriffen sind.

Lou Andreas-Salomé (1861–1937)

ULLA HAHN

Anständiges Sonett

Komm beiß dich fest ich halte nichts
vom Nippen. Dreimal am Anfang küß
mich wo's gut tut. Miß
mich von Mund zu Mund. Mal angesichts

der Augen mir Ringe um
und laß mich springen unter
der Hand in deine. Zeig mir wie's drunter
geht und drüber. Ich schreie ich bin stumm.

Bleib bei mir. Warte. Ich komm wieder
zu mir zu dir dann auch
„ganz wie ein Kehrreim schöner alter Lieder".

Verreib die Sonnenkringel auf dem Bauch
mir ein und allemal. Die Lider
halt mir offen. Die Lippen auch.

ROSEMARIE STREBE

Zärtliche Barbaren

Von allen ungestreichelten Häuten ist die männliche Haut am meisten benachteiligt. Arme schöne Männerhaut – das brustlose Glatte, mit allen Fähigkeiten der Liebe versehen – wahnsinnige Wollustsysteme, Nervensignale.

Aber diese schöne glatte Haut bleibt zu oft ungestreichelt, wenn sie klein ist, diese Haut braucht Liebe. Dann sagt man ihr, daß sie ein Junge ist und später mal ein Mann zu sein hat. Und diese Haut schmiegt sich nicht, weint nicht, ist nicht feige. Zäh wie Leder soll sie sein.

Und so eine kleine, warme, anlehnungsbedürftige, weinende schmiegsame Streichelhaut steht dann da, alleingelassen und kalt, die Möglichkeit, Signale abzugeben, ist verkümmert. Und dann muß sie hinaus ins feindliche Leben, die arme Haut, und dieses Leben ist so feindlich, weil es noch viele von derselben ungestreichelten Sorte gibt – weil man von Schmerz, Entsagung und Pflicht noch Höchstleistungen der frustrierten Lust erwartet. –

Ein Junge weint nicht ... du willst doch mal ein Mann werden ... Er wird gar nicht gefragt. Und dann ist er natürlich doch einer geworden. Spröde, unsensibel, aus Mangel an Streicheleinheiten. Ganz zu schweigen von den armen Kerlen, deren männliches Ego längst erstickte unter jener zähen Masse Zärtlichkeit, welche dieser frustrierte Typ von unbefriedigtem Muttermenschen ständig abzusondern in der Lage ist. Und dann steht so ein armes junges Weib da und soll alles an Erziehung nachholen, wozu es manchmal einfach zu spät ist. –

Arme, Beine, Bauch; die schöne warme Haut. Alles ist da für die Hingabe. Auch der Mann muß sich hingeben. Das hat sich nur noch nicht rumgesprochen. Die sitzen fest auf ihrem Männlichkeitswahn, glauben an Potenz und Muskelstärke, Patriarchat und Beschützerrolle. Das ist Steinzeitimage, von der Filmindustrie modisch aufgeputzt und propagiert.

Wie lange brauchen die denn, bis sie das kapieren? Tausende von Jahren! Als sie das Wild noch jagten. Junggesellen kaufen Tiefgefrorenes. Nur manchmal schlachten sie warme Frauen. Wann begreifen sie endlich, daß man stark sein muß für die Hingabe? Die Zärtlichkeit frißt alles – da kann man nichts zurückhalten – man muß die Kraft haben, das durchzustehen.

Ich gehe neben ihm her. Ich denke seine Schritte, ich denke seinen Gang, ich denke seine Nähe. Ich denke es mit meinen Schritten, meinem Gang, ich denke es mit meiner Nähe. Er bleibt stehen, legt den Arm um mich, tanzt mit mir über die dunkle Straße. Für einen rasenden Moment glaube ich an mein Glück – ein unerhörter Vorrat an Glück. Bis wir vor der Tür sind. Er läßt mich los, stößt mich aus dem Dunstkreis seiner Wärme. Mein Vorrat schrumpft zusammen – ein erbärmliches Häufchen Glück.

JANNIS RITSOS

Unerschöpflich – sagt er –
unerschöpflich
der Körper des Menschen
geronnener Himmel
roter Himmel
du versinkst
kein Ast für deine Hand
keine Erde für deinen Fuß
geronnener Himmel –
sollen deine Flügel sich entfalten
mache dich frei

JOACHIM GRAF

... und dann sind wir wieder unter die Bettdecke ...

Es ist uns klargewesen: Wir hatten uns auseinandergelebt. Kein Wunder, bei meiner Hetzerei von Tagung zu Tagung. Es gab eben keine Zeit zum Reden, keine Zeit für Probleme, Einsamkeiten. Und nach dem schmerzenden Schlußstrich unter das, was man ‚Beziehung' nennt, wohnten wir nicht mehr als Liebende, sondern nur (?) noch als gute Freunde zusammen.
Als ich an jenem Donnerstag nach Hause kam, warst du bereits da.
Die zwei Flaschen Rotwein, von mir zum Wochenende gekauft, fanden nicht den Weg in die Speisekammer. Wir redeten an diesem Abend so ausführlich, so gut wie schon lange nicht mehr: über Sorgen, Nöte, Hoffnungen; über Politik, Organisationen und alten und neuen Beziehungskäse.
Ich weiß bis heute nicht, ob es der Beaujolais oder die Stimmung mit Kerzen und alten Klaus-Hoffmann-Liedern war. Oder diese alte Vertrautheit, die wieder im Raum war; jedenfalls hast du auf einmal gesagt: ‚Nimm mich in den Arm!'
Was ich auch tat. Dem ersten unvermittelten Kuß folgten weitere, auf einmal ein Zungenkuß, lang und intensiv – bis uns die Luft ausging.
Wir lagen dann auf dem Sofa und haben uns lang geküßt und geschmust. Meine Hand ist irgendwie unter deine Bluse geraten, du bist mit deinen Fingern auf meinem Rückgrat auf und ab gefahren, daß ich bis auf die Zehenspitzen elektrisiert wurde. Ich habe dann deine Brustwarzen geküßt und gesogen, dir die Bluse abgenommen. Wir haben uns schließlich gegenseitig ganz ausgezogen und unsere heißen Körper aneinandergepreßt, mein Bein drängte sich zwischen deine. Du hast dich rücklings auf meine Brust gesetzt, mich ausführlich untersucht, mich gekitzelt, bis ich prustend um Gnade gebeten habe. Hast meinen Schwanz geküßt und geleckt, während ich deinen Po gestreichelt, in deiner Möse gefingert habe.
Und als du dich dann auf den Rücken gelegt und mich mit deinen Beinen auf dich gezogen hast, habe ich mit meinem Schwanz deine Möse gestreichelt, bis er glucksend in ihr verschwunden ist.
Lange sind wir aufeinander gelegen, haben uns kaum bewegt, nur den Körper des anderen gespürt: geredet, Gesichter gestreichelt, am Ohr geknabbert.
Bis unsere Bewegungen heftiger geworden sind, schließlich farbige Eruptionen alles ausgelöscht haben.
Atemlos sind wir aufeinander liegengeblieben, haben uns dann noch eine Weile weitergestreichelt. Einfach so, weil es so schön gewesen ist.

Du hast dir anschließend die obligatorische Zigarette angezündet, während ich den Plattenspieler ausgeschaltet habe, der schon eine Stunde nutzlos vor sich hin nudelte.
Und dann sind wir wieder unter die Bettdecke gekrabbelt, du hast dich in meinen Arm gekuschelt und mit Kuscheln und Reden sind wir schließlich eingeschlafen.

JANNIS RITSOS

Sie taten zusammen die Lippen
die Zungen
den Speichel
ihr Speichel wurde fest
so formten sie
einen Gott
kleine Margeriten
in den Haaren seiner Brust
ein Brot auf seinen Knien
und der Zirkel gestochen
ins Herz der Landkarte –
die Welt ist ein Kreis

MARTIN STEPHAN

Barrikade

Man kennt das und hält es, bleibt es anonym und maßvoll, eigentlich für ungefährlich: Zwei Menschen schließen sich ein, einfach so, eine Wohnung gehört dazu, das kann nur natürlich sein.
Also eine Wohnung. Und zwei schließen sich ein. Und meistens geschieht es aus Gründen des Alltags, zum Beispiel aus Liebe.
Es begann eigentlich so, daß Manfred mehr an Lebensmitteln einkaufte, als er

normalerweise für ein, zwei Tage benötigte. Der Grund dieser Verschwendung war keineswegs Überfluß an Geld, sondern einfach die praktische Überlegung, sich für die nächsten Tage notwendige Wege zu ersparen, Laufen nach Brot, Fleisch und Gemüse, Bier und Tabak. Er brachte zwei volle Einholnetze angeschleppt; Brotkruste rieb sich an Brotkruste, Wurst fettete Einwickelpapier, Aluverschlüsse blitzten, Grünzeug kräuselte sich.
Ruth billigte das, sie lag auf dem Sofa und rauchte Manfreds Zigaretten, im Aschenbecher häuften sich die Kippen.
„Jesus speist fünftausend", sagte sie.
Manfred lachte leise. Aufgekratzt lief er durch das Zimmer, rückte den Tisch zur Seite, schleuderte Ruths Schuhe auf den Schrank und begann die eingekauften Vorräte auszupacken.
Er kniete sich nieder und zog mit Bierflaschen, Broten, Würsten, Salatköpfen, Äpfeln und einer Teebüchse einen magischen Kreis um das Sofa, auf dem Ruth lag und interessiert zuschaute.
„Du bist verrückt", stellte Ruth nachdrücklich fest, schwenkte die Beine auf den Boden, blieb aber sitzen, blickte auf Manfred, der noch immer dahockte, getrennt von ihr durch einen Wall von Broten, Würsten und Äpfeln. Sein Gesicht war vor Eifer gerötet, eine lange Haarsträhne fiel ihm in die Stirn. Manfred stülpte die Unterlippe vor und blies das Haar zurück, dabei sah er das Mädchen mit aufgerissenen Augen an. Ruth warf den Kopf in den Nacken und lachte lauthals heraus, sie trampelte mit den Füßen, ihr ganzer Körper vibrierte in unbändiger Heiterkeit. Plötzlich hielt sie inne, sah sein verdutztes Gesicht, stand auf und warf sich aufs Sofa zurück, von einem erneuten Heiterkeitsausbruch geschüttelt.
„Du bist verrückt, du bist verrückt, verrückt ...", schrie sie heiser, das Gesicht in die Kissen gepreßt.
Und erst jetzt stimmte Manfred ein in das wilde Gelächter um nichts, nahm einen Salatkopf und warf ihn zur Decke, daß er sich in der Luft entblätterte. Er ließ die rotwangigen Äpfel über die Dielen kullern, biß das Ende einer dicken Rotwurst ab, öffnete eine Flasche Bier und goß sich den schäumenden Inhalt über Haar und Gesicht, robbte zum Sofa, raffte die Decke zusammen, auf der das Mädchen strampelte und glucksend lachte, wickelte sie um den zappelnden Körper, legte sich das Paket über die Schulter und rannte damit singend und lachend durch das Zimmer.
Ruth trommelte mit den Fäusten auf seinen Rücken, biß in sein rechtes Ohr, daß er aufschrie, zum Sofa taumelte und sie wie ein Bündel in die Kissen warf.
Zärtlich grub er ihr Gesicht aus der Decke, nahm es in seine Hände, küßte die Augen, die Nase und den offenen warmen Mund; ihren vagen Versuch, sich

zu befreien, vereitelte er nach Männerart; ein Apfel, den sie greifen wollte mit kraftloser Hand, rollte zurück ins verheerte Zimmer.
Ruth sammelte die Lebensmittel auf.
„Das war ein Opfer“, sagte Manfred. „Mit einem Kreis von Früchten und Fleisch habe ich die Göttin heiter gestimmt, nun wird sie mich nicht verlassen, niemals.“
„Komm“, sagte Ruth, nahm ein Handtuch und trocknete damit seinen bierfeuchten Schädel. Manfred hielt ganz still, nur ab und zu lugte er unter dem weißen Frottee hervor, blinzelte zufrieden und schnaufte; die Prozedur dauerte sehr lange.
Und wenn es wirklich Manfreds Idee war, die Verbarrikadierung, so wurde dieser einmalige Einfall jetzt geboren. Die zärtlichen Mädchenfinger. Die glänzenden Äpfel, rot, verstreut auf der dunklen Dielung des Zimmers. Der anbrechende Abend auf den Dächern der Stadt.
Als Manfred die Blätter des Salatkopfes zusammenlas, sah er zwei Äpfel liegen, sie waren unter den Schrank gerollt, der neben der Tür stand. Trotz seiner langen Arme konnte er die Früchte nicht erreichen. Kurz entschlossen schob er den schweren Schrank zur Seite, das gelang mit einiger Anstrengung, er hob die Äpfel auf und rieb sie an seinem Pullover blank.
„Nimm“, sagte er und wollte Ruth einen Apfel zuwerfen, da merkte er, wie das Mädchen auf den Schrank starrte.
Es handelte sich um einen ganz gewöhnlichen Schrank, schwer, Kirschholz, ein schäbiges Rot. Dort, wo er eben noch gestanden hatte, war eine feine Staubschicht zurückgeblieben. Aber Ruth sah nicht auf den Staub, was Frauensache vielleicht gewesen wäre, wiederum Ruths Sache bestimmt nicht, sie schaute auf den Schrank, und das tat sie so, als hätte sie soeben eine ganz neue, einmalige Verwendungsmöglichkeit für ihn entdeckt. Und da bemerkte es Manfred auch: Der Schrank, dessen fester, scheinbar unverrückbarer Standort bisher neben der Tür gewesen war, stand nun direkt davor, so daß die Tür verschwunden war.
Ruth nahm einen Lappen und wischte den Staub weg, tilgte die Spur, nun gab es keine Beweise mehr.
Sie aßen sehr gut zu Abend. Musik dazu aus dem Radio.
Später wohlmeinende Beschwörungen von dort, die sie aber abstellten. In dieser dunklen Nacht liebten sie sich sehr, und sie sagten sich gute Worte ...
Die Verbarrikadierung hatte begonnen, noch hatten sie Brot, und in den Bechern krümmten sich Blumen, buntes Narrengewächs. Kurz vor Sonnenaufgang kamen die Zweifel an der Rechtmäßigkeit ihres Spieles, telefonisch beantragten sie Urlaub, der seltsamerweise auch gewährt wurde: für acht Tage.

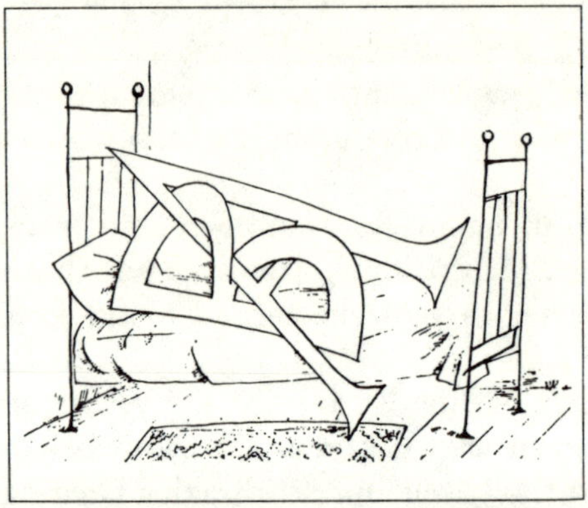

Der Akt der Letter

BERTOLT BRECHT

Sonett Nr. 15

(Über den Gebrauch gemeiner Wörter)

Mir, der ich maßlos bin und mäßig lebe
Gestattet Freunde, es euch zu verweisen
Mit rohen Wörtern so um euch zu schmeißen
Als ob es daran keinen Mangel gäbe!

Beim Vögeln können Wörter Lust erregen:
Den Vögler freut es, daß das „vögeln" heißt.
Wer mit dem Wort zum Beispiel um sich schmeißt
Soll sich auf löchrige Matratzen legen.

Die reinen Vögler sollte man nur henken!
Wenn sich ein Weib mitunter auspumpt: gut.
Den Baum spült sauber keine Meeresflut!

Nur nicht dem Geiste eine Spülung machen!
Die Kunst der Männer ist's: vögeln und denken.
(Der Männer Luxus aber ist's: zu lachen)

8 *Kraft und Mut*

Ich liege
in deinen Armen, Liebster,
wie der Mandelkern in der Mandel.

Hilde Domin

BERTOLT BRECHT

Morgens und abends zu lesen

Der, den ich liebe
Hat mir gesagt
Daß er mich braucht.

Darum
Gebe ich auf mich acht
Sehe auf meinen Weg und
Fürchte von jedem Regentropfen
Daß er mich erschlagen könnte.

MARGARETE NEUMANN

Windflöte

Selbstverständlich muß ein festes Datum bestimmt sein. Wie wollte sonst verfahren werden mit Unterschriften und Verantwortlichkeiten. In Wirklichkeit aber wird jeder Mensch auf besondere und andere Art erwachsen. Es gibt keinen vorgegebenen Zeitpunkt, auch nicht bei Frauen, obwohl sie es leichter haben. Denn wie sollte es sie nicht unwiderruflich aus dem Schwebezustand der Nach-Kindheit herausheben, wenn die Lippen des Erstgeborenen ihre Brust berühren und seine noch nichts unterscheidenden dunklen Blicke unverwandt auf ihr Antlitz gerichtet sind.
Das Leben der Ingeborg Fischer begann in der Mitte des ersten Jahres ihrer Ehe, in einer windigen und naßkalten Herbstnacht.
Sie lag bei dem Mann, an seine Schultern geschmiegt. Ihre Lippen berührten die Haut, die kühl war. Sein ruhiger Atem sagte ihr, daß er schon schlief.
Sie liebte diese Stunde, wenn sie wach lag, weil das Herz noch zu stark schlug, Zärtlichkeit schmerzte, allmählich verebbte, sanfter wurde und süßer, währenddes sie der Mann noch immer umfaßt hielt.
In diesen Stunden dachte sie: Das ist das Glück.

Obwohl selbst in diesem Augenblick, wenn auch undeutlich, immer etwas wie Suchen oder Vermissen oder Verlorenhaben, eine Unruhe blieb, die sie sich mühen mußte abzustreifen, und die sie verleugnet haben würde, hätte sie jemand gefragt. Die dennoch da war, oft bis in den Schlaf, so daß sie, träumend, umherirrte und nicht wußte, wie ins Bekannte zurückgelangen.
Am Tage, in der Halle, an ihrem Schaltpult, vergaß sie's. Aber abends, wenn sie vom Bus kam, nach der Nachtschicht oder beim Einkauf konnte Unruhe sie plötzlich so stark überfallen, daß sie den Blick auf ihre Füße zurücknahm und schneller ausschritt, der erleuchteten Häuserzeile entgegen.
Sie hatte sich ein für alle Mal entschieden.
Sie hatte sich für ein Leben entschieden, das dem ihrer Kindheit, wie sie glaubte, entgegengesetzt war. Aus dem Entlegenen war sie gekommen, aus dem Dorf hinter Wäldern, das, wie Erwachende Traum, Vergangenheit noch halb umfing. Sie hatte Helle gesucht, klare, gefügte Ordnung, gläserne Fassaden, den Strom der Menschengesichter. Sie hatte sorgsam dafür gelernt und alle Prüfungen bestanden.
So empfand sie's, und so empfand es ihr Mann, der seine Entscheidung ebenso wie sie die ihre getroffen hatte. Am stärksten spürte sie es im Werk, besonders in den Nächten.
In dieser erregenden Landschaft entstanden aus Notwendigkeit glitzernde Lichterfiguren, Sternbildern ähnlich, Wolkengebilde, mächtig aus Kühltürmen quellend, Brücken und Träger, hellsichtige Meßwarten, leicht schwebend über Rohrlabyrinthen.
Draußen geht Herbstwind. Mit seltsamem Lauf gleitet er um die Fassade. Er paßt, denkt sie, hier nicht her. Hier ist alles vernünftig, ernst und streng, gehört alles den Menschen. Aber der Wind kehrt sich nicht daran. Pfeift, ruft, heult auf und verstummt, als hätte er Atem zu holen. Rüttelt und stößt, bis das Fenster nachgibt.
Und brausend stößt er seinen Duft nach Laub, nach Wasser, nach Nebel ins Zimmer.
Das Fenster schließend, mit Anstrengung, sieht sie, zum erstenmal in mattem Licht, die Stadt, eingeschmiegt in Wiesen, den Flußbogen, die Hügel, zum erstenmal sieht sie die Wolken von weither ziehen, drüberweg und weiter, weiter.
Und wie sie sich nun wieder legt, denkt sie, sie darf das nicht vergehen lassen. Sie müßte es malen, beschreiben oder sonst irgendwie aufheben und mitteilen. Fast möchte sie den Mann wecken, aber sie wüßte nicht einmal die Worte.
Und der Wind spielt Flöte, klaviert die Weite der Welt, über Gesimse, Wände und Fensterscheiben.

J. P. STÖSSEL

Kampflied für die Liebe

Das ist noch alles da

Die Äpfel in den Bäumen
der Himmel
pflaumenblau
und Heu
und Stroh in Scheunen
und deine Augen
schau

Die Astern hinter Zäunen
die Wege
her und hin
ein Korb
voll wilder Beeren
und Spinnenfäden
Licht
und Pilze
wie in Träumen
und deine Hände
nimm

Das ist noch alles da
Wir müssen es nur holen
bevor die Kraft uns fehlt
Ich sag nicht nur
Nein danke
Ich will
was uns gehört
ein Stück vom Sonnenkuchen
des Wassers langen Arm
und Wind mit offnen Ohren
ein Haus
vom Atem warm

Ich könnt
den Mond nicht melken
weil sich nicht alles reimt!
Ach laß
die Worte welken
Ich bin nicht aus Papier

In meinem Mund
wächst Minze

So still ich
deinen Durst
ein Bach
noch nicht vergiftet
Die Fische singen mit
wenn wir den Kampf ansagen
und wehren uns der Haut

und haben nicht vergessen
wer Hunde auf uns hetzt
und sehen wer noch die Messer
an unseren Scharten wetzt

N.N.*

Lieber Eric,
heute vor vier Jahren haben wir uns das erste Mal gesehen – ich vergesse diesen Tag niemals – Du auch nicht, wie Du sagst. Trotzdem, ich muß sie noch einmal beschreiben, diese Begegnung, die wichtigste in meinem Leben: Ich hatte schon viel von Dir gehört, und ich brannte darauf, Dich kennenzulernen. An diesem Tag nun betrat ich ein Zimmer, sah einen Mann am Fenster stehen, ich sah ihn von hinten und wußte sofort – das ist Eric. Gleichzeitig durchzuckte mich die Erkenntnis: Dieser Mann wird mein Leben verändern. Weiß Gott, das hast Du auch!

Dein Aussehen entsprach überhaupt nicht meinen Vorstellungen von Dir, und Du warst auch nicht der Typ von Mann, der mich im allgemeinen anzieht. Was mir als einziges gefiel, waren Deine Hände.
Du wurdest meine große Liebe. Daß Liebe wachsen kann, habe ich mit Dir erlebt. Ich weiß, daß Du derartige große Worte nicht leiden kannst, aber ich kann es nicht anders ausdrücken, weil ich es eben so fühle.
Ich war glücklich, als Du mir sagtest, daß Du ein ähnliches Gefühl erlebtest, als ich ins Zimmer kam. Wir wollten den Geburtstag unserer Liebe immer gemeinsam verbringen und ein Fest nur für uns beide daraus machen. Diesmal können wir es zum ersten Mal nicht.
Du bist zwar da, aber doch weit weg. Ich sehe Dich durch die Glasscheibe, hinter der ich auf der Intensivstation im Bett liege und an meiner Infusion hänge. Du darfst hier nicht rein. Aber Du hast diesen Brief in Deiner Tasche, und ich spüre, daß Du – wie ich – an den Tag denkst, der beinahe der Todestag unserer Liebe geworden wäre.
Der Tag, an dem ich erfuhr, daß ich an der unheilbaren Krankheit leide. Auch diesen Tag werde ich nicht vergessen. Ich weiß, ich würde nicht mehr leben ohne Dich. Du warst es, der gesagt hat, „was ist das für eine Liebe, die aufhört, wenn der andere krank wird“. Deine Zärtlichkeit, Deine Kraft, Deine Zuversicht haben mich durch die Wochen der Verzweiflung hindurchgetragen. Du hast mir klar gemacht, daß auch diese Art von Leben, die mir noch geblieben ist, erfüllt, reich und schön werden kann. Deine Härte, wenn ich mich gehen lassen wollte, hat mir Stärke gegeben.
Ich habe es Dir nicht leicht gemacht, zu mir zu halten – aber Du mußt zugeben – im letzten Jahr ist es besser geworden – oder? Und Mühe gebe ich mir auch – oder? Unser Leben ist nicht ärmer geworden – nur anders. Wir müssen auf manches verzichten, was für andere Menschen selbstverständlich ist. Aber ich meine, wir haben gelernt, ein bewußteres Leben zu führen. Und es gibt Momente, da fehlt es uns an nichts: wenn unsere Körper sich berühren, wenn sie miteinander sprechen, wenn sie eintauchen in Zärtlichkeit und Wärme, wenn unsere Arme uns umfassen, wenn wir uns küssen und für einen Augenblick empfinden – wir sind eins.
Ich bin so froh, daß es Dich gibt. Ich liebe Dich,

Dein Martin

*) Der Autor dieses Beitrages kann seinen Namen nicht nennen, weil er, auch heute noch, als Homosexueller dann berufliche Schwierigkeiten zu erwarten hat.

SABINE SCHRUFF

Das Nachtgespenst und der Philosoph

I.

Über Tag war Schnee gefallen. Weich verpackt lag die Kleinstadt da. „Wie schön!“ freute sich das Nachtgespenst, das nach Mitternacht über die Dächer schwebte. Der Halbmond trat langsam hinter einer Wolke hervor und verhalf Häusern, Bäumen und den Autos am Straßenrand zu zarten Schatten.

Das Nachtgespenst hieß Clarinda und bewohnte eine mit Spinnweben verhangene Nische hoch oben im Kirchturm, wo schmale Luken mit Spitzbogen den Glockenschall ins Freie ließen.

Clarinda war zierlich und neugierig. Nach einem ausgedehnten Rundflug landete sie auf einem Brückengeländer. Der Fluß unter ihr hatte eine so glatte Oberfläche, daß man ein Stöckchen treiben lassen mußte, um festzustellen, in welche Richtung die Reise ging.

In dieser Nacht sprach das Wasser deutlicher als sonst, denn nichts außer ihm war zu hören. Kein fernes Motorengeräusch, kein Wind in den Bäumen.

„Was für eine Nacht!“ staunte das Nachtgespenst. „Nichts sieht so aus, wie man's gewohnt ist. Mich würde nicht wundern, wenn auch ich verwandelt wäre.“ Und es beugte sich weit vor, um sein Spiegelbild auf dem Wasser zu betrachten. „Vorsicht!“ rief jemand.

Das Nachtgespenst zuckte zusammen, schaute sich um: In einem Garten direkt am Flußufer war eine Gestalt – kaum größer als Clarinda, genauso weiß und allein.

Clarinda wußte nicht, ob sie sich ärgern oder freuen sollte. Einerseits konnte sie es nicht ausstehen, wenn man sie aus ihren Träumen riß. Andererseits bot sich ihr nicht oft Gelegenheit zu neuen Bekanntschaften. Schon gar nicht bei hohem Schnee. Da blieben nachts selbst die Katzen zu Hause ...

„Wer bist du?“ fragte das Nachtgespenst.

„Nun“, kam es zögernd zurück, „ich bin Otto, der Philosoph.“

„Ich heiße Clarinda“ sagte das Nachtgespenst und schwebte auf Otto zu. Der sah wirklich sonderbar aus! Er besaß weder Hals noch Beine, aber einen viel zu großen Kugelkopf, auf einem gemütlich runden Leib. Den mächtigen Bauch zierte eine Leiste glänzender Knöpfe aus Staniolkugeln. Der Philosoph trug eine Baskenmütze und unterm Kinn eine Fliege aus buntem Weihnachtspapier. Über der Sektkorkennase saß eine Brille aus zwei mit Draht verbundenen Gardinenringen. Sie gab seinen blassen Gesichtszügen etwas Gescheites. Zumal das Schönste an Otto nur bei Tageslicht zu voller Geltung kam: Es war sein Mund, ein zartes Gebilde aus Apfelsinenschalen.

Clarinda war verwirrt. Einen Philosophen hatte sie noch nie kennengelernt.
„Was macht denn so einer wie du die ganze Nacht?" fragte sie zaghaft.
Otto zog hörbar die Luft ein und sagte nach einer bedeutsamen Pause: „Nun ja. Man denkt nach. Über dieses und jenes."
„Das klingt aber langweilig!" entfuhr es dem Nachtgespenst.
„Philosophen ist Langeweile gänzlich fremd", belehrte Otto seine verwunderte Besucherin. „Unsereins stellt Betrachtungen an über die Welt und das Leben. Stets bemüht man seinen Geist in die Tiefe des Seins und" – gedankenschwer Luft holend – „in die Weite des Alls."
Das Nachtgespenst seufzte ganz leise. „Philosophieren muß eine sehr anstrengende Beschäftigung sein", dachte Clarinda, und ihr fiel auf, daß sie noch nie ein Wesen getroffen hatte, mit dem eine Unterhaltung so schwierig war. Plötzlich kam sie sich sehr dumm vor.
Langes Schweigen. Das Nachtgespenst fühlte sich unbehaglich. Schließlich gab es sich einen Ruck. „Sag mir doch bitte, wo du herkommst", preßte es mit dünner Stimme hervor. „Ich habe dich hier noch nie gesehen."
„Aus der Welt komme ich", gab Otto bedeutungsvoll zurück. „Unsereins hat schließlich schon viele Daseinsformen hinter sich gebracht. Doch dies alles, mein Kind, ist ohne Belang . . ."
„Jetzt verstehe ich überhaupt nichts mehr", platzte Clarinda dazwischen. Ihre Stimme klang gereizt. „Kannst du nicht auf eine klare Frage eine klare Antwort geben?"
Der Philosoph, in gequältem Tonfall, als fühlte er sich von einem Kind belästigt: „Nun, ja, wie soll man es jemandem wie dir erklären? Also: meine letzte Daseinsform, zum Beispiel, war die einer Wolke."
„Wie bitte? Willst du mich veräppeln?" entrüstete sich das Nachtgespenst.
„Keineswegs", antwortete der Philosoph. Jetzt klang seine Stimme würdig und geduldig. „Nimm bitte zur Kenntnis, mein Kind, daß du in diesem Garten nichts Unwahres hören wirst. Denn der klare Geist strebt zur reinen Wahrheit. Und nun, paß auf, mein Kind: Man war eine Wolke. Man schwebte zwischen Himmel und Erde. Man ließ sich treiben vom Wind. Die Sterne schienen zum Greifen nah, und auch die Sonne . . ."
„Die Sonne!" jubelte Clarinda. „Du kennst die Sonne! Wie gern würde ich . . ."
Doch der Philosoph brachte sie mit einem ungehaltenen Blick zum Schweigen. Er liebte es nicht, bei seinen Ausführungen unterbrochen zu werden. Wieder entstand eine lange Pause.
In Clarindas Innern brodelte es. Die Sonne! Nichts auf der Welt interessierte sie so brennend wie die Sonne. Und nun kannte sie ein Wesen, das der Sonne zum Greifen nah gewesen war!

Otto spürte Clarindas Bewunderung und er sonnte sich darin. Sie wärmte seine gedankenschwere Existenz. Sein Blick wurde freundlicher, seine Stimme auch.
„Wenn du mehr erfahren möchtest", bot er an, „können wir unser Gespräch bei gegebener Zeit fortsetzen. Im Moment laß es gut sein. Man muß jetzt wieder dem geistigen Durchdringen von Leben und Welt Raum geben."
Viele Gedanken gleichzeitig schwirrten Clarinda durch den Kopf als sie zurück in ihren Kirchturm flog; die restliche Nacht verbrachte sie damit, sich wieder und wieder die Sonne vorzustellen. Beim nächsten Mal, das nahm sie sich vor, würde sie dem Philosophen sehr kluge Fragen stellen ...
Auch Otto verfolgten in dieser Nacht Gedanken, die von einem klaren Geist nicht viel übrig ließen. „Ein reizendes Geschöpf", sagte er sich. „Natürlich mangelt es ihm in jeder Hinsicht an geistiger Disziplin und Abstraktionsvermögen. Dazu die kindische Schwärmerei von der Sonne ... Aber", fiel sich der Philosoph selbst ins Wort, „es strebt nach Weisheit und Erkenntnis. Unverkennbar. Und seine Bewegungen sind überaus entzückend."

II.

In der folgenden Nacht begrüßte Otto Clarinda wie ein Fürst seinen Untertan. Um nichts in der Welt hätte er zugegeben, daß das Summen in seinem Bauch sehnsüchtiges Warten auf ein Wiedersehen gewesen war. Dagegen sprach nicht nur seine Philosophenwürde. Dagegen sprach auch sein Unbehagen darüber, daß seine klare Geistigkeit immer wieder von wolkenartigen Dunstgebilden getrübt wurde. Ja, es war deprimierend, wenn man's genau besah: In den vielen vergangenen Stunden hatte er immer nur im Kreis gedacht.
Zum ersten Mal in seinem Leben fühlte Otto sich unsicher; bedrückendes Schweigen, und die Stille der Winternacht machte das wortlose Beieinander noch quälender. Schließlich atmete der Philosoph tief ein und sagte, obwohl er sonst nichts so sehr verachtete wie Gespräche über das Wetter: „Wir haben eine sehr klare Nacht."
„O ja", rief Clarinda, griff dankbar seine Worte auf. „Es ist genau wie letzte Nacht. So klar und so still."
Otto zuckte zusammen. Fiel diesem Geschöpf nichts Besseres ein als Banalitäten zu wiederholen?
Was nun?
„Morgen wird sicher wieder ein klarer Tag sein", quälte Otto sich weiter. „Und ich denke, daß die Sonne ..."
„Ah, die Sonne! Das wollte ich dich die ganze Zeit fragen! Ob die Sonne ..."
„Hör zu, wenn du stets mit deinen vorlauten Kommentaren dazwischen-

platzt, wird es kaum zu einer tiefen Unterhaltung kommen", tadelte der Philosoph.
Clarinda sank sichtbar zusammen. Schon wieder hatte sie ihn verärgert. „Weg. Nur weg!" schoß ihr durch den Kopf, und schon hockte sie todunglücklich auf dem Brückengeländer.
Auch Otto fühlte sich unwohl wie nie zuvor. Mußte dieses Geschöpf auch immer mit der Sonne kommen? Mit der Sonne ausgerechnet, die ihm, dem Philosophen, das Leben zur Hölle machte! Die ihn jeden Tag bedrohte, die ihm zeigte, wie begrenzt sein Dasein war!
Er sah Clarindas Umrisse – ein kummervolles Bündel auf dem Brückengeländer, und dachte: „Ein Kind ist sie. Mehr nicht. Mehr wird sie nie sein. Keine Ahnung hat sie von der Welt und vom Leben."
In diesem Moment richtete sich das Nachtgespenst auf und blickte in Ottos Richtung. „Wie klein er ist", dachte Clarinda plötzlich. „Und wie plump! Was für ein armseliges Leben: im Garten stehen und nachdenken!" Doch da erschrak Clarinda über ihre Gedanken. „Wie kannst du nur so unfreundlich über ihn denken?", beschimpfte sie sich. „Das ist Otto, der Philosoph. Er ist der Sonne zum Greifen nah gewesen!"
Clarinda stöhnte leise. Wer war sie schon im Vergleich mit einem Philosophen? Ein Schatten. Ein Niemand. So verschwommen wie ihr Spiegelbild im Fluß. Sie beugte sich weiter vor . . .
„Vorsicht!" rief Otto.
Das Nachtgespenst schrak zurück, und fing dann an zu lachen. Ohne weiter nachzudenken, flog Clarinda zurück zu Otto. Der lachte auch. Und wie! Er prustete und schnaubte.
„Was bin ich doch für ein Esel", brachte der Philosoph ganz unwürdig hervor. „Noch nie hab' ich mich so auf Besuch gefreut. Und was mach' ich? Ich graule ihn fort! Armes Nachtgespenst. Hast du gewußt, daß Philosophen so dumm sein können?" Und wieder dröhnte sein Lachen durch die Nacht.
Clarinda hüpfte vor Freude auf und nieder. „Na, für einen Esel habe ich dich gerade nicht gehalten", kicherte sie. „Eher für einen Brummbär. Nie guter Laune." „Und du, du bist ein verrücktes Huhn", rief Otto, weiter lachend. „Wer hätte gedacht, daß ich daran Gefallen finden könnte!"
Plötzlich herrschte Schweigen. Man spürte, wie erschrocken der Philosoph war über seine Worte. Sie paßten so gar nicht zu seinem klaren Gesicht, zu seinen tiefsinnigen Deutungen von der Welt und dem Leben.
Bei Clarinda war es anders. Das Nachtgespenst war vor Freude verstummt.
Clarinda und Otto schauten sich sehr lange an. Und obwohl nichts da war, was sie hätten greifen können, kam es ihnen so vor, als hätte jeder vom andern ein Geschenk bekommen.

„Danke“, sagten beide aus einem Mund. Und wieder fingen sie an zu lachen.

III.

Während das Nachtgespenst tief und fest schlief, erlebte Otto den glücklichsten Tag seines Lebens. Es machte ihm nichts aus, daß die Kinder schreiend um ihn herumtollten und ihm eine Papierblume an die Baskenmütze hefteten. Er ließ sich nicht stören vom Gekreisch der Vögel, die um Platz im Futterhäuschen stritten. Ja, selbst die Sonne, die gegen Mittag den Winterdunst weggefressen hatte und danach den Philosophen um drei Kilo erleichterte, konnte ihn nicht mehr aus dem Gleichgewicht bringen. „Eine Schlankheitskur wird mir guttun“, sagte sich Otto. „Junge Damen legen Wert auf Äußeres.“

Alles war neu für Otto. Zum ersten Mal konnte er einen langen Tag genießen, denn er verschwendete keinen Gedanken mehr an die Zeit, die an ihm nagte. Und wie er so dastand, ruhig und froh, erfüllte ihn etwas, das in seinem Dasein noch nie Platz gehabt hatte. Es waren Träume: Hand in Hand würde er mit Clarinda in die Ferne schweben. Über das große Meer würden sie fliegen, vom Himmel herab Inseln und Schiffen winken. Und am Ende der Welt würden sie sich niederlassen – dort wo immer Nacht herrschte, wo die Sonne sie nie mehr erreichen konnte ...

Auch Clarinda erlebte einen Traum, aus dem sie voller Freude erwachte: Hand in Hand war sie mit Otto zwischen Himmel und Erde geflogen, mühelos schwebend, weiter, immer weiter – der Sonne entgegen.

„Wir sollten eine Reise machen“, schlug das Nachtgespenst dem Philosophen vor.

Otto erschrak heftig. Er fühlte sich bei seinen Träumen ertappt. „Wie stellst du dir das denn vor?“ fragte er und dehnte dabei jedes Wort, denn er wollte Zeit gewinnen.

„Ganz einfach“, rief Clarinda. „Du verwandelst dich wieder in eine Wolke und dann ziehen wir zusammen los!“

„So leicht geht das nicht. Seit wann können Nachtgespenster so hoch fliegen wie Wolken?“

Darauf erwiderte Clarinda nichts mehr. Ein Gedanke war ihr gekommen. Und den behielt sie für sich.

Der Philosoph atmete erleichtert auf.

IV.

Nach diesem Gespräch erschien Clarinda weiterhin jede Nacht in Ottos Garten. Aber immer häufiger blieb sie nur kurz und schien mit ihren Gedanken woanders zu sein.

„Ich brauche mehr Schlaf", gab sie vor. „Das geht allen Nachtgespenstern so im Winter".
Der Philosoph gab sich Mühe, ihr zu glauben. Nur manchmal kam ihm in den Sinn, ob sie wohl noch andere nächtliche Bekanntschaften pflegte. Doch durch Clarindas Zurückhaltung kam das Gespräch nie wieder auf die Wolke, oder die Sonne.
Auch Clarinda war dankbar, daß Otto sie nicht mit Fragen bedrängte. So konnte sie ungestört jede Nacht Flugübungen machen. Denn sie war wie besessen von dem Wunsch, so hoch wie die Wolken zu fliegen, auch wenn es sie noch so sehr anstrengte. Mit ihrer gewohnten Schwebetechnik kam sie nicht weit. Am Anfang versuchte sie es mit hektischem Flattern – aber nach hundert Metern schon war sie restlos erschöpft und ließ sich zurück auf die Erde fallen. Nein, so ging es nicht weiter. Sie mußte lernen, den Wind zu nutzen. Das geschah mit zähem Eifer. Manchmal, wenn sie einen günstigen Aufwind spürte, brach sie im Gespräch mit Otto unvermittelt auf, ohne Erklärung.
Ihre plötzlichen Abschiede kränkten Otto sehr. Er sah sie in Richtung Kirchturm davonfliegen und fragte sich: „Ob sie sich mit mir langweilt?"
Clarindas Höhenflüge machten gewaltige Fortschritte. Häuser und Bäume wurden kleiner, die Umrisse unscharf. Vor lauter Freude über den Erfolg aber entging dem Nachtgespenst, daß Otto immer schweigsamer wurde.
„Die Nächte werden wärmer", sagte der Philosoph einmal. Clarinda nahm es gedankenlos hin, obwohl Otto sonst nie vom Wetter sprach.

V.

In den langen Stunden des Alleinseins wurde Otto zunehmend unruhiger. „Es muß etwas geschehen", forderte er sich auf. „Meine Tage sind gezählt. Aber wie soll ich das Clarinda beibringen? Ihr ist jeder Zeitbegriff fremd."
Das bedrückte Otto sehr, und noch etwas: Wie sollte das Nachtgespenst begreifen, daß ein Wiedersehen vielleicht in einem ganz anderen Garten stattfinden würde? Daß er, Otto, im nächsten Winter bestimmt ganz anders aussehen würde, ohne Baskenmütze, ohne Sektkorkennase. Und wie sollte Clarinda ihn finden …?
In der folgenden Nacht kam Clarinda noch später als sonst. Auf ihrem Gesicht lag etwas Triumphierendes. „Otto", rief sie, und zum ersten Mal flog sie dem Philosophen um den Hals. „Ich kann's, ich kann's!" jubelte sie. „Ich kann so hoch wie Wolken fliegen!"
Otto erlebte einen dumpfen Schmerz in seinem Innern. Er blieb stumm.
„Freust du dich nicht? Es ist soweit. Wir können zusammen reisen!"
„Das darf doch nicht wahr sein", grummelte Otto. „Deshalb also hast du

mich die ganze Zeit vernachlässigt! Habt ihr jungen Dinger denn keine Augen im Kopf?!" – Der Philosoph holte tief Luft: „Ich bin ein Schneemann, meine Liebe. Nichts als ein Schneemann. Kannst du mir verraten, wie ein Schneemann fliegen soll?"
„Ganz einfach. Du verwandelst dich in eine Wolke. Darum ging es doch die ganze Zeit. Oder nicht?!"
„Kreuzdonnerwetternochmal! Ich bin ein Philosoph und kein Zauberer!"
„Ein mieser Lügner bist du", rief das Nachtgespenst. „Wer hat mir denn erzählt, daß er einmal eine Wolke war?"
Otto stöhnte stumm. Clarinda hatte ja recht. Aber er auch. Er spürte, wie er innerlich zitterte. Warum mußte das Leben nur so kompliziert sein! – Eine grauenhafte Erkenntnis kroch in ihm hoch: Er hatte völlig falsch gedacht, über die Welt und das Leben. Er war ein schlechter Philosoph!
Als Otto wieder aufschaute, war das Nachtgespenst verschwunden. Auch in den folgenden Nächten tauchte es nicht mehr auf. Clarinda fühlte sich matt und krank, unüberwindbar enttäuscht. Sie verbarg sich in ihrer Kirchturmnische.

VI.

Es dauerte über eine Woche, bis das Nachtgespenst wieder genügend Kraft für einen nächtlichen Rundflug gesammelt hatte. Aber der Schnee war fort – und damit auch Otto, der Philosoph. Clarinda brach zusammen, genau an dem Ort, an dem ihr Freund immer so getreulich auf sie gewartet hatte. Dann heulte sie, so anhaltend und lautstark, wie man noch nie ein Nachtgespenst hatte heulen hören.
Doch plötzlich, zwischen zwei abgrundtiefen Schluchzern, vernahm Clarinda eine feine Stimme: „Hallo – Hallo Clarinda."
„Wer ruft da? Wer bist du?" rief das Nachtgespenst überrascht.
„Ich bin ein Schneeglöckchen", sagte die Stimme. „Bitte, hör auf zu weinen."
„Ach du, was weißt du schon", schniefte das Nachtgespenst. „Was weißt du schon von der Welt und vom Leben ..."
„Mehr als du denkst", piepste das Schneeglöckchen und lachte leise. „Ich soll dich von Otto grüßen". Und dann hielt es dem Nachtgespenst einen langen Vortrag über das Wesen der Schneemänner, über die wunderbaren Wandlungen von Wolken, Schnee und Wasser.
„Otto wird immer dein Freund bleiben", sagte die kleine Blume zum Abschluß. „Nur ist es an dir, im nächsten Winter nach ihm zu suchen."
„Aber wie soll ich ihn erkennen?"
„Suche nach einem Schneemann, der träumen kann, denn das hast du ihm beigebracht."

PABLO NERUDA

Dein Lachen

Nimm mir das Brot weg, wenn du
es willst, nimm mir die Luft weg,
aber laß mir dein Lachen.

Laß mir die Rosenblüte,
den Spritzstrahl, den du versprühst,
dieses Wasser, das plötzlich
aufschießt in deiner Freude,
die jähe Pflanzenwoge,
in der du selbst zur Welt kommst.

Mein Kampf ist hart, und manchmal
komme ich heim mit müden
Augen, weil ich die Welt
gesehn, die sich nicht ändert,
doch kaum trete ich ein,
steigt dein Lachen zum Himmel,
sucht nach mir und erschließt mir
alle Türen des Lebens.

Meine Liebe, auch in der
dunkelsten Stunde laß dein
Lachen aufsprühn, und siehst du
plötzlich mein Blut als Pfütze
auf den Steinen der Straße,
so lache, denn dein Lachen
wird meinen Händen wie ein
frisch erglänzendes Schwert sein.

Und am herbstlichen Meer
soll deines Lachens Sturzflut
gischtend himmelwärts steigen,
und im Frühling, du Liebe,
wünsche ich mir dein Lachen
als Blüte, lang erwartet,

blaue Blume, die Rose
meines klingenden Landes.

Lache über die Nacht,
über den Tag, den Mond,
lache über die krummen
Gassen unserer Insel,
lache über den Burschen,
den Tolpatsch, der dich liebt,
aber wenn ich die Augen
öffne, wenn ich sie schließe,
wenn meine Schritte fortgehn,
wenn sie dann wiederkommen,
nimm mir das Brot, die Luft,
nimm mir das Licht, den Frühling,
aber niemals dein Lachen,
denn sonst würde ich sterben.

WALTER KOLBENHOFF

Der Krieg ist aus

In seinen kurzen dumpfen Traum aus dunkler Angst und verzweifelter Hilflosigkeit fiel das Gedröhn der einstürzenden Mauer und das Tacken der fernen Schüsse. Der Deserteur erwachte mit einem Ruck. Er versuchte aufzuspringen und rief mit erstickter Stimme: „Raus! Sie greifen an! Wer liegt am MG?"

Das Mädchen neben ihm flüsterte: „Es ist alles gut. Niemand greift an. Du bist bei mir –"

Sie griff seinen Arm und zog ihn an sich. „Du hast nur geträumt", sagte sie. „Du bist bei mir. Der Krieg ist aus."

Er ließ sich erwachend wieder neben sie fallen. „Ja", sagte er hilflos, „ich habe nur geträumt. Der Krieg ist aus."

„Du bist bei mir", sagte sie. „Ich lasse dich nicht mehr weg. Was sie auch alles tun werden, ich lasse dich nicht mehr weg."
Er lag neben ihr und fühlte, wie alles wieder von ihm fiel. Der verlauste feuchte Mantel und der kalte Dreck der italienischen Erde fielen von ihm, die Stiefel an den verquollenen Füßen, die Angst beim Zerbersten der Granaten, der Hunger und der Griff um das Gewehr. Alles fiel von ihm. Er lag neben ihr und dachte: Der Krieg ist aus und ich muß es vergessen. Sie haben mir die besten Jahre gestohlen und ich kann nichts tun als sie vergessen ... Aber die hilflose Angst ließ ihn nicht los. Die Träume werden wieder kommen, dachte er. Ich werde mir tausendmal sagen: Du mußt vergessen! und in den Träumen wird alles wieder da sein. Ich werde wieder das Gewehr nehmen und in den Löchern liegen und den Gestank der Toten einatmen müssen! – Er klammerte sich an das Mädchen und flüsterte: „Ja, du mußt bei mir sein. Tag und Nacht mußt du bei mir sein. Du mußt nachts neben mir liegen, und wenn ich erwache, sollst du zu mir sprechen, und ich werde deine Stimme hören. Ich will dich fühlen, wenn ich erwache, wie ich dich jetzt fühle, deinen Leib und dein Gesicht –"
Er schwieg, denn er wußte, daß er nicht ausdrücken konnte, was ihn bewegte. Sie wird nicht begreifen, was in mir vorgeht, dachte er. Sie ist der Mensch, der mir am nächsten steht, und ich habe sie damals auf der Treppe geküßt, aber jetzt sind wir so weit voneinander, wie wir es nie vorher waren. Vielleicht wird sie die kommenden Nächte neben mir liegen und ich werde erwachen und wir werden miteinander sprechen. Aber ich werde es nicht sagen können.
Er preßte sie an sich und flüsterte: „Bist du ein Stück von mir? Sag, daß du so bist wie ich, daß wir beide eins sind."
„Du bist ein Stück von mir", sagte sie zitternd.
Er hielt sie in seinen Armen, still und unbeweglich. Ihr Atem umspielte sein Gesicht. Mein Gott, dachte er verzweifelt, was haben sie aus uns gemacht.
„Wir sind eins", sagte er desperat, „du und ich, wir sind eins. Alles andere ist tot oder geht dem Untergang entgegen, aber du und ich sind eins. Was auch geschieht, wir zwei sind nicht einsam. Verstehst du? Ich bin nicht einsam, denn ich habe dich, du gehörst mir und ich kann zu dir gehen und ich bin nicht mehr einsam."
„Nein", sagte sie. „Wie sollst du einsam sein? Du bist ja bei mir."
„Ich bin bei dir", sagte er eifrig. „Du hast recht, wie kann ich einsam sein? Ich kann mich nicht mehr verlaufen, ich weiß, du bist da."
„Was kann ich nur für dich tun –", sagte sie leise.
„Du brauchst nichts zu tun." Er lachte. „Es ist genug, wenn du bei mir bist."
„Aber du bist unglücklich."
„Verdammt, nein!" sagte er. „Ich werde alles vergessen. Man sagt, der Mensch

vergißt alles. Ich werde alles vergessen. Man muß nur wollen. Ich werde ihnen die Zähne zeigen."

Sie glaubt mir nicht, dachte er. Aber ich muß es ihr erzählen, ich kann nicht von ihr gehen. Jetzt nicht. Ich werde wie ein Tiger kämpfen, und ich werde am Leben bleiben, das weiß ich. Ich werde alles tun, um am Leben bleiben zu können, ich werde diejenigen, die sich mir entgegenstellen, niederschlagen. Mir kann keiner mehr etwas erzählen, ich habe den Schwindel durchschaut. Friß, oder du wirst gefressen. Sie wird mich nicht begreifen, aber sie soll bei mir bleiben. Ich liebe sie. Nein. Doch! Egal, ich brauche sie. Ich will nicht untergehen, und sie wird mir helfen. Was habe ich gehabt vom Leben? Nichts. Gar nichts. Ich will meinen Anteil haben wie jeder andere auch, und ich werde alles niederschlagen, um zu diesem Anteil zu kommen.

Ich bin nicht einsam, dachte er, nein, ich bin nicht einsam, ich bin nicht einsam. Sie ist neben mir, sie ist schön und jung. Wie kann ein Mensch einsam sein? – Er begann sie wild zu küssen. „Du wirst immer bei mir sein. Jeden Tag und jede Nacht. Und wenn ich erwache –"

„Ja, ja –"

„Ich werde zu dir sprechen."

„Ich werde immer da sein."

„Sag noch einmal, daß du ein Teil von mir bist."

„Ich bin ein Teil von dir!"

„Warum weinst du? Du sollst jetzt nicht weinen. Nicht, wenn ich bei dir bin."

„Ich weiß nicht, warum ich weine."

„Ich liebe dich."

„Nein. Ich weiß, daß es nicht wahr ist."

„Du sollst nicht weinen. Wir haben genug geweint. Alles ist kaputt, aber wir dürfen nicht mehr weinen."

„Ich weiß, daß du mich nicht mehr liebst. Du kannst nicht mehr lieben. Nicht einmal mich kannst du mehr lieben."

„Sprich nicht so. Es kann nicht mehr so sein, wie es war. Es kann nicht mehr so sein wie damals auf der Treppe."

„Nein, ich weiß es."

„Du darfst deshalb nicht traurig sein. Es hat keinen Zweck. Es liegen alle diese Jahre dazwischen."

„Aber ich liebe dich", sagte sie weinend. „Nicht so wie damals auf der Treppe. Damals waren wir noch Kinder. Ich liebe dich jetzt ganz anders. Ich bin jetzt eine Frau und du bist mein Mann und wir werden zusammen leben."

Mein Gott, dachte er, ich muß gut zu ihr sein. Ich brauche sie und sie ist gut und ich darf ihr nicht weh tun. Er küßte ihren Mund und ihren Hals und ihre

Brust und flüsterte: „Nicht weinen. Wir werden zusammen leben, und ich werde dich liebhaben."
Und er dachte: Die Träume werden kommen und die Einsamkeit, und sie wird da sein.
„Aber das Kind –", sagte sie.
Er dachte: Es ist noch lange hin, bis es soweit ist. Es können noch tausend Dinge passieren, warum an das Kind denken? Warum sich Gedanken machen über Dinge, die noch Monate vor uns liegen –.
„Wir werden sehen", sagte er. „Denk jetzt nicht daran." Und er küßte sie wild und streichelte ihre warmen Glieder. Vor noch wenigen Wochen starben sie neben mir, dachte er, und ich vergrub mich in der nassen Erde und war von Läusen zerfressen. Wer kann sagen, was in den Wochen, die vor mir liegen, geschieht? Vielleicht muß ich morgen schon sterben. „Küß mich", sagte er. „Denk nicht an das, was kommen wird, und vergiß, was gewesen ist."
„Ja", sagte sie, „du hast recht. Laß uns jetzt in dieser Minute leben."
„Ja, in dieser Minute wollen wir leben. Diesen Augenblick kann uns niemand nehmen."
„Ich liebe dich."
„Du sollst nicht weinen. Jetzt sollst du nicht weinen."
„Ich liebe dich, du bist mein Mann."
„Du sollst in dieser Minute leben und an nichts anderes denken."
„Ja."
„Sag, daß du ein Stück von mir bist."
„Du bist ein Stück von mir."
„Sag mehr."
„Du bist nicht einsam, denn jetzt bin ich bei dir."
„Du bist bei mir."
„Ja, ich bin bei dir. Bei dir."
„Bist du glücklich?" fragte er. „Bist du jetzt glücklich?"
„Ja", sagte sie weinend, „ich bin glücklich."
„Sag es noch einmal."
„Ich bin glücklich!" schrie sie leise.
Sie hilft mir, dachte er erschöpft. Ich brauche sie, wie sie mich braucht. Ich muß gut zu ihr sein, wir dürfen in dieser Zeit nicht voneinandergehen.

9 *Geben und Nehmen*

Ich will nichts weiter sein
Als die Zeder vor deinem Haus
Als ein Ast dieser Zeder
Als ein Zweig dieses Astes
Als ein Blatt dieses Zweiges
Als ein Schatten dieses Blattes
Als ein Wehen dieses Schattens
Der eine Sekunde
Die Schläfe dir kühlt

Yvan Goll (1881–1950)

BERTOLT BRECHT

Die dumme Frau

Ein Mann hatte eine Frau, die war wie das Meer. Das Meer verändert sich unter jedem Windhauch, aber es wird nicht größer noch kleiner, auch ändert die Farbe sich nicht, noch der Geschmack, auch wird es nicht härter davon noch weicher, wenn aber der Wind vorbei ist, dann liegt es wieder still, und es ist nicht anders geworden. Und der Mann mußte über Land.

Und da er fortging, gab er der Frau alles was er hatte, sein Haus und seine Werkstatt und den Garten um sein Haus und das Geld, das er sich verdient hatte. „Dies alles ist mein Eigen, und es gehört auch dir. Du mußt darauf achthaben." Da hing sie an seinem Hals und weinte und sagte zu ihm: „Wie soll ich das? Denn ich bin ein dummes Weib." Aber er sah sie an und sprach: „Wenn du mich lieb hast, dann kannst du es." Und dann nahm er von ihr Abschied.

Da nun die Frau allein zurückgeblieben war, bekam sie sehr Angst um alles, was in ihren schwachen Händen lag, und sie ängstigte sich sehr. Deshalb hing sie sich an ihren Bruder, welcher ein schlechter Mensch war, und er betrog sie. Darum wurde ihr Gut immer geringer, und als sie es merkte, war sie ganz verzweifelt und wollte nichts mehr essen, daß es nicht weniger wurde, und schlief nicht des Nachts, und davon wurde sie krank.

Da lag sie in ihrer Kammer und konnte nicht mehr umsehen im Hause, und es verfiel, und der Bruder verkaufte davon die Gärten und die Werkstatt und sagte es nicht zu der Frau. Die Frau lag in ihren Kissen, sagte nichts und dachte: Wenn ich nichts sage, ist es nichts Dummes, und wenn ich nicht esse, dann wird es nicht weniger.

So geschah es, daß eines Tages das Haus versteigert werden mußte. Dazu kamen viele Leute von überall her, denn es war ein schönes Haus. Und die Frau lag in ihrer Kammer und hörte die Leute und wie der Hammer fiel und wie die Leute lachten und sagten: „Es regnet durch das Dach, und die Mauer fällt ein." Und dann wurde sie schwach und schlief ein.

Als sie wieder aufwachte, lag sie in einer hölzernen Kammer in einem harten Bette. Auch gab es nur ein ganz kleines Fenster in großer Höhe, und es ging kalter Wind durch alles. Und eine alte Frau kam herein und fuhr sie bös an und sagte ihr, daß ihr Haus verkauft sei, aber die Schuld sei noch nicht gedeckt, und sie nähre sich von Mitleid, und das Mitleid sei für ihren Mann. Denn der habe nun gar nichts mehr. Da ward die Frau, als sie das hörte, im Kopfe wirr und ein wenig irre, und sie stand auf und fing an zu arbeiten von dem Tag an, im Hause herum und auf den Feldern. Und sie lief in schlechten

Kleidern und aß fast nichts und verdiente doch auch nichts, weil sie nichts verlangte. Und da hörte sie einmal, ihr Mann sei gekommen.

Da bekam sie aber eine große Angst. Und ging rasch hinein und zauste ihr Haar und suchte ein frisches Hemd, und es war keins da. Und sie strich über die Brust, daß sie's verberge, und da war sie ganz dürr. Und ging hinaus durch eine kleine Tür hinten und lief fort, irgendwohin.

Da sie nun eine Zeitlang gelaufen war, fiel es ihr ein, daß es ihr Mann sei, und sie waren zusammengetan, und nun lief sie ihm fort. Da kehrte sie gleich um und lief zurück, dachte nicht mehr an das Haus und die Werkstatt und das Hemde und sah ihn von weitem und lief auf ihn zu, und da hing sie an seinem Hals.

Der Mann aber stand mitten in der Straße, und die Leute lachten über ihn unter den Türen. Und er war sehr zornig. Er hatte aber die Frau am Halse, sie tat den Kopf nicht weg von seinem Hals und nicht die Arme von seinem Nacken. Und er fühlte, wie sie zitterte, und meinte, es sei ihre Angst, da sie alles vertan hatte. Aber sieh, da hob sie endlich ihr Gesicht und sah ihn an, und da sah er, daß es nicht ihre Angst, sondern ihre Freude war, und weil sie sich so freute, zitterte sie. Da kam ihm etwas in den Sinn, und er schwankte auch und legte den Arm um sie, fühlte gut, daß sie mager geworden war in den Schultern und küßte sie mitten auf ihren Mund.

MAX FRISCH

Du sollst dir kein Bildnis machen

Es ist bemerkenswert, daß wir gerade von dem Menschen, den wir lieben, am mindesten aussagen können, wie er sei. Wir lieben ihn einfach. Eben darin besteht ja die Liebe, das Wunderbare an der Liebe, daß sie uns in der Schwebe des Lebendigen hält, in der Bereitschaft, einem Menschen zu folgen in allen seinen möglichen Entfaltungen. Wir wissen, daß jeder Mensch, wenn man ihn liebt, sich wie verwandelt fühlt, wie entfaltet, und daß auch dem Liebenden sich alles entfaltet, das Nächste, das lange Bekannte. Vieles sieht er wie zum ersten Male. Die Liebe befreit es aus jeglichem Bildnis. Das ist das Erregende, das Abenteuerliche, das eigentliche Spannende, daß wir mit den Menschen, die wir lieben, nicht fertigwerden: weil wir sie lieben; solang wir sie lieben. Man höre bloß die Dichter, wenn sie lieben; sie tappen nach Vergleichen, als wären sie betrunken, sie greifen nach allen Dingen im All, nach Blumen und Tieren, nach Wolken, nach Sternen und Meeren. Warum? So wie das All, wie Gottes unerschöpfliche Geräumigkeit, schrankenlos, alles Möglichen voll, aller Geheimnisse voll, unfaßbar ist der Mensch, den man liebt –

Nur die Liebe erträgt ihn so.

Warum reisen wir?

Auch dies, damit wir Menschen begegnen, die nicht meinen, daß sie uns kennen ein für allemal; damit wir noch einmal erfahren, was uns in diesem Leben möglich sei –

Es ist ohnehin schon wenig genug.

Unsere Meinung, daß wir das andere kennen, ist das Ende der Liebe, jedesmal, aber Ursache und Wirkung liegen vielleicht anders, als wir anzunehmen versucht sind – nicht weil wir das andere kennen, geht unsere Liebe zu Ende, sondern umgekehrt: weil unsere Liebe zu Ende geht, weil ihre Kraft sich erschöpft hat, darum ist der Mensch fertig für uns. Er muß es sein. Wir können nicht mehr! Wir künden ihm die Bereitschaft, auf weitere Verwandlungen einzugehen. Wir verweigern ihm den Anspruch alles Lebendigen, das unfaßbar bleibt, und zugleich sind wir verwundert und enttäuscht, daß unser Verhältnis nicht mehr lebendig sei.

„Du bist nicht", sagt der Enttäuschte oder die Enttäuschte: „wofür ich dich gehalten habe."

Und wofür hat man sich denn gehalten?

Für ein Geheimnis, das der Mensch ja immerhin ist, ein erregendes Rätsel, das auszuhalten wir müde geworden sind. Man macht sich ein Bildnis. Das ist das Lieblose, der Verrat. Man hat darauf hingewiesen, das Wunder jeder Prophetie erkläre sich teilweise schon daraus, daß das Künftige, wie es in den Worten eines Propheten erahnt scheint und als Bildnis entworfen wird, am Ende durch eben dieses Bildnis verursacht, vorbereitet, ermöglicht oder mindestens befördert worden ist –

Unfug der Kartenleserei.

Urteile über unsere Handschrift.

Orakel bei den alten Griechen.

Wenn wir es so sehen, entkleiden wir die Prophetie wirklich ihres Wunders? Es bleibt noch immer das Wunder des Wortes, das Geschichte macht: –

„Im Anfang war das Wort."

Kassandra, die Ahnungsvolle, die scheinbar Warnende und nutzlos Warnende, ist sie immer ganz unschuldig an dem Unheil, das sie vorausklagt? Dessen Bildnis sie entwirft.
Irgendeine fixe Meinung unsrer Freunde, unsrer Eltern, unsrer Erzieher, auch sie lastet auf manchem wie ein altes Orakel. Ein halbes Leben steht unter der heimlichen Frage: Erfüllt es sich oder erfüllt es sich nicht. Mindestens die Frage ist uns auf die Stirne gebrannt, und man wird ein Orakel nicht los, bis man es zur Erfüllung bringt. Dabei muß es sich durchaus nicht im geraden Sinn erfüllen; auch im Widerspruch zeigt sich der Einfluß, darin, daß man so nicht sein will, wie der andere uns einschätzt. Man wird das Gegenteil, aber man wird es durch den andern.
Eine Lehrerin sagte einmal zu meiner Mutter, niemals in ihrem Leben werde sie stricken lernen. Meine Mutter erzählte uns jenen Ausspruch sehr oft; sie hat ihn nie vergessen, nie verziehen; sie ist eine leidenschaftliche und ungewöhnliche Strickerin geworden, und alle die Strümpfe und Mützen, die Handschuhe, die Pullover, die ich jemals bekommen habe, am Ende verdanke ich sie allein jenem ärgerlichen Orakel! ...

In gewissem Grad sind wir wirklich das Wesen, das die andern in uns hineinsehen, Freunde wie Feinde. Und umgekehrt! auch wir sind die Verfasser der andern; wir sind auf eine heimliche und unentrinnbare Weise verantwortlich für das Gesicht, das sie uns zeigen, verantwortlich nicht für ihre Anlage, aber für die Ausschöpfung dieser Anlage. Wir sind es, die dem Freunde, dessen Erstarrtsein uns bemüht, im Wege stehen, und zwar dadurch, daß unsere Meinung, er sei erstarrt, ein weiteres Glied in jener Kette ist, die ihn fesselt und langsam erwürgt. Wir wünschen ihm, daß er sich wandle, o ja, wir wünschen es ganzen Völkern! Aber darum sind wir noch lange nicht bereit, unsere Vorstellung von ihnen aufzugeben. Wir selber sind die letzten, die sie verwandeln. Wir halten uns für den Spiegel und ahnen nur selten, wie sehr der andere seinerseits eben der Spiegel unsres erstarrten Menschenbildes ist, unser Erzeugnis, unser Opfer –.

NÂZIM HIKMET

Ich liebe dich

Wie man Brot in Salz taucht und ißt, so liebe ich dich.
Wie ich nachts meinen brennenden Mund
an den Wasserhahn presse,
wenn ich vom Fieber geschüttelt erwache,
so liebe ich dich.
Wie man ein schweres Paket,
von dem man weder Inhalt noch Absender kennt,
freudig erregt und mißtrauisch öffnet,
so liebe ich dich.
Begeistert, als flög ich zum ersten Mal über den Ozean,
so liebe ich dich.
Wie die sanfte Abenddämmerung über Istanbul
mein Innerstes rührt, so liebe ich dich.
Gleichsam als sagte ich: Gottlob, daß ich lebe!
So liebe ich dich.
Daß die Welt jeden Tag köstlich duftet
wie eine Zuckermelone, verdanke ich dir.
Daß sich alle Früchte in meine Hand legen,
als ob sie aus Sonne wären, verdanke ich dir.
Daß ich Honig aus den Hoffnungen sauge, verdanke ich dir.
Daß mein Herz schlägt, verdanke ich dir.
Daß sogar an meinen einsamsten Abenden
ein türkischer Kilim von meiner Wand lächelt,
verdanke ich dir.
Daß ich,
da ich meinen Weg beschloß, ohne meine Stadt zu erreichen,
in einem Rosengarten ruhte, verdanke ich dir.
Dir verdankt ich's, daß ich ihn nicht einlasse,
den leise schleichenden,
an meine Tür mit seinen Liedern klopfenden,
zum großen Schlaf rufenden Tod.

GÜNTER HERBURGER

Liebe

Wenn mein Sohn
mit den schönen blonden Haaren,
mit den schönen blauen Augen
und dem schönen braunen Rücken
in mein Bett kommt und gähnt und weint,
dann rieche ich seinen Atem,
der wie meiner noch unrein ist, doch uns vereint,
wie meine Stoppeln und seine kindliche Haut,
wie meine Furcht, der er Kraft zutraut,
wie mein trauernder Stolz, den er noch nicht kennt,
wenn wir insgeheim schon Abschied nehmen
und Grimassen schneiden, weil in nassen Augen,
wie er es nennt, der Horizont rennt,
er meint die Entfernung, so weit wir eben sehen,
seitdem er alles aufschreibt über Zeit und Geschwindigkeit,
er sah die Männer auf dem Mond, das ist nicht mehr weit
für ein Kind, das heute groß wird,
Astrophysiker werden will
und Gespenstergeschichten erfindet, den Plüschbär
im Arm mit schlauer Angst, zwiespältiger Genuß,
während ich streicheln und beruhigen muß,
sein heftiger Eifer und sein weiches Herz
erhöhen den Schmerz, ich sollte Streit beginnen
oder mir den Kopf abschlagen lassen, morgen lache ich wieder
aber jetzt bin ich verzweifelt und weine wie er,
wie mein lieber, schöner, zärtlicher Sohn,
wir liegen noch im Bett, aber trennen uns schon.

MICHAEL GROSSKORTENHAUS

Das Kind wird wach

Das Kind wird wach. Schreiend. Schlafraubend schreiend. Nervtötend. Es schreit schlagartig los. Die helle, alles durchdringende Stimme überschlägt sich, versagt für Sekunden, bricht dann noch ungestümer los. Es ist drei Uhr, mitten in der Nacht.

Nein, ich höre es sogleich, da beruhigt sich nichts von allein, ich kenne die Nuancen dieser Stimme. Da muß man etwas tun.

Wer steht auf? Ich oder die Frau?

Bitte, Frau, steh auf! Ich bin zerschlagen, hundemüde. Gestern und vorgestern schon nicht geschlafen.

Bitte!

Dieses Geschrei macht mich wahnsinnig! Das ist nicht das Geschrei eines Kindes, das sich im Schlaf den Kopf gestoßen hat. Es ist ein Geschrei, das mich wahnsinnig machen soll. Der blanke Jähzorn. Ein furchtbares Geschrei. Es erzeugt Haß in mir, Haß auf das durchdringend schreiende Kind. Wie kann ich es da beruhigen? Es soll froh sein, daß ich es nicht auf der Stelle erwürge!

Bitte, Frau!

Aber nein, bleib liegen, ich gehe schon.

Nein, bleib liegen. Schlaf du!

Immer lauter schreit das Kind. Immer dreister, immer unverschämter.

Ich schiebe mich aus dem Bett, taste mich durch das Dunkel ins Nebenzimmer. Stoße barfuß vor etwas Scharfkantiges. Verdammt, tut das weh! Ja, ja, ich komm ja schon!

Das Kind schlägt meine ausgestreckte Hand beiseite. Schreit noch lauter ... Ich befreie es aus seinem Schlafsack und nehme es auf den Arm. Beginne es tätschelnd und leise ja ja murmelnd hin und her zu tragen.

Das Kind schreit. Windet sich in meinen Armen. Nein, ich halte es nicht sanft fest. Unsanft halte ich es fest, tue ihm fast ein bißchen weh. Langsam wird es ruhiger, weint leiser, schluchzt jämmerlich. Ich singe irgend etwas Idiotisches. Schlaf Kindchen, schlaf. Dein Vater ist ein Schaf ... Der kleine Körper zittert. Die kleinen Ärmchen halten meinen Hals umklammert. Ich gehe hin und her. ... die Mutter ist in Pommerland, Pommerland ist abgebrannt, schlaf Kindchen, schlaf.

Ja, du hast Zahnschmerzen. Oder schlecht geträumt. Was träumt ein zweijähriges Mädchen? Ich weiß es nicht. Es wird alles wieder gut. Alles wird gut! Morgen gehen wir auf den Spielplatz. Wenn es nicht regnet. Jetzt schlaf schön! Papa ist auch müde. Papa ist sogar verdammt müde.

Ab und zu schüttelt ein Schluchzen durch den kleinen Körper. Ein Händchen beginnt mich beruhigend zurückzutätscheln.
Ach Kleine, es tut mir leid. Grad war ich so böse auf dich. Aber jetzt ist alles gut. Kannst ja nichts dafür.
Ich tupfe mit dem Pyjamaärmel den Schweiß von der kleinen Stirn.
Ein bißchen Mond schiebt sich durch den Gardinenspalt.
Wieder beginne ich zu singen und nehme meine Wanderung wieder auf. Jetzt singt das Kind leise mit. ... da da la la da
...
Warum muß ich plötzlich weinen?
Wir schmiegen unsere Wangen aneinander und wärmen uns.
Die Minuten verticken.
Ganz vorsichtig lege ich das schlafende Kind zurück ins Bett, decke es zu und schleiche mich zurück. Im Halbschlaf streichelt mir die Frau kurz übers Haar.
Du Lieber, murmelt sie, und ich schäme mich.

ANGELA STACHOWA

Schattenriß an der Tapete

Sie trafen sich zufällig. Acht Tage lang hatten sie sich nicht gesehen, acht entscheidende Tage lang nicht.
Er sah das Mädchen über den Fahrdamm laufen, klein und pummelig, ein Netz mit Grünzeug baumelte in ihrer Hand. Sie ging über die Straße, ohne auf die Autos zu achten; Pummi, kannst du nicht aufpassen, wie ein Traumtänzer läufst du, wollte der Junge rufen; ihm fiel auf, er wollte es in dem gleichen, etwas zänkischen Tonfall rufen, wie es die Mutter in den letzten Monaten getan hatte. Um Pummi im nächsten Moment an sich zu drücken: Ich habs nicht so gemeint, ich bin nur etwas nervös. Aber du mußt mehr auf dich achten.
Pummi war ein Traumtänzer geworden. Mutter zänkisch und überschwenglich. Und er sah auf einmal alles ganz deutlich.
Wahrscheinlich hatte auch das Mädchen ihn erblickt.
Sie kam gelaufen, mit gesenktem Kopf und blieb einfach vor ihm stehen. Dann sah sie kurz zu ihm hoch. Zögernd legte sie ihre Hand in seine dargebotene.

Servus, Pummi, sagte er. Dein Rock zippelt schon wieder.

Die Passanten hasteten vorüber, Vorabend, Hauptgeschäftszeit. Bruder und Schwester standen voreinander und waren allen im Weg. Dieses Zusammentreffen war beiden seltsam und ungewohnt. Sie fühlten sich unbehaglich und ihnen schien, als könnten alle Leute das sehen.

Gehen wir zum Teich, schlug er zögernd vor, sah auf das Netz und das Grünzeug. Sie liefen nebeneinander ohne zu sprechen, der Situation und den Leuten waren sie noch nicht gewachsen.

Pummi wollte einmal unbestimmt etwas Freundliches sagen, aber es ging nicht, das war nie üblich gewesen. – Wenn er sie doch bloß boxen oder kneifen würde. Dann wäre alles andere wie weggeblasen.

Der Teich war ein Viereck. Ein großes Steinbassin voller Wasser, inmitten der Stadt. In regelmäßigen Abständen standen rings um den Teich Bänke. Sie waren erst vor kurzem leuchtendrot gestrichen worden. Auch die Schwäne hatte man schon auf das Wasser hinausgelassen.

Sie setzten sich auf eine der Parkbänke, der Junge und das Mädchen waren zu dieser Stunde hier im Park die einzigen.

Das Mädchen lehnte sich nicht an, es saß nur auf den vorderen Brettern der Bank, die Schultern hingen nach vorn: Halt dich doch gerade, sagte der Junge väterlich, er war drei Jahre älter. Er winkelte lässig ein Bein über das andere.

Nun sind wir also geschieden, brummelte er nach einer Weile, während beide auf die lautlos schwimmenden Schwäne sahen.

Ulkig, nicht wahr?

Susanne überlegte: Weshalb sind wir eigentlich zum Teich gegangen; wahrscheinlich, weil es der gewohnte sonntägliche Spaziergang mit den Eltern war.

Vor einer Woche hatten sie sich das letzte Mal gesehen. Die Mutter war mit dem Jungen und den Möbeln aus der Wohnung gezogen.

Sie hatte das Mädchen an sich gedrückt, das war unten auf der Straße, neben dem Möbelwagen, hinter dessen Wänden Susanne die drei Männer, die alles aus der Wohnung davongetragen hatten, schimpfen und rumoren hörte. Es ändert sich ja nichts für euch Kinder, hatte die Mutter gesagt. Susanne sah, wie Mutters Augen plötzlich ganz glitzrig wurden, sie wollte nicht, daß die Mutter weinte, dann kam der eine Möbelpacker: Jetzt müssen wir aber los; und die Mutter war mit in das Führerhaus gestiegen.

Von dort aus hatte sie gewinkt und gerufen: Und komm uns bald besuchen, hörst du. Der Bruder schlug ihr derb auf die Schulter: Tschüs, Pummi, und iß nicht so viel; als würde er nur für eine Stunde aus der Wohnung gehen. Und Susanne empfand es auch nicht anders. Nichts schien endgültig.

Sie war langsam die Treppenstufen emporgestiegen und hatte mit dem Fuß

die angelehnte Tür aufgestoßen. Im Wohnzimmer stand nur noch ein großer, alter Sessel. Der Vater saß darin, er hatte einen krummen Rücken. An den Wänden waren große helle Stellen. Genau dort, wo die Möbel gestanden hatten. Das Mädchen blieb in der Tür stehen, sie schloß die Augen, sah das Wohnzimmer, wie es noch vor einer Stunde war, dann öffnete sie die Augen wieder, an den Wänden waren nur die Flecken, die hellen Stellen.
Sie probierte das gleiche noch einmal, zuerst langsam, dann immer schneller, Augen öffnen, Augen schließen, aber nichts änderte sich, was einmal das Wohnzimmer gewesen, war nur noch als Schattenriß an der Tapete erkennbar.
Der Vater blieb im Sessel sitzen, er war müde und mißmutig, sagte: Sie bleiben doch hier in der Stadt, Michael wird uns oft besuchen. – Er sagte das abwesend, blickte auch nicht zu ihr hinüber.
Susanne sah den Vater ruhig und traurig an, wie die Mutter eben unten auf der Straße. Sie verschränkte die Arme auf dem Rücken und lehnte sich gegen den Türpfosten.
Bald würden Maler kommen, neue Tapeten, neue Möbel.
Du hast nun das Kinderzimmer für dich allein, stellte der Junge fest, nicht neidisch, eher traurig.
Sie dachten beide an die täglichen Kämpfe um Quadratzentimeter des gemeinsamen Kinderzimmers. Mit Kratzen, Beißen, Boxen, Kneifen, Spucken, Wutgeheul, Laufen zu den Eltern, alte Petze.
Es ist jetzt so groß, und wenn ich spreche, hallt es darin. Abends, wenn ich allein bin, habe ich manchmal Angst.
Das Mädchen sah ängstlich zum Bruder, würde er sie auslachen?
Typisch, sagte er und war etwas obenauf. Dabei boxte er sie vorsichtig gegen den Oberarm. Warum wolltest du auch nicht bei mir und Mutter bleiben, fragte der Junge vorwurfsvoll.
Vater wäre jetzt ganz allein. Das kann man doch nicht machen, sagte das Mädchen. – Jeder für sich ist gut. Und wenn sie zusammen sind, werden sie gemein.
Der Junge verstand das Wort zuerst nicht. Weil er nie gedacht hatte, daß das unsichere Pummelchen, der Traumtänzer, solche Worte über Vater und Mutter sagen könnte. Gemein.
Was macht Mutti jetzt, fragte sie dann.
Mutti, das weißt du ja, die ist tüchtig. Sie ist vorige Woche ausgezeichnet worden, erzählte Michael. Er war stolz.
Vater sagt, sie wird bald wieder heiraten. Hast du den Mann schon gesehen? Wirst du Vater zu ihm sagen? – Susanne war neugierig. Sie hatte die Gewohnheit, alle Fragen schnell hintereinander zu stellen.
Gesehen habe ich ihn schon, er holt Mutti manchmal ab, antwortete er und

setzte langsam und gedehnt und gönnerhaft hinzu: Er scheint ja auch ganz tüchtig zu sein.
Ist er denn lustig, bohrte das Mädchen weiter.
Michael lächelte überlegen. Lustig, was die Schwester immer für Fragen stellte, auf so etwas konnte nur sie kommen.
Er wollte der Schwester nicht erzählen, daß ihm der Mann peinlich war. Einfach peinlich. Die verliebten Blicke, die er der Mutter zuwarf, vor allem die Art, wie er es tat, bewußt versteckt, damit der Sohn es nicht sah – der Mann war ihm peinlich. Schließlich war er, Michael, kein kleines Kind mehr; wenn der Mann Mutter heiraten wollte, mußte er auch verliebt sein und brauchte das nicht zu verstecken. Dieses bewußt Väterlich-Freundschaftliche, wenn er mit ihm, dem Sohn sprach. Überhaupt dieses gleichsam Vorsichtig-auf-Filzsohlen-Schleichen, Auf-die-Gefühle-des-Sohnes-Rücksicht-nehmen-Wollen – es war ihm peinlich für den Mann.
Er ging ihm aus dem Weg; er war nur noch ungern zu Hause in der neuen Wohnung.
Der fühlt sich bei uns in der Wohnung wohler als ich, murmelte Michael mürrisch vor sich hin.
Susanne lief es leicht den Rücken herunter, hinter Michaels hingeworfenen Worten schien ihr drohend das Wort Stiefvater zu stehen, häßlich schon vom Klang her, – Stiefvater, Stiefmutter, es war einmal ein Witwer, der hatte drei Töchter, und eines Tages beschloß der Witwer, erneut zu heiraten, seine Töchter bekamen eine Stiefmutter, sie war garstig und herzlos, Stiefmutter, Stiefvater, – Susanne lief es leicht den Rücken herunter.
Wenn er schlecht zu dir ist, kannst du wieder zu uns kommen, schlug sie dem Bruder vor.
Michael antwortete nicht sofort, er sah eine Weile vor sich hin, auf die Schwäne, die Frage war im Hintergrund aufgetaucht, wenn er die Mutter und den fremden Mann zusammen sah, und wenn ihm dann war, als brauchten die beiden außer sich keinen Menschen. Er hatte sich bemüht, den Gedanken zu verdrängen, nun wurde zum ersten Mal so eine Frage laut gestellt. Kannst du wieder zu uns kommen. Da war die Mutter, auf der anderen Seite die Schwester und der Vater.
Aber dann wäre Mutter allein.
Sie hat doch den Mann, da kann sie nicht allein sein.
Der Junge dachte laut: Das reicht nicht. Wenn sie nicht auch mich hat, ist sie allein.
Wie hat Vati unser Zimmer umgeräumt, fragte er später.
Wo dein Schreibpult stand, haben wir mein Bett hingeschoben. Und für mich kauft Vati auch einen Schreibtisch, berichtete Susanne stolz und eifrig. Und

ein Aquarium bekomme ich auch. Als sie sah, wie sich Michaels Gesicht verschloß – nach einer Woche sieht man schon gar nicht mehr, daß ich dort gewohnt habe, hatte er gedacht –, wiederholte sie: Es sieht jetzt so groß aus, das Zimmer, als du noch da warst, war es viel schöner.

Sie fühlte, daß sie noch viel mehr sagen müßte, um auszudrücken, was sie in der einen Woche empfunden hatte, aber dies war für sie das Schlimmste: das plötzlich große Zimmer, in dem sie ungeschützt herumlief, Indianern, Cowboys, Gespenstern und Träumen, in denen sie nach Michael rief, ausgeliefert.

Komm doch jetzt gleich mit zu uns, ich zeig dir unsere Wohnung, schlug Michael der Schwester vor.

Nein, nein, jetzt noch nicht. – Da war wieder, unbewußt, das Solidaritätsgefühl mit dem Vater. Die Leute im Haus hatten getuschelt: Sie hat ihn sitzengelassen.

Ich glaube, sie hat große Sehnsucht nach dir, sagte Michael. Sie spricht oft von dir.

Susanne sah die Mutter eilig in den Möbelwagen einsteigen.

Die beiden blieben weiter am Teich sitzen, sie wollten nicht nach Hause gehen, Susanne würde nur wortlos von Zimmer zu Zimmer gehen und sehen, wie der Vater sich dann noch mehr über seinem Schreibtisch zusammenkrümmte, in der anderen Wohnung würde vielleicht der fremde Mann sitzen, die Füße breit unter den Tisch gegrätscht, und lärmend Fröhlichkeit und Freude vortäuschen.

Sie sahen geradeaus auf das Wasser, und für einige Minuten hatten sie das Gefühl, es hat sich nichts geändert: Es ist Sonntag, rechts und links sitzen Vati und Mutti, es ist ruhig, sie sprechen nicht viel, sie reden nie viel miteinander, nur uns erzählen sie Geschichten, beantworten alle Fragen.

Sie sahen geradeaus und hielten so das Gefühl der Geborgenheit fest: Wenn die Sonne nicht mehr wärmt, stehen wir auf, alle vier, laufen langsam nach Hause. Michael bockend: immer mit den Alten spazierengehen. Susanne rennt irgendwann zur Mutter, Michael war wieder derb, hat sie gekniffen. Zu Hause deckt Susanne den Tisch, umschmeichelt den Vater, dürfen wir heute eine Stunde länger fernsehen. Mutter schneidet den Kuchen an, Vater schimpft friedlich auf Michael, der mit seinen Basteleien das Zimmer verwüstet hat. Domino spielen sie alle vier gemeinsam. – Das alles ist Geborgenheit.

Sie konnten einige Stunden auf den Teich sehen, einige Minuten, sogar eine halbe Stunde, aber irgendwann fuhr doch ein lautes Auto vorbei, Menschen unterhielten sich, eine Mohrrübe kullerte aus Susannes Netz, es war nicht Sonntag, und auf der Bank saßen nur sie beide, zufällig. Was meinst du, wäre es nicht schön, wenn wir alle wieder zusammen wären? Susanne schaute den Bruder bei dieser schwerwiegenden Frage von der Seite an.

Alle zusammen sein: Rosarote Abende, rosarot wie das Kleid der Mutter, weicher Samt, Susanne drückt sich in den Samt hinein, die Mutter streicht über den Kopf, seid schön artig. Ist es schön im Theater, fragt Susanne nach oben. Mutti, du riechst so schön; Parfüm, ein paar Tropfen auf das Einschlaftaschentuch, die Tür schnappt leise ins Schloß. Die Nase ins Taschentuch vergraben, denkt Susanne, das Theater ist eine schöne helle Welt, glänzend wie Mutters Augen. Der Vater geht nicht nachlässig mit krummem Rücken. Susanne saust noch einmal zum Fenster, unten auf der Straße sieht sie Vater und Mutter, sie laufen untergehakt, reden und lachen. Susanne ist glücklich, wenn sie die Eltern froh sieht. Sie pocht gegen die Scheibe, warum drehen sie sich nicht noch einmal um. Dann zieht Michael sie am Nachthemd zurück ins Bett. Michael, sagt Susanne kläglich, rosarote Abende und Verlassenheit im Sinn, Michael, sie können mit uns machen, was sie wollen. Wenn sie nicht mehr zusammen sein mögen, müssen wir auch auseinander.
Wenn wir alle wieder zusammen sind, denkt Michael. – Plötzliches Aufwachen mitten in der Nacht, das dunkle Zimmer ist im ersten Moment furchterregend; der gelbe Lichtstreif, der die Tür an drei Seiten einrahmt. Dann hört Michael die harten Worte aus dem Nebenzimmer, fast zischend vor Haß, Bosheit und Hilflosigkeit gesprochene Worte, bis in den Schlaf sind sie gekommen und haben ihn zerstört. Sitzen in dem Raum hinter dem gelben Lichtstreif wirklich Vater und Mutter? – Suse, schläfst du, Michaels Worte klingen vor Angst heiser. Dann das Rascheln der Bettdecke: Michael, ich fürchte mich so, Michael, kann ich zu dir kommen. Er hört ihre patschenden Schritte auf den Dielenbrettern, sie huscht wie ein kleines Tierchen in sein Bett, ihr Kopf faßt sich heiß an, und die Haare sind naßverschwitzt, wie lange schon hat sie zusammengerollt unter dem Federbett gelegen. Hör nicht drauf, Pummi, hör nicht drauf, ich erzähle dir ein Märchen. Michael fürchtet sich nicht mehr, er muß jetzt etwas tun, ununterbrochen sprechen, nicht die bösen Worte an Susanne heranlassen. Ich erzähle dir eine Geschichte: es war einmal ein Witwer, der hatte drei Töchter, und eines Tages beschloß er, erneut zu heiraten, seine Töchter bekamen eine Stiefmutter; nicht Michael, nicht so etwas Trauriges, erzähl eine lustige Geschichte. Und Michael kramt im Gedächtnis, beginnt von Susanne und Michael zu erzählen, die gemeinsam in die Welt ziehen, in der alles schön und gut ist, sie erleben viele Abenteuer, aber immer ist ringsum alles gut, Michael erzählt und spricht und lächelt dabei. Irgendwann bemerkt er die ruhigen, gleichmäßigen Atemzüge neben sich; Suse, du schläfst ja schon. Ruhe ist auch im Nebenzimmer, nur der gelbe Lichtstreif bleibt. – Am nächsten Morgen schüttelt die Mutter unwillig den Kopf: Lieber Himmel, Suse, du bist doch schon ein großes Mädchen, warum liegst du nicht in deinem Bett. Du mußt etwas mehr auf dich achten.

Es ist doch gut so, sagte Michael tapfer. – Er las Steinchen auf und warf sie in den Teich.
Aber ich fürchte mich, sagte Susanne am hellen Tag. Ich bin so oft allein.
Der Junge antwortete ernsthaft: Suse, wenn ich älter bin, gehe ich weg von zu Hause, und du kommst zu mir.
Susanne sah auf ihre neue Armbanduhr, fast wollte sie sagen: Sieh mal, Michael, die hat mir Vati gekauft; aber sie ließ es. Sie begann, unruhig auf der Bank hin- und herzurutschen, der Vater erwartete sie, er ängstigte sich jetzt immer sehr um Susanne.
Sie standen auf und gingen noch ein Stück am Teich entlang, und an der nächsten Querstraße verabschiedeten sie sich.

HEIKE MUNDZECK

Nach Mitternacht

„Mitternacht schon vorbei – und Mark ist immer noch nicht zu Hause. Um elf sollte die Party doch zu Ende sein. Und er braucht nicht mehr als 20 Minuten für den Weg.
Wenn bloß nichts passiert ist! Schließlich, in der Großstadt ... Und dann dieser Sturm ...
Obwohl es ja warm ist, ziemlich warm für eine Aprilnacht, richtig frühlingshaft. Vielleicht gibt's ein Gewitter. – Was hat er eigentlich angezogen? Ach ja, die blaue Fliegerjacke, na, die hält was aus, falls es regnen sollte.
Sonst ruft er doch immer an, wenn er sich verspätet, selbst bei 'ner halben Stunde. – Vielleicht glaubt er, ich schlafe schon, und will mich nicht stören. Er muß ja auch jeden Moment kommen, das hat es doch noch nie gegeben, daß er sich so verspätet ...
Ob er wohl ein Mädchen nach Hause bringt? Ich meine, mit 16 kann er sich doch schon mal verlieben. Und auf so 'ner Party mit Schmuse-Musik und Tanzen ...
Die Eltern von Lutz sind bestimmt nicht dabei gewesen. Das würden die Kinder sich wohl auch verbitten, heutzutage. Mein Gott, wenn ich da an früher denke! Klar, mit 16 haben wir auch schon Partys veranstaltet, aber nicht im dunklen Keller bei lauter Disco-Musik und Cola mit Rum, diesem Teufelszeug. In unserem Wohnzimmer, das mit Luftschlangen geschmückt und hell erleuchtet war, tanzten wir artig Foxtrott und Tango, so wie wir es in

der Tanzschule gelernt hatten. Ich weiß noch, ich hatte ein hellblaues Taftkleid mit Bolero-Jäckchen und Silbergürtel, und meine Dauerwelle wurde vor solchen Ereignissen nachmittags beim Friseur aufgefrischt.
Und dann gab's Bowle. Erdbeerbowle oder Ananasbowle. Vom Vater nachmittags angesetzt, mit wenig Wein, einer Flasche Sekt und viel Mineralwasser. Meine Eltern begrüßten alle Gäste, die höflich Grüße von ihren Eltern ausrichteten.
Und dann gingen Vater und Mutter ins Kino, in die 20-Uhr-30-Vorstellung. Spätestens um halb elf waren sie wieder da – und blieben bis zum Schluß, so gegen elf. Dann wurden die Jungen und Mädchen abgeholt oder von meinem Vater nach Hause gebracht.
Klingt heute furchtbar altmodisch, das Ganze. Aber Spaß hatten wir trotzdem. Wir kannten es ja nicht anders.
Die Partys in meinem Freundeskreis waren damals alle so. Nix mit Schmusen und Küssen. Vielleicht mal ein heißer Händedruck, ein langer Blick. Aber sonst ... Das gehörte sich einfach nicht.
Ganz schön verklemmt.
Denn das komische Kribbeln im Bauch, das hatten wir natürlich auch, nur sprachen wir nicht darüber, nicht mal miteinander, weil wir ja auch gar nicht wußten, was es zu bedeuten hatte.
Halb eins. Ob ich mal bei Rewes anrufe? Ach nein, das ist unmöglich, damit blamiere ich Mark bloß. ‚Der hat 'ne hysterische Mutter', werden die Jungs dann sagen. Aber nun mach' ich mir langsam wirklich Sorgen. Selbst wenn er ein Mädchen nach Hause gebracht hat, müßte er jetzt eigentlich da sein – sogar einen zärtlichen Abschied eingerechnet.
Wie das wohl ist, wenn mein Großer mit einem Mädchen schmust? Ich kann es mir gar nicht recht vorstellen. Er tut ja auch immer noch so uninteressiert. Hat nur sein Hockey und die Fotografiererei im Kopf. Sitzt stundenlang in der Dunkelkammer. Macht aber auch schöne Fotos.
Übrigens nie von Mädchen, überhaupt wenig von Menschen.
Bäume sind zur Zeit sein Lieblingsmotiv. Wunderbare, ausdrucksvolle Bilder manchmal ...
Da, jetzt kommt er. Endlich. Ich werd' die Bettlampe anknipsen, dann sieht er, daß ich noch nicht schlafe.
Was macht er denn so lange an der Tür?
Moment mal, spricht er da mit jemandem?
Aber das ist doch unmöglich, mit wem denn, mitten in der Nacht? ...
Doch, da wird geflüstert.
Wen hat er denn mitgebracht?
Da muß ich gleich mal ... Halt, nein, das sieht doch blöd aus, wenn die

Mutter plötzlich im Morgenmantel auf dem Flur erscheint. Er wird mir sicher noch gute Nacht sagen, das macht er schließlich immer. Oder soll ich ihn rufen? Nein, lieber nicht, dann denkt er vielleicht, ich wolle ihn kontrollieren. Am besten, ich öffne die Tür einen Spalt, dann kommt er bestimmt rein ...
Sag mal, das ist ja ein Mädchen!
Und wie leise die beiden vorbeigehuscht sind!
Was mach' ich denn nun?
Der Mark bringt nachts ein Mädchen mit nach Hause!
So, ja, jetzt sind sie in seinem Zimmer. Immerhin, abgeschlossen hat er nicht.
Und jetzt? Da kann ich doch nicht hinterher!
Wieso auch?
Die brauchen mich bestimmt nicht.
Aber soll ich das so einfach hinnehmen?
Du lieber Himmel, der Mark hat 'ne Freundin – und die schläft nun heute nacht bei ihm, hm, mit ihm vermutlich.
Und morgen früh? Was sage ich denn Anke, wenn die beiden am Frühstückstisch erscheinen? Anke wird bestimmt ganz ungeniert fragen, wer das denn sei. Mit 13 ist man noch nicht sehr feinfühlig ...
Oder ob das Mädchen gegen Morgen so heimlich verschwindet, wie es aufgetaucht ist? Das wär' mir nun schon gar nicht recht. Wer bei meinem Sohn übernachtet, soll sich auch zeigen.
Wie sie wohl ist? Und vor allem wie alt? Was mögen ihre Eltern dazu sagen? Oder merken Eltern heutzutage gar nicht mehr, wenn ihre Kinder erwachsen werden? Plötzlich sind sie weg, gehen ihre eigenen Wege, verbitten sich jede Einmischung.
Wenn ich daran denke, wie das bei uns ... also, als ich mit 19 so schrecklich verliebt in den Klaus war und wir mindestens drei Stunden lang herumgelaufen sind, weil wir doch nicht wußten, wo wir hin sollten, obwohl wir ja nur ein bißchen miteinander schmusen wollten, denn mehr kam für uns keinesfalls in Frage ... Kühl war's draußen, und dann hatte ich die letzte Bahn verpaßt, und mir wurde mit Schrecken klar, daß ich in dieser Nacht nicht mehr nach Hause kommen würde. Wir wohnten zwanzig Kilometer von der Innenstadt entfernt in einem Vorort, zu weit zu Fuß, und für ein Taxi hatte ich natürlich kein Geld.
Wir sind dann zu Klaus nach Hause gegangen. Er hat mich ganz offiziell, mitten in der Nacht, seinen Eltern vorgestellt: „Eine Studienkollegin", hat er gesagt – und sie haben skeptisch und etwas mißbilligend geguckt, als er ihnen erklärte, warum ich bei ihnen übernachten müßte. Sie haben mir dann ein Sofa im Wohnzimmer zugewiesen und mir eine Wolldecke gegeben. Ich hab' mich schrecklich geschämt, und auch Klaus war sehr verlegen. Als er mir die

Hand gab, um mir gute Nacht zu wünschen, stand sein Vater in der Tür. Nur Bluse und Rock habe ich ausgezogen – und sehr schlecht geschlafen. Am nächsten Morgen mußte ich dann sofort bei meinen Eltern anrufen. Die Atmosphäre am Frühstückstisch war quälend. Als sich endlich die Haustür hinter mir schloß, kam ich mir wie eine Sünderin vor. Ach, es war alles ganz furchtbar peinlich!
Aus Klaus und mir ist dann sowieso nichts geworden. Sein Elternhaus wollte ich nie wieder betreten.
Ich höre noch, wie meine Mutter immer zu mir sagte: „Ich weiß, auf dich kann ich mich verlassen, mein Kind!“ Damals ahnte ich nur, was sie damit meinte. Denn manchmal war auch „von dem Schönsten, das ein Mädchen zu verschenken hat“ die Rede. Aber so richtig erfahren, was sie mir eigentlich sagen wollte, hab ich erst als Studentin, von einem Studienkollegen, der sich einen Spaß daraus machte, mich mittels Schocktherapie aufzuklären.
Eigentlich tut meine Mutter mir leid. Nie habe ich mit ihr über meine Gefühle und Gedanken gesprochen, wenn es um einen Mann ging. Und sogar, als ich schon lange verheiratet war und Mark erwartete, konnte ich mit ihr nicht über dieses mich doch so sehr bewegende Ereignis sprechen. Irgendwie war das alles tabu für sie, ein bißchen unmoralisch und vor allem ungehörig, man sprach eben nicht darüber.
Und nun bringt mein Sohn, 16 Jahre alt, nachts ein Mädchen mit in unsere Wohnung! Und ich dachte, das hat noch lange Zeit! Was sie jetzt wohl machen? Ob sie schon im Bett sind? Wenn sie das in dem Durcheinander überhaupt gefunden haben! Vielleicht räumt Mark jetzt ja mal auf. Jungen sollen ordentlicher werden, wenn sie eine Freundin haben, hat man mir erzählt, keine schlechte Aussicht also.
Oder ob das Mädchen auf der Couch schläft?
Vielleicht liegt sie zumindest morgen früh ganz unschuldig da, und Mark tischt mir eine Geschichte von einem Bus auf, der ihr weggefahren sei ... Zu komisch, alles wiederholt sich.
Ich meine, aufgeklärt ist er ja wenigstens.
Und ich hoffe, er weiß genug über Verhütung. Oder das Mädchen weiß Bescheid. Aber da sind die heute ja ganz cool. Das Thema beherrschen sie besser als das kleine Einmaleins. Liest man doch immer.
Wenn ich mir vorstelle, Mark kriegt mit einem Mädchen ein Kind! Was dann? Also, auf jeden Fall muß er sofort mit mir darüber sprechen. Irgendeinen Weg wird es dann schon geben.
Wenn ich daran denke, wie entsetzlich verloren und verängstigt wir uns damals fühlten, als meine Regel plötzlich ausblieb. Natürlich kam es überhaupt nicht in Frage, mit unseren Eltern darüber zu sprechen. Marks Vater

und ich waren damals ja noch nicht einmal verlobt. Aber wir wollten natürlich sofort heiraten, wenn sich der Verdacht bestätigen sollte. Da sind wir dann in der Stadt herumgelaufen, haben uns Babyausstattungen angesehen und nachgerechnet, was wir für ein Leben zu dritt brauchen würden. Wir studierten beide noch, Bafög gab's damals nicht, außerdem verdienten unsere Eltern genug, um uns auf eigene Kosten studieren zu lassen. Aber wenn sie erfahren hätten, was wir befürchteten! Wir litten Höllenqualen. Bis dann, nach acht Tagen, der Spuk vorbei war. Ich kriegte meine Regel, und wir verschlangen vor Begeisterung jeder zwei Riesen-Eisbecher im Uni-Café.
Heute hört sich das Ganze eher lustig an, aber wir waren damals doch verdammt allein mit unserer Angst und unserer Ratlosigkeit. Das, hab' ich mir schon damals geschworen, wird meinen Kindern nicht passieren. Sie sollen immer ganz sicher sein, mit allen Problemen zu mir kommen zu können. Ich werd' zwar nicht alles toll finden, was sie so anstellen, aber ich werde ihnen immer helfen, hab' ich ihnen gesagt. Und dabei bleibe ich auch.
Also, was mache ich mir überhaupt für Gedanken? Ich tu' ja gerade so, als träfe mich ein Schicksalsschlag!
Sowas Verrücktes! Ich sollte mich lieber freuen, daß er so viel Vertrauen hat, das Mädchen mit nach Hause zu bringen. Ist doch mutig von ihm! Richtig prima! Statt daß er sich mit ihr in Parks und Treppenhäusern rumdrückt, wie wir es früher gemacht haben, bringt er sie einfach mit, schiebt sich mit ihr an meiner Schlafzimmertür vorbei ins warme Bett. So haben es die beiden wenigstens gemütlich.
Ob sie glücklich sind?
Irgendwie muß ich kichern.
Ein bißchen gespannt bin ich ja doch auf morgen früh.
Ich werd' ihn einfach wecken, wie immer. Dann sehen wir ja, wie's weitergeht. Ich kann zwar nicht so tun, als ob gar nichts wär', aber ich will erst mal abwarten, wie die beiden sich verhalten.
Auf jeden Fall werd' ich mal ein Gedeck mehr auf den Frühstückstisch stellen.
Und Anke nehm' ich vorher beiseite, sie muß ihrem Bruder ja nicht schon am frühen Morgen auf die Füße treten. Nach so einer Nacht ...!
Also, Mutter eines heranwachsenden Sohnes, neue Zeiten brechen an. Stell dich drauf ein! Nun bist du nicht mehr die einzige Frau in seinem Herzen ..."

ALEXANDER ZIEGLER

Das Moped

Eines Nachmittags kehrte er von der Schule nicht mehr nach Hause zurück. Jemand rief seine Mutter an und sagte, man habe einen Jungen gefunden, neben seinem Moped, oberhalb der Kreuzung bei Uerikon, dort wo die Straße nach Rapperswill abzweige, der Junge sei tot. Zwar habe man, sagte die Stimme – es war eine Krankenschwester vom nahen Kreisspital –, alles versucht, ihn am Leben zu erhalten, der Professor selbst hätte ihn operiert, doch sei es, leider Gottes, zu spät gewesen, man habe nichts mehr für ihn tun können. Kurz danach rief ein Polizist bei den Eltern an, bat den Vater, so rasch als möglich auf dem Posten vorbeizukommen und das Unfallprotokoll zu unterzeichnen, das sei eine Formsache, aber dringend.

Ein Lastwagen hatte Peter unmittelbar vor der Kreuzung gestreift, obschon der Junge korrekt am rechten Straßenrand gefahren war, offenbar hatte ihn der Fahrer des Lastwagens übersehen, jedenfalls gab er zu Protokoll, er sei an diesem Tag bereits seit neuneinhalb Stunden unterwegs gewesen und habe noch gute drei Stunden Fahrt vor sich gehabt, da könne so etwas schon einmal passieren, er sei eben auch nur ein Mensch. Dann wollte er wissen, ob man den Führerschein beschlagnahme, das wäre sein Ruin und zugleich auch der Ruin seiner Familie, er sei schließlich kein Gelehrter, der seinen Beruf einfach an den Nagel hängen könne, und er müsse eine Frau und drei Kinder ernähren. Gerade als er den Polizeiposten verlassen wollte, betrat Peters Vater das Haus, die beiden begegneten sich unter der Tür, und ohne daß sie sich zuvor jemals gesehen hatten, wußte jeder vom anderen, wer er war. Der Fahrer blickte verlegen zur Seite. Peters Vater schaute ihm stumm nach, sah, wie der Mann mit raschen, entschlossenen Schritten auf seinen Lastwagen zuging, in die Führerkabine kletterte und den Motor anwarf.

„Habt Ihr ihm den Führerschein nicht weggenommen?“ erkundigte er sich bei Schurter, dem Dorfpolizisten, den er flüchtig kannte, weil Schurter vor ein paar Wochen an der Gemeindeversammlung ein Referat über die zunehmende Zahl der Ladendiebstähle gehalten und damit viel von sich reden gemacht hatte. Schurter machte sich an seinem Schreibtisch zu schaffen. „Vielleicht trifft den Fahrer gar keine Schuld, Herr Mosimann. Ihr Sohn war kein routinierter Mopedfahrer, das müssen Sie zugeben. Ist ja auch gar nicht möglich – in seinem Alter.“ Als er bemerkte, wie Mosimann ihn anstarrte, fügte er rasch hinzu: „Es gibt natürlich eine amtliche Untersuchung. Der Fall wird ganz genau geklärt, darauf können Sie sich verlassen. Dafür ist unsereiner ja da.“

Weil Mosimann noch immer zögerte, das vor ihm liegende Protokoll zu unterschreiben, wurde Schurter direkt: „Wenn ich einen Sohn hätte, Herr Mosimann, ich würde ihm kein Moped kaufen. Wie schnell ist so etwas passiert ... Und dann? Na ja, unterschreiben Sie jetzt das Protokoll. Das wär's dann für heute. Und glauben Sie mir, wenn der Lastwagenfahrer auch nur die geringste Schuld hat an dem Unfall, so kommt er nicht ungestraft davon. Unsere Gerichte verstehen da keinen Spaß."
Mosimann unterschrieb den Zettel, ohne zu lesen, was darauf stand. Dann legte Schurter ihm eine Quittung vor, die er ebenfalls unterschreiben mußte, worauf man ihm einen braunen Briefumschlag aushändigte, in welchem sich zwei Franken und zwanzig Rappen in Kleingeld und ein angebrochenes Päckchen Kaugummi befanden. „Das ist alles, was Ihr Sohn auf sich trug", sagte Schurter und ging zur Tür. Es war schon halb sechs, und er hatte sich auf sechs Uhr mit seiner Freundin in der Stadt verabredet, sie wollten sich zusammen den neuen Film von Chabrol ansehen. „Wenn Sie noch Fragen haben, Herr Mosimann, kommen Sie morgen oder übermorgen vorbei. Und ... herzliches Beileid."
Mosimann fuhr mit seinem alten Volkswagen nach Männedorf ins Kreiskrankenhaus, wo man ihn über eine Stunde warten ließ. Endlich kam eine Schwester und ging mit ihm über einen langen Gang, in dem es nach Karbol roch, zum Fahrstuhl, mit dem sie in ein Untergeschoß fuhren. Vor einer weißlackierten Tür blieb die Schwester stehen, zögerte einen Moment und sagte: „Sie müssen jetzt ganz stark sein, Herr Mosimann."
Mosimann erkannte Peter sofort, obwohl er bis zum Hals mit einem weißen Tuch zugedeckt war. Sein Gesicht war durch keine Schramme, kein Blut, keine Wunde entstellt, es war nur ungewöhnlich blaß, die Augen waren geschlossen. So hatte Peter ausgesehen, wenn er schlief, ging es Mosimann durch den Kopf, und er verwarf sogleich den Gedanken, daß sein Sohn nie wieder aufwachen würde. Daran durfte er jetzt nicht denken, jetzt nicht.
„Und? Ist er es?" hörte er die Schwester wie aus weiter Entfernung fragen.
Mosimann nickte. „Ja, er ist es. Mein Bub."
Die Schwester ging mit ihm zum Fahrstuhl zurück.
„Hat er Schmerzen gehabt?" wollte Mosimann wissen.
„Ich glaube nicht. Er war nicht mehr bei Bewußtsein, als man ihn brachte."
In einem Seitentrakt des Spitals mußte Mosimann an einem Schalter ein paar Formulare unterschreiben. Eine ältere Schwester musterte ihn giftig, als er auf ihre Frage, ob Peter bei einer Krankenkasse versichert gewesen sei, keine Antwort wußte. „Dann müssen Sie eine Akontozahlung leisten", meinte sie. „Das ist bei uns so üblich. Wie in jedem Krankenhaus."
Mosimann sagte, er habe nicht viel Geld bei sich, er komme direkt von der

Arbeit, und wegen der Krankenkasse müsse er seine Frau fragen, die wisse über alles Bescheid.

„Rufen Sie morgen früh gleich an", sagte die Schwester, „damit alles in Ordnung kommt." Dann schloß sie den Schalter. Mosimann stand nun mutterseelenallein auf dem Flur und hatte keine Ahnung, ob er nach links oder nach rechts gehen mußte. Nach einer Weile begegnete er einem Assistenzarzt, der ihm den Ausgang zeigte.

An Peters Begräbnis schien die Sonne, es war ein Donnerstag im Frühherbst. Am Grab versammelten sich mehrere Schulklassen. Man sang unter der Leitung von Sekundarlehrer Meierhofer „So nimm denn meine Hände", und der protestantische Pfarrer, dem Peter einmal Kaugummi auf den Stuhl geklebt hatte und von dem er im nächsten Frühjahr konfirmiert worden wäre, schloß seine Trauerrede mit den Worten: „Also hat Gott die Welt geliebt, daß er seinen eingeborenen Sohn gab, auf daß alle, die an ihn glauben, nicht verloren sind, sondern ewiges Leben haben." Im Anschluß an das Begräbnis entschuldigte sich Mosimann beim Lehrer, daß er leider kein Krösus sei, er könne es sich deshalb nicht leisten, ganze Schulklassen zu bewirten, das Leidmahl fände im engsten Familienkreis im „Goldenen Anker" statt, er, Meierhofer, sei dazu natürlich herzlich eingeladen. Dann war alles vorbei.

Niemand wußte, daß Peter Mosimann seit einigen Wochen mein bester Freund gewesen war. Niemand wußte, daß er sich jeden zweiten Abend unter irgendeinem Vorwand von zu Hause wegstahl, um mich zu besuchen. Niemand wußte, daß wir dann nebeneinander auf dem Teppich vor dem Plattenspieler hockten, „Loggins & Messina" hörten und uns dabei die Hand hielten. Niemand wußte, daß ein Fünfzehneinhalbjähriger einen Dreiunddreissigjährigen liebte. Niemand wußte, daß wir das Moped, mit dem er verunglückte und das er angeblich bei einem Preisausschreiben gewonnen hatte, zusammen gekauft hatten, mit meinem Geld. Niemand wußte, daß wenige Stunden vor seinem Tod unsere Körper sich zum erstenmal berührt hatten – und zum letzten Mal. Niemand wußte, wie zwei Seelen sich einmal glichen. Und niemand wird es jemals erfahren.

HANS-HERBERT DREISKE

Der Wirt
sah nicht nur
den Hunger,
den Durst.

Er sah
die Beiden
und brachte
einen
Teller.

JOHANNA UND GÜNTER BRAUN

Fünf Säulen des Eheglücks

Beide Frauen konnten das Stück Seeufer überblicken, das teils verwildert, teils schon kultiviert vor ihnen lag. Auf seinem urbar gemachten Teil häuften sich entwurzelte Baumstämme und ein Gespinst von ausgerissenen Büschen. Einige Stämme waren zerkleinert und geschichtet, andere wurden von zwei Männern in Badehosen noch zersägt, weitere lagen auf dem Anhänger eines mostrichfarbenen Personenautos.

„Wenn dieses trockene Wetter anhält", sagte die ältere Frau, „schaffen sie es sicher."

„Ich schätze, dieses Wetter wird anhalten."

„Als nächstes wird der Vorbau überdacht."

Die Jüngere sagte: „Als nächstes wird er überdacht."

„Freust du dich nicht darauf?"

„Ich freue mich."

„Du freust dich nicht genügend, es klingt so, als freutest du dich anstandshalber."

„Ich war abwesend, ich glaube, ich bin wieder schwanger."

„Das hatte noch gefehlt", sagte die Ältere.

„Wie meinst du das?"

„Wie ich es sage. Es hatte noch gefehlt, daß du ein Kind kriegst, um diese Sache abzurunden und gewissermaßen abzuschließen. Ich freue mich."

Die Jüngere schwieg.

„Ich bin froh, daß du auf mich gehört hast. Es ist manchmal gut, wenn man auf seine alte Mutter hört." Sie streichelte die Jüngere am Hinterkopf, das Haar geriet in Unordnung, und das Gesicht erhielt eine kindliche Nuance. Von weitem sahen beide nicht verschiedenaltrig aus, sie saßen beide in kurzen roten Hosen und roten offenen Blusen, aus denen der Ansatz der Brüste leuchtete. Von weitem war es möglich, sie für Zwillinge zu halten. Von nahem bemerkte man zu beiden Seiten des Mundes der Älteren je eine strenge Falte, die von der Nase zum Munde führte und bei den Worten „ich bin so froh" vorhanden blieb.

„Ich bin so froh, daß du gesiegt hast, man muß es schon so nennen, du hast gesiegt. Und nun das neue Kind."

„Ich weiß nicht, ob es wirklich kommt."

„Dieses Haus hier wird dann fertig sein, am Ufer kein Gestrüpp mehr, der neue Zaun wird stehen."

„Mir kommt das alles unwirklich vor."

„Da unten sägt dein Mann mit deinem Vater Stämme durch, daneben spielt dein Sohn, ist das unwirklich, ganz abgesehen von dem neuen Wagen?"
„Er war ja lange vorbestellt."
„Er hätte ihn auch abbestellen können, er hätte ihn verkaufen können, er hätte. Meinst du, er trifft sich noch mit ihr?"
„Nein, bestimmt nicht."
„Sieh mal, wie schön sie beide sägen."
Der Ältere hatte einen festgepackten Bauch, auf dem ein bißchen Grauhaar wucherte, Kopf kahl, Gesicht rund, gutmütig, er schien mehr Kraft zu haben als der Jüngere, es schien, als zöge er ihn beim Sägen zu sich herüber und stieße ihn dann von sich fort. Der Jüngere, länger und auch schmaler, mußte sich beim Durchziehen der Säge bücken, man sah, wenn er sich bückte, seine Rückenwirbel durch die Haut. Sein Kopf war dicht behaart, das Haar fiel dauernd ins Gesicht, das glatt war, angestrengt aussah, das aber lächelte, sobald das neue Abgesägte zu Boden fiel und es ein dicker, nackter kleiner Junge mit Zeichen ungeheuren Kraftaufwandes aufhob.
„Ich mag nicht hinsehen, wie er da steht, so krummgebogen", sagte die Jüngere.
Die Mutter stellte einen Spiegel auf den Tisch, der beiderseitig spiegelte. „Wir werden uns bemalen, damit wir unsere Männer wieder reizen können." Ohne ins Glas zu sehen, fuhr sie mit roter Farbe über ihre Lippen, zwei Millimeter breiter als die Lippen, sie konnte es im Schlaf, die strengen Falten verklebte sie mit brauner Sahne aus einer goldbeschriebenen Tube.
Die Tochter starrte angestrengt in ihre Spiegelseite.
Sie macht es doch schon seit der Schulzeit, dachte die Mutter, damals ging es im Affentempo, und sie vermißte die heitere Entrücktheit, die sie bei ihrer Tochter nach deren Selbstverwandlung sonst bemerken konnte. „Macht es dir keinen Spaß?"
„Ich sehe ein, daß es notwendig ist."
„Früher hat es dir Spaß gemacht."
„Du meckerst dauernd an mir rum, du nölst mich voll, ich mache alles, was du sagst, ich habe mich genau nach dir gerichtet in dieser Sache, ganz genau."
„Und hast gewonnen."
Der Mutter schien es, daß ihre Tochter die Gefahr zu schnell vergaß, in der sie kürzlich noch geschwebt hatte.
„Mach jetzt bloß keinen Fehler", sagte sie, „laß jetzt nicht nach, es kann sich alles wiederholen."
„Dazu kommt er nicht mehr. Das schafft er nicht. Ich habe alles so gemacht, wie du es sagtest, fünf Säulen des Eheglücks, so war es doch."

„Ganz so schematisch habe ich es nicht gesagt."
„Du sagtest, erstens müßte man den Mann mit Liebe so eindecken, daß er es gar nicht schafft, sich noch um eine andere zu kümmern. Zweitens sagtest du, man müßte ihm eine große Arbeit geben, zum Beispiel Urbarmachen einer Wüste, Entwerfen eines Bauplans, Heranschaffen der Baumaterialien, Betreuung eines Autos; dies würde die größten Teile seiner Kräfte binden. Um aber noch sicher zu gehen, müßte man seine Aufmerksamkeit auf die Familie lenken, man müßte sie, in Maßen natürlich, größer werden lassen. Du sagtest, Männer seien kinderlieb, wenn nicht, dann schämten sie sich meistens, es nicht zu sein. Viertens hast du gesagt, man müßte das Gerechtigkeitsgefühl des Mannes aktivieren, er müßte seine täglichen Aufgaben in der Familie übernehmen und auch erledigen. Fünftens hast du gesagt, man müßte darauf achten, daß er beruflich weiterkommt, daß er sich bildet. Das seien die Säulen einer unerschütterlichen Ehe, die Stützen, wenn du das weniger schematisch findest."
Die Mutter wollte sagen, nun sieh mal, wie sie sägen, man sieht sogar von hier den Schweiß herunterlaufen, die Rücken glänzen, doch statt dessen sagte sie: „Du hast Erfolg gehabt, und deine Lage war nicht einfach. Es war bereits geschehen. Er fing an aufzuhören, bei dir zu wohnen. Ich weiß noch, wie du verzweifelt zu mir kamst, du wolltest schon Tabletten schlucken. Ich habe die Röhre in deiner Handtasche gefunden. Das kann ich ja jetzt sagen, ich habe nicht geglaubt, daß du es schaffen würdest, du schienst mir schon gebrochen, und erst als ich das Mädchen sah, fing ich ein bißchen an zu hoffen, sie sah gefühlvoll aus, gefühlvoller als du. Um einen Mann zu halten, muß man sachlich bleiben, den Kopf halt kühl, den Hintern warm."
„Mutter, nöl mich nicht voll, ich mache ja schon alles, ich bin doch gleich, als sie zu ihrem Lehrgang mußte und danach eine Woche krank war und Manfred notgedrungen zu Hause bleiben mußte, in diese Lücke eingesprungen, ich habe mich doch sachlich aufgemacht mit scharfen Farben, ich hab ihn zweimal, dreimal und sogar fünfmal in vierundzwanzig Stunden herausgefordert, ich habe ihn in den Zwischenzeiten mit Kunst gefüttert, obwohl die Platten mir nicht gefielen, die ich da laufen ließ, ich hab ihn mit dem Jungen in den Zoo geschleift, obwohl die eingesperrten Tiere mich traurig stimmen, ich habe ihn die Küche tapezieren lassen und ihm seine Kollegen vorgehalten, die sich beruflich mehr engagierten, ich habe Vater und dich gerufen, damit ihr ihm den Bau des Häuschens und dieses Bäumeroden schmackhaft machen solltet, jetzt kriege ich auch noch ein neues Kind, obwohl mir eins vollkommen reicht. Was willst du eigentlich von mir?"
„Du sollst dich freuen."
„Daß ich die andere ausgestochen habe?"

Die Mutter sagte verächtlich: „Die andere, was war das schon für eine, ich habe sie gesehen."
„Ich auch, ich hab sie oft gesehen, ich war sehr oft in dem Lokal, wo sie sich trafen, ich habe hinter der Tür gesessen, die aufgeschoben wird, wenn es zu voll ist und der Raum vergrößert werden muß. Sie hätten mich sehen müssen, aber sie sahen keinen anderen außer sich."
„Daran ist nichts Besonderes."
„Sie saßen da und krochen gegenseitig mit den Augen in sich rein. Manfred lachte, wenn sie was sagte. Ich konnte nicht verstehen, was, womöglich war es etwas Kluges, was Geistreiches."
„Häßlich genug war sie dafür."
„Sie war nicht häßlich, sie hatte bloß nicht alles an sich, womit man sich nach deiner Ansicht als Frau behängen muß, sie hatte meistens einen braunen Pullover an, das Haar war glatt gekämmt, es hing herunter, es war etwas dünn. Sie hatte, glaube ich, nicht sehr viel Geld."
„Darum hat sie sich ja an deinen Mann rangeschmissen."
„Wie ich Manfred so lachen sah, wenn sie was sagte, wie ich ihn gucken sah, schien mir, daß es von Manfred ausgegangen ist. So hat er bei mir nie gelacht, so hat er mich nicht angesehen, so hat er mir nie zugehört."
„Warum wärmst du das auf?"
„Ich wollte dir nur sagen, wie Manfreds Gesicht aussah, froh, als ob er aus einer alten Haut herausgestiegen wäre."
„Die schaffen das bestimmt, wenn sie so weitersägen", sagte die Mutter unruhig, „wir sollten ihnen Cola bringen."
Ihr Mann kam schon von selbst. Der Schwiegersohn blieb bei der Säge und bei dem kleinen Jungen.
„Nun seid mal nicht zu fleißig", sagte die Mutter, sie goß die klebrige Flüssigkeit in grüne Becher, der gelbe Schaum stand eine Weile starr. „Manfred soll kommen und sich hier oben ein bißchen ausruhen."
Er kam indes nur kurz, goß sich die Cola hinter, wischte den süßen Schaum vom Mund, er lächelte. „Wir schaffen es." Er küßte seine Frau von hinten auf den Kopf, bevor er wieder zum Sägebock hinabstieg.
„Liebevoller, als er dich angesehen hat, kann überhaupt kein Mann eine Frau ansehen."
„Doch", sagte die Junge, „das kann er. Wie er das Mädchen angesehen hat, da wußte ich mit einem Schlag, die sind es, die gehören zueinander. Nicht er und ich. Ich wäre gern aus meinem Versteck hervorgekommen und hätte ihnen mitgeteilt, daß ich verzichte."
„Dann hättest du den Hintern voll verdient."
„Ich habe es ja nicht gemacht. Ich habe an dich gedacht und habe Angst

gehabt und nicht gewußt, wie ich dir das erklären sollte. Dann ging sie auf den Lehrgang."

„Und danach hat er sie nicht mehr getroffen?"

„Ich bin noch öfter an ihrem Trefftag in das Lokal gegangen und habe hinter der Schiebetür gesessen. Das erstemal kam sie und setzte sich an ihren Tisch, der an dem alten Ofen mit den bronzierten Gittertüren stand. Sie saß etwa eine Stunde, sie war ein bißchen magerer und blasser, sie hatte wieder den alten braunen Pullover an, aber ein bißchen Rot auf ihrem Mund, sie starrte mit Riesenaugen auf die Tür, als ob da eine Erscheinung kommen müßte. Einmal stand sie schon auf und griff nach ihrer Jacke und setzte sich dann wieder hin, trank noch den Rest aus ihrer Kaffeetasse, stand wieder auf, setzte sich wieder, stand auf und zog die Jacke an und setzte sich, stand wieder auf. Ich wollte schon aus meinem Versteck hervorbrechen und ihr erklären, warum Manfred nicht kam. Es wäre anständig gewesen, ihr das zu sagen, anstatt die Quälerei mit anzusehen. Wie sollte ich ihr aber erklären, was ich mir selber kaum erklären konnte? Hätte er denn nicht hingehen können, zum letztenmal, und sich von ihr verabschieden? Es kam dann noch ein Brief von ihr, zwar ohne Absender. Ich ahnte aber, daß es ihre Handschrift war, ein bißchen rund verfließend, ich legte den Brief entgegen deinen Richtlinien auf Manfreds Schreibtisch, „ein Brief für dich", er ließ ihn liegen, ich fand ihn morgens angebrannt im Ofen, ich konnte noch entziffern: „Am alten Tag, am alten Ort". Als ich hinging, saß sie wieder alleine da. Sie zögerte nicht mehr, nach einer Weile fortzugehen, fuhr in die Jacke und lief aus dem Lokal. Ich wäre gerne hinterhergelaufen. Ich hörte draußen ihren Schritt, die Straße fand ich leer, es war sehr dunkel. Ich ging nach Hause, wo Manfred mit dem Jungen spielte und eine Platte laufen ließ. Ich machte mich wie immer um diese Zeit mit meinen schärfsten Farben auf, obwohl ich die Notwendigkeit nicht mehr ganz einsah."

„Na, siehst du, und ihr hattet eine schöne Nacht."

„Ich wurde schwanger."

„Und alles ist jetzt bestens. Wenn kein Regen kommt, dann schaffen sie die Sägerei, es wird doch herrlich für die Kinder werden."

„Ich weiß nicht, ob ich gerne ein Kind wäre, das zu dem Zweck geboren wurde, den eigenen Vater zu versklaven, vielleicht bin ich sogar solch Kind, wenn ich mir meinen Vater ansehe, wie er da unten sägt."

„Du bist undankbar. Du mußt dich freuen. Du hast Charakter bewiesen. Du hast gesiegt."

„Bloß Manfred ist mir gleichgültig geworden."

KURT TUCHOLSKY

Aus!

Einmal müssen zwei auseinandergehn;
einmal will einer den andern nicht mehr verstehn – –
einmal gabelt sich jeder Weg – und jeder geht allein –
    wer ist daran schuld?

Es gibt keine Schuld. Es gibt nur den Ablauf der Zeit.
Solche Straßen schneiden sich in der Unendlichkeit.
Jedes trägt den andern mit sich herum –
    etwas bleibt immer zurück.

Einmal hat es euch zusammengespült,
ihr habt euch erhitzt, seid zusammengeschmolzen, und
    dann erkühlt –
Ihr wart euer Kind. Jede Hälfte sinkt nun herab –:
    ein neuer Mensch.

Jeder geht seinem kleinen Schicksal zu.
Leben ist Wandlung. Jedes Ich sucht ein Du.
Jeder sucht seine Zukunft. Und geht nun mit stockendem Fuß,
vorwärtsgerissen vom Willen, ohne Erklärung und ohne Gruß
    in ein fernes Land.

10 *Wachsen und Wärmen*

Das schönste der Meere
ist jenes, das wir noch nicht sahen.
Das schönste der Kinder
ruht noch in bergender Wiege.
Die Tage, die schönsten,
sind jene, die wir noch nicht lebten.
Und was ich Dir sagen möchte,
das Schönste,
ich hab es noch nicht gesagt.

Nâzim Hikmet (1902–1963)

GISELA SCHALK

Alltagsszenen

Szene I: Wir sehen uns an und merken etwas: Heute haben wir beide gleichzeitig Appetit aufeinander. Eine vielversprechende Situation nach einer längeren Pause. Wir freuen uns drauf. Weil wir beide Taxi fahren, sind gemeinsame Abende selten.
Die Dusche rauscht. Die elektrische Zahnbürste surrt. Der Rasierapparat brummt. Mein Nachthemd ziehe ich erst gar nicht an. Wälze mich lieber mit nackter Haut lustvoll unter der Bettdecke. Eine Sache, die in meiner Empfindungs-Hitparade ganz oben steht.
Er kommt, grinst fröhlich und riecht nach etwas Gutem, das ich mag. Voller Lust rollen wir uns aufeinander zu. Küssen uns, schmusen. Fühlen uns immer wohler und – schlafen ein. Am nächsten Morgen wachen wir mit verdrehten Gliedern und schmerzenden Muskeln, halb aufeinander, wieder auf. „Das Miteinander-schlafen ist doch das Schönste in einer Beziehung."
„Auch so?"
„Gerade so."
Wir lachen beide und schmusen etwas miteinander. Soweit es unser Muskelkater erlaubt.
Szene II: Wir liegen im Bett. Wir warten. Jeweils auf den andern. Keiner rührt sich.
„Du bist wohl sehr müde?" frage ich. „Wieso?" kommt es zurück. „Ich bin ein emanzipierter Mann. Komm du doch, wenn du was willst."
Ich seufze. In mir kämpfen Faulheit und Lust. Die Lust siegt, und so rolle ich rüber, ins nächste Bett. Meine Hand findet ihren gewohnten Weg von seinem Ohr über die Brust und macht sich dann an seinem Bauch zu schaffen. Im Moment habe ich einen Bauchtick. Dann rutscht sie wieder hoch zur Brust.
„Warum haben Männer eigentlich Brustwarzen?"
„Damit es da oben nicht so leer bei uns aussieht", antwortet er lahm. Dann mimt er „toter Mann".
„Dann könntest du auch gleich richtige Brüste haben."
Diese Vorstellung macht mir Spaß. „Ich hätte nichts dagegen, wenn Männer richtige Brüste hätten", sage ich und hoffe, daß ihn das ein wenig provoziert. Außerdem ist es mein Ernst.
„Ehrlich gesagt, die Brüste bei den Männern, die fehlen mir richtig."
„Ich hab' aber keine", sagt er und gähnt.
„Na sowas, darauf wäre ich allein gar nicht gekommen."
Ich küsse ihn ins Ohr. Meine Rechnung geht auf. Er fährt wütend hoch, aber

endlich ist Leben in ihm. Ich fange an, seine Schlafanzugjacke aufzuknöpfen. Aber nach dem dritten Knopf habe ich genug.
„Verdammt, mach das bitte selbst."
Zu meiner Überraschung zieht er sich – für sein sonstiges Tempo wirklich rasend schnell – Jacke und Hose aus. Auch mein Nachthemd ist in der Zwischenzeit irgendwo hingeflogen, wo ich es bestimmt so schnell nicht wiederfinden werde. Wir machen Gebrauch von unseren Händen, unserer Haut, unserem ganzen Körper. Langsam und ausgiebig. – Diesmal dauert es sehr lange, bis wir, ineinander verknäult, endlich einschlafen.
Szene III: Ich kriege meinen „Hungrige-Haut-Koller". Ich fühle mich einsam. Mein ganzer Körper ist verkrampft, sehnt sich nach Berührung. – Es ist drei Uhr nachts.
Ich rutsche ins nächste Bett, lege mich mit meinem Rücken an seine Brust. Ohne aufzuwachen zieht er mich an sich. Seine Hände sind warm und lieb und umfassen, was sich ihnen gerade entgegenstreckt. Diesmal ist es mein Bauch. Augenblicklich läßt meine Spannung nach. Wärme steigt in mir auf. Ich kann wieder einschlafen. – Am nächsten Morgen wird er mich fragen, ob er mich zu sich rübergeholt hat oder ob ich „freiwillig" gekommen bin.

GÜNTER HERBURGER

Ehegedicht

Geliebt haben wir uns,
daß das Gras um uns sich entzündete,
doch die Glut schadete uns nicht,
so selbstvergessen waren wir.

Verfolgt haben wir uns,
daß wir uns bis ins Mark trafen,
doch die Wunden schlossen sich wieder,
da kein Blut aus ihnen kam.

Seitdem wir uns aber geeinigt haben,
zusammen alt zu werden,
verwandelt sich die Liebe in Behutsamkeit,

und das Blut, das mitunter
nun aus Rissen quillt, schmerzt
Tropfen um Tropfen wie heißes Wachs.

RALPH GRÜNEBERGER

Ausflug

Die Tage hatten nichts Angenehmes mehr. Selbst die Bäume schüttelten sich. Ihr flatterhaftes Laub ging vor die Reifen.
Ich stand am Straßenrand und winkte den Arm mir lahm. Keine Autoschnecke lud mich in ihr Haus: ich verschwamm im Regen.
Dann. Endlich. Ein LKW.
Ich kletterte ins Cockpit. „Scheißwetter", sagte der Fahrer.
Ich nickte mir einen Regentropfen auf die Stirn.
„Zieh endlich dieses Ding aus, bist ja pitschnaß!"
Ich wickelte mich aus dem Parka und nuschelte ein „Dankeübrigens".
„Schon gut. Wohin willst du eigentlich?"
„Ist mir egal. Hauptsache: weg hier."
„Na, du bist vielleicht ulkig. Hast wohl Liebeskummer, was?"
„Liebe! Gibts die überhaupt?"

Ich dachte an Vater, sah ihn liegen auf dieser Frau. Dann sah ich Mutter, müde und freundlich hinter ihrem Schalter stehn (Einmal X hin und zurück, bitte. Danke). Dann sah ich wieder diese Frau, wieder diese weißen Augen. Dann sah ich wieder Mutter, sah, wie sie halb im Gehen den Sofakissen die Parade abnahm. Dann sah ich wieder Vater, sein weißer Rücken wippte sich aus. Aus.
Die Scheibenwischer schoben sich hin und her, hin und her, hin und her . . .
„Ich glaub schon, daß es Liebe gibt", zerrieb der Fahrer den Rhythmus, „bestimmt sogar. Ich meine nicht diese Bilderbuchliebe, die gibts wahrscheinlich nur im Film- und Schlagerstudio. Ich meine eher so eine Art Zusammengehörigkeitsgefühl. Blödes Wort zwar. Aber ich glaube, das triffts: Man ist und fühlt sich zusammengehörig."
„Und dieses komische Gefühl, schleift sich das nicht ab? In einer Ehe beispielsweise."
„Du hast schon recht. Die Gefahr besteht. Tagtäglich sogar. Aber mit diesem, wie du sagst, komischen Gefühl ist es so eine Sache. Alle Welt jagt ihm nach. Immer hübsch paarweise, und doch jeder für sich. Wenige erhaschen es schließlich, doch nur ganz wenige halten es fest. Einige aber fangen es wieder ein, und zu denen gehöre ich. Manchmal muß einem schon so etwas wie eine Notleine zugeworfen werden, damit man sich wieder fängt. – Hier, links ab, in dieser Raststätte arbeitet eine, die wollte mich eigentlich an Land ziehen, hat sie auch. Verdammt, dieses Weib hatte schon was Anziehendes an sich, das

kannst du mir glauben. Ich ließ mich treiben wie ein Stück Holz. Sie brauchte nur die Arme auszubreiten, ich hinein. Aber wer wollte das nicht. Die meisten Fahrer halten dort ihretwegen. Ich hielt drei-, viermal die Woche. Immer wenn ich diese Tour hatte. Ja, wie sie so dastand, hinter ihrem Büfett, den Mund und die Bluse immer ein bißchen geöffnet, und einem den Kaffee übern Tresen schob, so, als hätte sie ihn nur für dich gebrüht ... Rauchst du? Ja, Mensch, das ist schon etwas fürs Fahrerhaus, dachte wohl jeder damals. Bloß ich hab sie gekriegt. Das war wie ein Wettkampf. Alle waren hinter ihr her, brachten ihr mit, was gerade Mangelware war: Pflaumenmus, Pilze, Spargel, was anlag. Sie brauchte nur ein Wort zu sagen, und schon wurde rotiert. Wir Fernfahrer kommen rum. Und was es hier nicht gibt, gibt es dort. Ja, da vergißt manch einer schon Frau und Kind. Ich hatte jedenfalls nur noch den einen Gedanken. Und jetzt, jetzt sage ich mir, Alter, es ist aus und vorbei. Die Lust ist entschlüpft wie der Flaschengeist. Was bleibt, schmeckt schal. Heute bin ich drüber weg. Heute sage ich, die Kaffeefrau ist kalter Kaffee, zu haben in jeder Kantine."

Ich sah wieder Vater; Vater und diese Frau. Die Sofakissen hatten ausgedient. Die Parade war vorbei.

Die Scheibenwischer sausten ohne Unterlaß, hin und her, hin und her ...
„Nun wirst du fragen, warum ich so über diese Frau rede. Im Grunde rede ich ja über mich, und das fällt einem Fremden gegenüber immer leichter. Außerdem ist die Geschichte hornalt. Man wird ruhiger. Damals habe ich mich benommen wie ein Spieler, habe alles, alles auf ihr Laken gesetzt. Alles. Ohne recht zu wissen, was auf dem Spiel steht. Na ja. Fine. Ich war jedenfalls heilfroh, als ich nach Hause kam, noch ein Zuhause vorzufinden."

Ich sah wieder Mutter; Mutter und Vater, sah beide mit etlichen Taschen und Netzen bepackt vom beschwerlichen Wochenendeinkauf kommen, sah, wie sie das heilige Gewürzset auffüllten und sich dabei gegenseitig Kostproben auf die Handteller schütteten. Die Zunge löste die Mienen.

Der Fahrer war still geworden. Es hatte aufgehört zu plätschern. Die Scheibenwischer schoben sich nochmals hin und her und hin. Ich sah Vater die Sofakissen richten.

HELMUT HEISSENBÜTTEL

Damenherbst

Zwei junge Mädchen hielten sich, statt sich in Männer zu verlieben oder Familien zu gründen, aneinander, genügten einander und lebten miteinander. Und es bestünde die Versuchung, wie im Märchen zu sagen: wenn sie nicht gestorben sind, so leben sie heute noch. Aber eines Tages, als die nun nicht mehr jungen Mädchen bereits alte Damen waren, auf einem Urlaub, wie sie ihn jedes Jahr unternahmen, an einem Urlaubsort, den sie jedes Jahr aufsuchten, auf einem Spaziergang, den sie jeden Abend an diesem Urlaubsort machten, die Sonne war kurz vorm Untergehn, der Himmel verfärbte sich brandrot und die Häuserdächer mit den Fernsehantennen, die es auch hier gab, hoben sich schwarz davon ab, ist die eine der alten Damen mitten auf diesem Spaziergang plötzlich stehengeblieben und hat gesagt: Jetzt hab ich genug. – Sie hat sich umgedreht, ist weggegangen, abgefahren und nie wiedergekommen. Mehr kann ich dazu eigentlich nicht sagen.

LIV ULLMANN

Liebesgeschichte

Es ist eine kurze Liebesgeschichte, die so vielen anderen gleicht.
Sie dauerte fünf Jahre.
Nachdem sie ein paar Jahre mit ihm zusammengelebt hatte, begann sie ihn zu beobachten, ihn als Individuum zu erleben. Als einen Menschen, dessen Existenz nicht mehr allein von seiner Beziehung zu ihr abhing.
Allmählich erwachte in ihr Verständnis für ihn. Je weiter er sich von ihr zurückzog, um so besser verstand sie ihn – als würde sie durch die Distanz Klarheit gewinnen. Die Angst verschwand, und die Einsamkeit war leichter zu ertragen, als sie seine Unsicherheit sah. Sie begann eine ungeheure Zärtlichkeit zu empfinden – und ihr Blick ging über sein heftiges Temperament und seine Ungerechtigkeiten hinweg.
Sie war nicht mehr blind gegen seine Fehler und Schwächen, wie sie es zu Anfang gewesen war. Aber ihr Verstehen und ihre Achtung wuchsen.
Die Anbetung verschwand. Sie stellte fest, daß sein Haar grau war; daß er viel älter war als sie; er war weise und anregend; er war eitel und selbstgefällig. Und zu ihrer Überraschung entdeckte sie, daß *das* Liebe ist. Voll Trauer erkannte sie, daß bald das Ende kommen würde, daß sie ihn zu einem Zeitpunkt gefunden hatte, als er bereits anderswohin unterwegs war.
Sie sah ihr Kind an, und es wurde ihr bewußt, daß sie diese Verantwortung bald allein zu tragen haben würde. Während des letzten Jahres kämpfte sie um ihre Beziehung, obwohl sie wußte, daß es hoffnungslos war und sie weder ihm noch sich etwas Gutes damit erwies.
Und als alles vorüber war, hoffte sie, daß er nicht allein sein würde. Daß die neue Gefährtin besser für ihn sorgen würde, als sie es getan hatte. Aber sie brauchte natürlich einige Zeit, um diese Einstellung zu gewinnen. Sie versuchte sich ins Gedächtnis zurückzurufen, wer sie gewesen war, als sie fünf Jahre zuvor auf die Insel kam. In ihr war etwas zerbrochen und etwas anderes lebendig geworden. Eine Wandlung hatte sich in ihr vollzogen.
Und als sie Bitterkeit und Haß und Verzweiflung überstanden hatte, war sie überzeugt davon, daß sie Liebe erfahren hatte und bereichert worden war. Aber sie würde nie fähig sein, darüber zu sprechen.
Sie hatte in einen anderen Menschen hineingeschaut und empfand eine tiefe Zärtlichkeit für das, was sie dort gesehen hatte. Sie hatten sich eine Zeitlang bei den Händen gehalten und waren schmerzlich miteinander verbunden gewesen. Doch erst, als alles vorbei war, wurden sie wahre Freunde.

HANNI SCHAAF

Ruhe in Frieden

Vor einem Jahr war alles sehr nett gewesen. Sie hatten die „Diamantene" gefeiert. Es war ein großes Fest geworden. Da waren sie alle gekommen, die Kinder mit ihren Familien, die Enkel und die vier Urenkel, die auch schon aus dem Gröbsten heraus waren. Die Schützenkapelle hatte aufgespielt und der Bürgermeister hatte ein Präsent schicken lassen. Die ganze Siedlung hatte an der Feier teilgenommen. Das kleine Haus am Bahndamm war in dem Meer von Blumen fast untergegangen.

Opa ließ es sich nicht nehmen, einen jungen Obstbaum zu pflanzen, wie immer bei außerordentlichen Familienereignissen. Es war sein, oft belächelter, kleiner Spleen. Auf diese Weise war im Verlauf der Jahre ein stattlicher Obstgarten entstanden, eine grüne Familienchronik.

Nur widerwillig nahm er diesmal hin, daß ihm seine beiden Söhne zur Hand gingen. Schließlich holten sie Oma heraus. Sie hatte, wie eigentlich immer, in der Küche hantiert, sehr zum Verdruß ihrer Tochter, die ihr noch schnell die Schürze abnahm. Oma streute, mehr symbolisch, noch etwas Erde auf die Wurzeln und zupfte an ein paar Ästen herum.

Dann standen die beiden Alten vor dem Baum und sie suchte seine Hand. Und als sie dann halblaut fragte: „Ob wir die Äpfel noch ernten?", wurde es im Kreis der Festgäste auf einmal ganz still.

Mitten in die feierliche Ruhe platzte der Elfuhrvierundfünfzig. Gezogen von einer schweren E-Lok donnerten 43 Güterwagen über die Schienen, die unmittelbar hinter der Grenze des kleinen Grundstücks lagen. Eigentlich nichts Besonderes. Nur einer von über 200 Zügen, die jeden Tag die Strecke passierten. Danach nahmen alle an der langen Tafel unter den Bäumen Platz, denn es war ein schöner Frühherbsttag. Es wurde gut gegessen und viel getrunken. Abends, unter bunten Lampions, sangen sie so kräftig, daß die vorbeirollenden Güterzüge nicht mehr auffielen.

Heute war alles ganz anders.

Sie saßen auf den unbequemen, hochlehnigen Stühlen, die Maria neben dem Bett aufgestellt hatte; Reste einer längst aufgegebenen Wohnzimmereinrichtung. Sie warteten seit Stunden. Auf der Wäschekommode, die Oma immer als Kredenz bezeichnet hatte und deren Holz sie liebevoll pflegte, standen einige Tassen. Kaffeereste, schon lange kalt, die Pfützen auf den Untertassen ausgetrocknet.

Sie warteten und schwiegen. Hilflos. Die Minuten der Stille zwischen den vorbeidonnernden Zügen waren überlaut.

Paul, Ältester unter den Wichorek-Kindern, fuhr hoch. Verdammt noch mal, war er eingeschlafen? Erschrocken sah er zum Bett hinüber. Nein – es war noch nicht geschehen.
Gestern abend, als er von der Arbeit kam, hatte ihm seine Frau das Telegramm gezeigt. Er hatte nicht lange gezögert und war mit seinem Wagen die Strecke Stuttgart–Köln in einem Streifen gefahren. Das war man schließlich den Alten schuldig. Und unterwegs die Angst, zu spät zu kommen. Nachtfahrt, Regen. Er war hundemüde.
Nur nicht schlafen. Paul sah sich im Zimmer um. Kitsch, Kram, wertloses Zeug. Wird nicht viel übrig bleiben, wenn alles vorüber ist. Ein paar Fotos, vergilbt zumeist. Das größte über dem Nachtschränkchen: ein Hochzeitsbild mit aufgestecktem, längst staubgrauem Myrtenzweig. Die Alten – ganz jung. Wann war das? Ach ja, 1914. Schlechtes Jahr für Hochzeiten. Sie waren beide Landarbeiter beim gleichen Bauern gewesen, damals. Aus dem Osten eingewandert, wegen der Löhne. Opa war dann im Krieg. Er überstand ihn ohne Schaden. Die schlimmen Jahre kamen hinterher. Vier Kinder. Nur hin und wieder Arbeit. Als sich dann die Vorstädte auszudehnen begannen, hatte der Bauer die Felder als billiges Bauland an die große Fabrik verkauft, die Wohnungen brauchte für ihre Arbeiter. Opa hatte schließlich dort arbeiten dürfen. Hatte sich um eine Wohnung beworben. Dann wegen der Kinder das Häuschen bekommen. Das Häuschen mit Garten – ein Paradies. Damals. Die gelegentlich vorbeifahrenden Züge mit ihren zischenden Dampfloks störten gar nicht, verbanden mit der großen Welt.
Leicht hatten es sich die Alten nie gemacht. Ewig wurde an allen Ecken und Enden gespart. „Haste was, biste was." Das war echt Opa. Kurz vor seiner Pensionierung hatte er die letzte Rate an die Fabrik bezahlt. Das Häuschen war sein. Aber, ist er dadurch was geworden?
Was für eine Ehe war das eigentlich? Unbedeutend. Oma war einfach immer da. Hatte gesorgt, für den Haushalt, für die Kinder, für den Mann. Reibungslos funktioniert. Natürlich gabs Krach zwischen den Alten, manchmal. Nie um Wesentliches. Opa konnte sehr laut sprechen. Das entschied jeden Streit. Haben sie sich eigentlich geliebt? Vier Kinder. Na ja! Was ist das eigentlich – Liebe? Großes Wort für kleine Leute. Zu groß – vielleicht.
Draußen dröhnte wieder ein Zug vorbei. Im Zimmer klirrte irgend etwas. Vielleicht ein Löffel auf einer Untertasse. Fast unerträglich.
Paul blickte zum Bett hinüber. Da hatte sich doch was verändert. Und dann sah er es. Die linke Hand hatte sich zur Faust geballt. Unendlich langsam löste sich der Krampf wieder. Dann war alles friedlich wie zuvor.
Auch Hans hatte die Bewegung auf der Bettdecke bemerkt. Verdammt noch mal, nimmt das denn nie ein Ende. Verstohlen sah er auf die Armbanduhr.

Zehn Stunden saß er nun schon hier. Verlorener Arbeitstag. Hoffentlich hatte Eva im Betrieb angerufen. Sonst gabs da auch noch Ärger. Er versuchte, seine Beine etwas auszustrecken, stieß jedoch gegen das Bettgestell. Verflucht klein, das alles hier. Man kriegt ja bald keine Luft mehr, so eng.
Hans sah zum Fenster hinüber. Tropfen glitten lautlos außen an den Scheiben hinab. Dahinter die frühe Abenddämmerung, in der sich dunkel die Konturen der Felix-Eibe abzeichneten. Felix-Eibe, auch so eine Idee vom Alten. Felix als Jüngster, danach war nur noch Maria gekommen, war der Liebling des Hauses. Alles hatte der gedurft. Jeden Streich ließ man ihm durchgehen. Vielleicht hätten sie alle das Zeug für die Schule gehabt. Felix wurde hingeschickt. Die anderen gingen auf Arbeit. Genutzt hat es ihm nicht.
Kaum das Abitur in der Tasche, wurde er eingezogen. Kam an die Westfront, hatte ein schönes Leben in Frankreich. Aber dann war ein Telegramm eingetroffen: „Werden verlegt, achtet am 15. auf die Züge." Und die Alten hatten vom Morgen an am Zaun gestanden, weiße Tücher in Reichweite. Am Spätnachmittag war dann der Truppentransport vorbeigerollt. Die Lok, die Plateauwagen mit der Vierlingsflak, ein paar Fahrzeuge, die Dritteklassewagen. Und an irgendeinem Fenster Felix, wild mit den Armen fuchtelnd, lachend und irgend etwas schreiend. Und die Alten hatten mit den Tüchern gewunken und „Felix, Felix" gerufen. Und sie hatten geweint.
Zwei Tage später war dann der Mann in Uniform mit dem ernsten Gesicht gekommen. Die Vierlingsflak hatte den Tieffliegerangriff auch nicht verhindert. Er sprach von Heldentod. Die Alten hatten geschwiegen. Dann war Oma in der Küche verschwunden und Opa in den Garten geflohen.
Ein paar Tage später war er mit der Eibe aufgekreuzt und pflanzte sie unter dem Schlafzimmerfenster. Jetzt war sie groß und nahm das Licht weg.
Pure Gefühlsduselei das Ganze. Völlig sinn- und zwecklos. Wenn alles vorbei ist, wird sowieso verkauft. Maria wird vielleicht dagegen sein. Aber mit Paul kann man sich sicher einigen. Der ist doch schon längst in Stuttgart heimisch. Und dann kann Maria gar nichts machen. Zwei gegen eins.
Was das Ganze wohl wert sein mag? Hunderttausend? Vielleicht. Das Grundstück ist ziemlich groß. Aber der Krach von den Zügen. Die Leute sind ja heute so schrecklich empfindlich geworden. „Umweltbewußt!" Stand sogar in der Bildzeitung. Außerdem müßte umgebaut werden. Drückt auch den Preis. Na, also nehmen wir mal an: Neunzigtausend. Geteilt durch Drei – auch ganz schön.
Hans fühlte die leichte Vibration des Fußbodens. Gleich darauf war das Zimmer erfüllt vom Lärm der rollenden Güterwagen. Unwillkürlich schaute Hans wieder auf die Bettdecke. Die weiße Hand mit den bläulich verfärbten Fingernägeln krampfte sich wieder zur Faust. Die Haut wurde noch blasser.

Hans schien es, als ob der Zustand jetzt länger andauerte. Das Gesicht, dachte Maria, mein Gott, was ist mit dem Gesicht. Mutter lacht! Das ist ja unerträglich.
Aber dann löste sich der Krampf wieder und die alte Frau schien friedlich zu schlafen.
Erschöpft lehnte sich Maria zurück und schloß für einen Moment die Augen. Drei Tage schon, wie lange noch?
Es hatte angefangen an einem dieser müden Herbsttage, noch angenehm warm, aber die Wäsche trocknete schlecht und der Tau auf dem Rasen war erst gegen Mittag verschwunden.
Opa werkelte irgendwo im Garten. Oma saß auf der Terrasse und schälte Kartoffeln. Maria hatte das gar nicht gern. Einmal mußten die Kartoffeln nachbearbeitet werden, Omas Augen waren nicht mehr die besten, zum anderen hatte Maria Angst vor dem Gerede in der Nachbarschaft. Von wegen Ausnutzen und so. Aber dann ließ sie es doch zu. Was sollte man auch sonst mit den alten Leuten anfangen.
Durch ein undefinierbares Geräusch aufmerksam geworden, war Maria zur Terrassentür gegangen und sah, daß Kartoffeln über den Boden kullerten. Oma saß zusammengesunken in dem alten Korbsessel. Das Schälmesser war ihr aus der Hand geglitten. „Mir ist nicht gut", sagte sie leise. Sie sprach noch etwas, aber das ging unter im Getöse eines vorbeirasenden Zuges. Das waren ihre letzten Worte gewesen. Kurz darauf trat die Bewußtlosigkeit ein.
Maria hatte sofort das Notwendige veranlaßt; Oma ins Bett gepackt und den Hausarzt angerufen. Der kam auch wirklich schnell, hatte Oma untersucht, ein bedenkliches Gesicht gemacht, etwas von „nicht transportfähig" gemurmelt, und versprochen, am nächsten Tag noch einmal hereinzuschauen. Beim Abschied hatte er noch gesagt: „Sie wissen ja, wie alt ihre Mutter ist. Da kann es manchmal schnell gehen."
Den Rest des Tages hatte dann Opa, immer noch in seinem alten, vielfach geflickten Overall, den er gewöhnlich bei der Gartenarbeit trug, neben dem Bett seiner Frau zugebracht. Schweigend und, wie es schien, völlig verständnislos. Opas Hilfe war Maria schon sehr recht, denn schließlich ging das Leben ihrer Familie ja weiter.
Am nächsten Morgen war der Arzt dann wieder gekommen, um nach Oma zu sehen. Fast behutsam hatte er anschließend die Schlafzimmertür ins Schloß gezogen und Maria gefragt: „Ist ihre Mutter religiös?" Maria hatte den Kopf geschüttelt und mühsam ein „Aber getauft ist sie schon" herausgebracht. Und dann der Arzt: „Es ist besser, wenn Sie den Geistlichen bald holen. Und benachrichtigen Sie ihre Geschwister. Es ist ernst. Nach meiner Erfahrung vielleicht noch zwei Tage, eher weniger."

Jetzt war das eingetreten, wovor sich Maria immer gefürchtet hatte. Mit den Alten gab es Schwierigkeiten und kein Aas war da.
Sie hängte sich ans Telefon und gab das Telegramm an Paul auf. Hans, der zwar in der Nähe wohnte, konnte erst am späten Abend erreicht werden.
Der Geistliche besuchte Oma am Nachmittag und blieb nur kurz. Ob Oma ihn wahrnahm, war nicht festzustellen.
Dann die Warterei. Ihr Mann und die Kinder waren sehr rücksichtsvoll. Sie versorgten sich notdürftig selbst, stellten das Fernsehen im Wohnzimmer ganz leise, brachten Nachschub an Kaffee und belegten Broten, waren sichtlich erleichtert, wenn sie das Sterbezimmer schnell wieder verlassen konnten. Aber sie mußte ausharren.
Wieder ein Zug. Der Krampf im Gesicht der alten Frau, das Zucken der Hände, traf Maria nicht mehr so unvorbereitet. Aber es war entsetzlich.
Maria empfand den Lärm erst seit einigen Stunden als besonders widerwärtig. Ob man da eigentlich gar nichts gegen unternehmen konnte? Gut, sie war an der Bahnstrecke aufgewachsen. Doch früher waren viel weniger Züge gefahren. Die Dampfloks qualmten auch ganz schön und Oma hatte sich über den Ruß an den Fensterscheiben aufgeregt. Und im Krieg hatten sie alle Angst gehabt wegen der besonderen Bombengefahr, weil viel Rüstungsmaterial über die Strecke rollte.
Nach 1945, als Maria heiratete und der Einfachheit halber in das Haus der Alten mit eingezogen war, war es am Bahndamm eine Zeitlang richtig interessant gewesen. Da hatte es Leute gegeben, die hatten immer mal wieder die Drähte, die zum Signal in der Nähe führten, durchgeschnitten. Das Signal fiel auf „Halt" und die Leute aus der Siedlung hatten hinter Bäumen und Sträuchern versteckt gehockt und auf den nächsten Zug gewartet. Die Mutigsten waren schon auf den Waggons, ehe sie standen. Sorgen um Heizmaterial hatten sie nie gekannt, auch nicht das Gefühl, etwas Unrechtes zu tun. Überleben mußte man.
Dann, so ab der zweiten Hälfte der Fünfziger Jahre, war es schlimm geworden. Mit den E-Loks wurden die Züge immer länger, schneller, lauter. Und sie kamen öfter. Nein, ein Vergnügen war das Wohnen hier nicht mehr. Und dann die Last mit den Alten.
Eines ist klar. Wenn das hier vorbei ist, müssen Paul und Hans die Zustimmung geben, daß Opa ins Altersheim kommt. Auch wenns später vom Erbteil abgeht. Noch einmal so eine Aufregung? – Nein. Das wiegt die billige Miete nicht auf. Und immer geht irgend etwas kaputt. Wenn die Alten aus dem Haus sind, muß mal alles gründlich durchgesehen und renoviert werden. Der ganze alte Krempel ist was für den Sperrmüll.
Dumpfes Grollen kündigte den nächsten Zug an. Wie gebannt starrten alle

auf das Kopfende des Bettes. Die Augenlider im fahlen Gesicht der Sterbenden zuckten. Dann verzog sich das Gesicht zu einer schrecklichen Grimasse. Dröhnend rollte Wagen um Wagen vorbei. „Hört das denn nie auf", stöhnte Paul und kramte nach einem Taschentuch. Das ganze Zimmer schien zu beben. Und dann das entsetzliche Klirren des Löffels irgendwo auf der Kredenz.

Sie hatten Opa neben das Kopfende des Bettes plaziert. Vor Stunden schon. Sie glaubten, daß er seiner Frau jetzt besonders nahe sein wollte. Opa hatte alles widerstandslos mit sich geschehen lassen, hatte schweigend dagesessen, teilnahmslos und unauffällig.

Jetzt bewegte er sich plötzlich, hob seine Arme und streichelte ungelenk und dennoch unendlich zart mit seinen faltigen, abgearbeiteten Händen das verzerrte Gesicht der Sterbenden. Sie sahen, daß er irgend etwas sagte. Seine Worte gingen im Lärm unter.

Dann war der Zug endlich vorbei. Der Krampf löste sich wieder. Opas Hände glitten vom Gesicht weg über die Bettdecke bis zu den Händen der alten Frau. Er drückte sie ganz fest. Dann wandte er sich ab, stand langsam auf, streckte mühsam die vom Sitzen steifen Glieder. Sein blasses, müdes Gesicht schien unbewegt, als er das Zimmer verließ. –

„Jemand Kaffee?" fragt Maria leise, wie um den Schlaf der alten Frau nicht zu stören. Paul schüttelt den Kopf. „Der nützt jetzt auch nichts mehr", murmelt er. Mit dem nervös zerknüllten Taschentuch wischt er sich verstohlen die tränenfeuchten Augen. Hans scheint die Frage nicht gehört zu haben. Er sitzt kerzengerade auf seinem Stuhl und starrt auf das Fensterviereck. Hinter den beschlagenen Scheiben ist längst die Nacht hereingebrochen. Der Regen scheint stärker geworden zu sein. Hans sieht undeutlich, daß die Tropfen draußen schneller am Glas entlang gleiten. Im matten Licht der Nachttischlampe glitzern sie wie Silberperlen, die in unregelmäßigen Bahnen irgendeinem sinnlosen Ziel zustreben.

Maria beobachtet ihre Mutter. Sterben hat Maria noch nie miterlebt. Trotzdem spürt sie: Sehr lange kann es nicht mehr dauern. Die Haut ist fahler geworden, die Schatten um die Augen dunkler, der Atem flacher.

Irgendwo im Haus klackt eine Tür ins Schloß. Wer geht denn jetzt noch fort?

Dieses zermürbende Warten. Zur Tatenlosigkeit verdammt. Die Luft im Raum schmeckt dumpf. Ausharren. Sich nicht hängen lassen – warum eigentlich nicht. Bedrückende Stille. Dazwischen dieses entnervende Geräusch der vorbeifahrenden Züge.

Wieder grollt es aus der Ferne, schwillt der Lärm an, brandet gegen das kleine Haus. Doch diesmal wird das Sirren der Räder, das Klappern beim Überrollen der Schienenstöße, das Dröhnen der Blechaufbauten noch übertönt. Kreischend schleifen Bremsen, rutscht Metall auf Metall, knallen Puffer krachend aufeinander. Eine Sturzflut von Lärm bricht in das Sterbezimmer ein. Nur langsam ebbt sie ab. Der Zug steht. Das Signal, denkt Maria, es wird auf Halt stehen.

Deutlich sehen sie alle das fürchterliche Verkrampfen, das nur ganz langsam nachläßt. Diesmal scheint der ganze Körper der alten Frau davon erfaßt worden zu sein.

Mit einer Geste voller Hilflosigkeit streichelt Maria die Wangen der Sterbenden. „Mutter“, schluchzt sie: „Mutter, warum tut man uns das an?“

Dann Stille. Die Wartenden spüren: Diese Ruhe hat etwas Endgültiges an sich. Sie lauschen auf den leisen Atem der alten Frau, der immer langsamer wird, immer häufiger aussetzt. Sie nehmen den Wind wahr, der böig durch die Zweige der Bäume fährt, das gleichmäßige Brummen eines Automotors. Irgendwo in der Ferne den auf-und abschwellenden Ton mehrerer Martinshörner. Ein Unfall? Vielleicht. Anderer Leute Sorgen. Unser Elend ist größer.

Der Verfall der Sterbenden ist nicht mehr zu übersehen. Zuletzt müssen sie sich über das Kopfende des Bettes beugen, um den Atem zu hören. Dann ist es aus. Kein Kampf, kein letztes Aufbäumen. Oma ist eingeschlafen, friedlich und entspannt.

Maria legt die Hände der Toten zusammen. Paul hockt vornübergebeugt auf seinem Stuhl und weint hemmungslos. Hans erhebt sich, geht zum Fenster und reißt die Flügel weit auf. Kalte Luft strömt ins Zimmer. Hans atmet tief durch: Endlich vorbei. In der Dunkelheit erkennt er die Umrisse der stehenden Güterwagen. Merkwürdig. Der lange Halt.

Plötzlich erschrickt er. Die Felix-Eibe. Ihre Konturen leuchten auf. Unruhig flackernd. Gespenstisch. Da. Wieder Blaulicht. Polizei? Oder Feuerwehr? Irgend so was vorne am Zug. Was solls.

Er tritt vom Fenster zurück. „Sagt mal, wo ist eigentlich Opa?“ Maria stellt die Tassen zusammen. „Er wird sich irgendwo hingelegt haben. Einer von uns müßte es ihm sagen.“ – Opa hatte sich nicht hingelegt. Draußen im Flur hatte er den dicken Wollschal um den Hals geschlungen. Mühsam den schweren Mantel übergezogen. Und dann war er aus dem Haus gegangen. Ganz leise.

Vorwärts. Schritt für Schritt. Der Bahndamm. Endlich. Zwei Eisenstränge. Blank poliert.

Vorwärts. Schwelle für Schwelle. Bolzen tanzen. Immer schneller. Schienen singen. Lied der Freiheit.

Vorwärts. Der Zug. Er kommt. Schnell. Mächtig. Groß. Zu groß für kleine Leute? – Nein.

„Ich halte ihn an, Anna. Für Dich, Anna. Hörst Du, ganz allein für Dich.“

ERIKA PLUHAR

Bedingungen

1. Wir haben völlig getrennte Wohnungen, getrennten Besitz, getrennte Zeitabläufe.
2. Wir haben nur Zutritt zur Wohnung des anderen auf Aufforderung des anderen – besser gesagt, bei Übereinstimmung des Wunsches, zusammen zu sein.
3. Jeder hat nur den Schlüssel seiner eigenen Wohnung.
4. Wir wollen den Abstand erreichen, der nötig ist, den anderen in seiner Gänze zu sehen und einzuschätzen.
5. Wir bleiben verheiratet und sind ein Ehepaar.
6. Wir werden immer wieder zusammen arbeiten und einander ständig am laufenden halten, was die geistige und berufliche Entwicklung betrifft.
7. Wir sind bemüht, nicht eifersüchtig zu sein.
8. Keiner ist in irgendeiner Weise gezwungen – auch nur als Erwägung – mit dem anderen zu schlafen.
9. Wir sehen uns nur, wenn die Arbeit oder die Sehnsucht uns dazu treibt.
10. Wir versuchen, Liebende zu werden.

MANFRED WOLTER

Eine abgeschlossene, wahre Geschichte

Ich arbeitete während meiner Studentenzeit in den Ferien als Kellner. Eines Abends passierte mir das Mißgeschick, daß ich stolperte und einer jungen Dame, die mit ihren Eltern an einem Ecktisch saß, eine Terrine Nudelsuppe über ihr Abendkleid goß. Zuerst schimpfte sie fürchterlich, aber dann lächelte sie.
Wir waren uns gleich sympathisch.
Heute ist die junge Dame meine liebe Frau. Jedes Jahr zum Hochzeitstag lade ich sie zum Abendessen in „unser" Restaurant und gieße ihr eine Terrine Nudelsuppe über das Abendkleid von damals.
Es paßt meiner lieben Frau immer noch.

HANS ULRICH KLINGLER

Der verlustreiche Werterhalter

Es war einmal ein Mann, der hatte den Wunsch, alles so lange wie möglich zu behalten, auch sollten die Dinge nichts von ihrer Schönheit und Güte verlieren. In seiner Wohnung war es deshalb sehr eigenartig. In dem großen Zimmer hatte er einen herrlichen Tisch mit einer herrlich eichenen Tischplatte. Über den Tisch breitete sich eine sehr schöne handgeklöppelte Spitzendecke, darüber ein feines Damasttuch, dann eine leinene und zum Schluß eine Wachstuchdecke.

Er wußte von seiner herrlichen Tischplatte, der handgeklöppelten Spitzendecke, dem feinen Damasttuch, ihm genügte das Wissen darum. Und es erfüllte ihn mit Freude.

Die braunen Ledersessel waren mit weißem Stoff überzogen und über dem Perser lag ein Teppich minderer Qualität.

Seine Frau hatte früher Bilder gemalt und es sogar zu einigen Ausstellungen gebracht. Allmählich vertauschte sie aber den Pinsel mit dem Kochlöffel, da der Mann gutes Essen liebte. Jahrelang hingen ein Teil ihrer Bilder in der Wohnung, bis der Mann sie abnahm, mit einem Farbfilm kopierte und die Kopien an die Wand brachte.

Die Frau war zuerst betrübt darüber, hing sie doch sehr an ihren Bildern, die ein Stück ihrer Jugend waren, aber ihr Mann sagte, daß sie wertvoll seien und abgenommen und verpackt der kommenden Menschheit besser erhalten blieben.
Auch der Mann hatte eine Leidenschaft, die aber von Bestand war. Er hatte in seiner Jugend Schallplatten zu sammeln begonnen. Klassische Musik. Doch schon damals hatte es ihm leid getan, seine Platten abzuspielen, denn mit jedem Mal nahmen sie an Qualität ab.
Und das quälte ihn sehr.
Mit den Jahren hatte er eine bemerkenswerte Anzahl Platten aufgehäuft, aber die Stunden, in denen er sich der Musik widmete, waren weniger geworden.
Eines Tages trat er fröhlich in seine Wohnung. Ein grauer Kasten zog schwer an seinem Arm. Seine Frau war erstaunt, ihn so heiter zu sehen. Er sagte, mit dem Kasten habe er sich eine große Last von der Seele gewälzt. Der Kasten war ein Tonbandgerät, das er für wenig Geld erstanden hatte. Sieben Tage und sieben Nächte verbrachte er damit, seine Platten auf Tonbänder zu überspielen. Jetzt saß er öfter und hörte seine geliebte Musik. Doch da das Tonbandgerät alt war, machte es ein lautes Geräusch. Auch lief es nicht mehr so schnell, so daß die hohen Töne verzerrt wiedergegeben wurden.
Das hörte alles der Mann, und trotzdem war eine große Freude in ihm, wußte er doch, daß er eine noch viel bessere Musik besaß.
Auch ging der Mann zu Fuß oder fuhr mit der Bahn, obwohl er ein Auto besaß, das er regelmäßig am Wochenende pflegte. Er lief in alten Kleidern, aß und trank aus angeschlagenem Geschirr. So glaubte der Mann, alles aufs Beste geregelt zu haben. Doch eines Nachts, er lag bei seiner Frau und sie liebten sich sehr, kamen ihm Gedanken, die er noch nie vorher gehabt hatte und die ihn sehr erschreckten und ängstigten.
Wie konnte er seine Frau schonen?
Er schlief unruhig in dieser Nacht, und an den folgenden Tagen lief er mit sorgenvollem Gesicht umher. Er wußte sich keinen Rat. Seine Moral verbot ihm, sich eine Frau nur für diesen Zweck zu nehmen. Einige Male schlief er noch mit seiner Frau, doch danach stand er jedesmal auf, ging in seine Stube und weinte darüber, daß er seine Gefühle nicht in der Gewalt hatte.
Doch mit der Zeit bekam er sich in die Gewalt, bis er sie eines Tages begraben lassen mußte.
Danach ging er durch seine verlassene Wohnung. Und sein Schmerz war groß. Doch hinter dem Schmerz war nichts.

PABLO NERUDA

Die Königin

Ich hab dich zur Königin ernannt.
Größere gibt es, größer als du.
Reinere gibt es, reiner als du.
Schönere gibt es, schöner als du.

Doch du bist die Königin.

Wenn du durch die Straßen gehst,
erkennt dich keiner.
Niemand sieht deine Krone aus Kristall, niemand schaut
den Teppich aus rotem Gold,
den jeder Schritt von dir betritt,
den Teppich, der gar nicht da ist.

Und wenn du erscheinst,
rauschen alle Flüsse
in meinem Körper auf, rütteln
die Glocken am Himmel,
und ein Hymnus erfüllt die Welt.

Nur du und ich,
nur du und ich, meine Liebe,
hören ihn tönen.

ITALO CALVINO

Arbeiterehe

Der Arbeiter Arturo Massolari hatte Nachtschicht; sie endete um sechs Uhr morgens. Der Heimweg war weit. In der schönen Jahreszeit legte er ihn mit dem Fahrrad zurück, in den regnerischen und winterlichen Monaten fuhr er mit der Straßenbahn. Er kam zwischen Viertel nach sechs und Viertel vor sieben zu Hause an, das heißt mal etwas früher, als der Wecker für seine Frau Elide rasselte, mal etwas später.

Beide Geräusche, das Schrillen des Weckers und die Schritte des Mannes, verbanden sich in Elides Wahrnehmung oft zu einem einzigen, das in die Tiefe ihres Schlafs hinunterfand, in den festen Morgenschlaf, den sie, das Gesicht ins Kissen gedrückt, bis zur letzten und allerletzten Sekunde auszukosten trachtete. Erst dann richtete sie sich tastend im Bett auf und fuhr mit halbgeschlossenen Augen in die Ärmel ihrer Hausjacke, während ihr noch die Haare ins Gesicht hingen. So erschien sie in der Küche, wo Arturo gerade die leeren Behälter aus der Tasche, die er zur Arbeit mitzunehmen pflegte, hervorkramte und ins Spülbecken legte: Brotbüchse, Thermosflasche ... Den kleinen Ofen hatte er schon angezündet und den Kaffee daraufgestellt. Sobald er Elide ansah, strich sie sich unwillkürlich das Haar aus der Stirn und riß mühsam die Augen auf, als schämte sie sich jedesmal ein wenig, daß sie ihrem Mann, der eben nach Hause gekommen war, diesen Anblick bot: unordentlich und mit verschlafenem Gesicht. Wenn zwei Menschen zusammen geschlafen haben, ist das etwas anderes, dann tauchen sie morgens gemeinsam aus dem Schlummer auf, und keiner hat dem anderen etwas voraus.
Zuweilen kam es auch vor, daß er mit der Kaffeetasse in der Hand an ihr Bett trat und sie weckte, eine Minute bevor die Uhr schrillte. Dann war alles viel natürlicher, die Anstrengung des Wachwerdens war vermischt mit einer schmerzlichen Süße, die bloßen Arme, die sie noch unbewußt emporgestreckt hatte, schlangen sich wie von selbst um den Nacken des Mannes. Sie küßten sich. Arturo trug noch die Windjacke, und wenn sie diese berührte, wußte sie, wie das Wetter war, ob es regnete, ob es neblig war, ob Schnee fiel. Dennoch fragte sie jedesmal: „Wie ist das Wetter?"
Und er fing daraufhin murmelnd an zu erzählen, halb ironisch; er berichtete von den Widrigkeiten, die ihm begegnet waren, von der Fahrt auf dem Rad, welches Wetter ihn erwartet hatte, als er aus dem Fabriktor trat – ein ganz anderes Wetter als am Abend zuvor bei Beginn der Nachtschicht –, Einzelheiten über die Arbeit, von dem, was er beim Weggehen gehört hatte, und so weiter.
Um diese Zeit war die Wohnung noch nicht viel wärmer, doch Elide stand nun, ausgezogen und ein wenig zitternd, in dem kleinen Badezimmer und wusch sich. Er folgte ihr, zog sich ebenfalls aus, mit mehr Ruhe, und spülte sich bedächtig Staub und Öl der Arbeitsstunden ab. Schließlich standen sie beide am Waschbecken, stießen einander gelegentlich in die Seite, nahmen einander die Seife aus der Hand, die Zahnpasta und fuhren fort, sich das zu sagen, was gesagt werden mußte. Dabei kam manchmal ein Augenblick echter Vertrautheit und Vertraulichkeit auf, und zuweilen wurde aus einer helfenden Geste, dem Abtrocknen des Rückens etwa, eine Zärtlichkeit, und sie umarmten sich.

Dann aber rief Elide auf einmal: „Lieber Gott, wie spät es schon ist!"
Und sie lief, den Strumpfhalter zu befestigen, den Unterrock anzuziehen, in aller Eile, und schon fuhr sie sich mit der Bürste durchs Haar, das Gesicht dem Spiegel über der Kommode entgegengestreckt, Haarnadeln zwischen den Lippen. Arturo trat hinter sie; er hatte sich eine Zigarette angezündet und sah sie an, rauchend, und jedesmal schien er sich ausgesprochen unbehaglich zu fühlen, daß er so dastehen mußte, ohne etwas tun zu können. Bald war sie fertig und warf im Korridor den Mantel über die Schultern. Sie gaben sich noch einen Kuß, Elide öffnete die Tür, und schon hörte er sie die Treppe hinunterrennen.
Arturo blieb allein zurück. Wenn das Geklapper von Elides Absätzen auf den Steinstufen verhallt war, folgte er ihr in Gedanken, stellte sich vor, wie sie eilig über den Hof trippelte, zum Tor hinaus, den Bürgersteig entlang zur Haltestelle der Straßenbahn. Die Bahn konnte er dann wieder deutlich hören: wie sie kreischend anhielt und wie das eiserne Gitter hinter jedem einsteigenden Fahrgast zuschlug.
Na also, sie hat die Bahn erwischt, dachte er, und er sah seine Frau vor sich, eingezwängt zwischen den Arbeitern und Arbeiterinnen auf einer Sitzbank der Linie II, die Tag für Tag eine neue Schicht zur Fabrik fuhr. Arturo löschte das Licht, schloß die Fensterläden, machte ganz dunkel, ging zu Bett.
Das Bett war noch so, wie Elide es verlassen hatte, trotzdem wirkte es auf seiner, Arturos, Seite unberührt, als wäre es eben erst gemacht worden. Hier legte er sich hin. Er kroch tief unter die Decke, doch bald schon streckte er ein Bein dort hinüber, wo noch etwas von der Wärme seiner Frau zu spüren war; wenig später folgte das andere Bein, und so rückte er nach und nach ganz auf Elides Seite, in jene sanfte Höhlung, die ihr Körper geformt hatte; er drückte das Gesicht in ihr Kissen, in ihren Duft und schlief ein.
Wenn Elide abends heimkam, strich Arturo schon einige Zeit in der Wohnung umher. Er hatte wieder Feuer im Ofen gemacht, irgend etwas zum Kochen daraufgestellt. In diesen Stunden vor dem Abendessen erledigte er ein paar bestimmte Arbeiten: Er richtete das Bett, fegte das Zimmer, weichte Wäsche ein. Elide behauptete dann, er habe alles verkehrt gemacht, und, um die Wahrheit zu sagen, er strengte sich auch nicht sonderlich an. Was er da tat, war nur eine Art Ritus der Erwartung, als ginge er ihr entgegen, obwohl er zu Hause blieb. Draußen flammten indessen die Lichter auf, und Elide ging an den Läden entlang, inmitten jener Geschäftigkeit auf den Straßen, die das Kennzeichen all der Stadtviertel ist, wo die meisten Frauen erst abends einkaufen können.
Endlich hörte er ihren Schritt auf der Treppe, der jetzt ganz anders klang als am Morgen: schwer von der Müdigkeit nach einem langen Arbeitstag und

von der Last der Einkäufe. Arturo trat auf den Podest im Treppenhaus, nahm ihr die Bürde ab, und während sie hineingingen, wechselten sie die ersten Worte. Elide warf sich, ohne erst den Mantel auszuziehen, auf einen Stuhl in der Küche, und er nahm die Päckchen aus der Einkaufstasche. Nach einer Weile raffte sie sich auf, sagte: „Na, dann also los!“, stand auf, zog den Mantel aus und band sich eine Schürze um. Nun machten sie sich daran, das Essen zuzubereiten: das Abendbrot für beide und den Proviant für ihn, für die Pause um ein Uhr nachts, und das Frühstück für sie, das sie am nächsten Morgen in die Fabrik mitnehmen würde, und einen Imbiß für ihn, den er vorfinden sollte, wenn er nachmittags aufwachte.

Sie war dabei oft ein wenig unlustig, setzte sich am liebsten in den Korbsessel und sagte ihm, was er tun solle. Er dagegen war in dieser Stunde gut ausgeruht; er werkte herum, wollte alles selbst erledigen, war dabei aber etwas zerstreut, in Gedanken schon woanders. Das waren die Augenblicke, wo sie häufig beinahe in Streit gerieten, wo es vorkam, daß sie sich ein böses Wort sagten, wo sie fand, er könne etwas besser achtgeben auf das, was er tat, oder sich ein bißchen um sie kümmern, zu ihr kommen, sie trösten. Er hingegen dachte, nach der ersten Begeisterung darüber, daß sie da war, schon an das, was ihm bevorstand, und daß er sich beeilen müsse.

Wenn dann der Tisch gedeckt war und alles griffbereit lag, so daß man nicht mehr aufzustehen brauchte, kam der Augenblick, der ihnen beiden ins Herz schnitt: Ihnen wurde bewußt, wie wenig Zeit sie füreinander hatten, und es wollte ihnen kaum gelingen, den Löffel zum Mund zu führen, weil sie sich am liebsten die Hände gehalten hätten.

Dann, noch war der Kaffee nicht gänzlich getrunken, sah er schon nach seinem Rad. Sie küßten sich. Arturo schien es, daß er noch nie so deutlich gespürt hatte, wie zart und voller Wärme seine Frau war. Doch er nahm das Fahrrad auf die Schulter und stieg vorsichtig die Stufen hinunter.

Elide wusch das Geschirr ab, räumte die ganze Wohnung auf, betrachtete kopfschüttelnd, was ihr Mann vollbracht hatte. Nun fuhr er durch die dunklen Straßen, von Laternenschein zu Laternenschein, hinter dem Lichtkegel seiner eigenen Lampe her; vielleicht war er schon beim Gaswerk. Elide ging zu Bett, löschte das Licht. Abend für Abend streckte sie einen Fuß aus, zum Platz ihres Mannes hinüber, um seine Wärme zu suchen, doch jedesmal stellte sie fest, daß es wärmer war, wo sie selbst lag. Nun wußte sie, daß auch Arturo hier geschlafen hatte. Und das erfüllte sie mit großer Zärtlichkeit.

HANS-HERBERT DREISKE

Wir schwiegen nicht,
weil wir nichts zu sagen
gehabt hätten,
sondern
weil wir für das,
was zu sagen gewesen wäre,
keine Worte
hatten.

ANNE ABER

Der alte mann
mit den zärtlichen händen
erscheint mir im traum
und berührt mich sanft

am tag ist er schweigsam
verschlossen und spröde
da gibt es kein wort
das bis zu mir dringt

da brannten einst feuer
eiskalt und verzehrend
jetzt wird es mir warm
wenn sein blick mich erreicht.

11 *Liebe ist Hoffnung*

Leben! Einzeln und frei wie ein Baum
und brüderlich wie ein Wald,
ist unsere Sehnsucht.

Nâzim Hikmet (1902–1963)

ALEXANDER KLUGE

Ein Liebesversuch

Als das billigste Mittel, in den Lagern Massensterilisationen durchzuführen, erschien 1943 Röntgenbestrahlung. Zweifelhaft war, ob die so erzielte Unfruchtbarkeit nachhaltig war. Wir führten einen männlichen und einen weiblichen Gefangenen zu einem Versuch zusammen. Der dafür vorgesehene Raum war größer als die meisten anderen Zellen, er wurde mit Teppichen der Lagerleitung ausgelegt. Die Hoffnung, daß die Gefangenen in ihrer hochzeitlich ausgestalteten Zelle dem Versuch Genüge leisteten, erfüllte sich nicht.

Wußten sie von der erfolgten Sterilisation?
Das war nicht anzunehmen. Die beiden Gefangenen setzten sich in verschiedene Ecken des dielengedeckten und teppichbelegten Raumes. Es war durch das Bullauge, das der Beobachtung von außen diente, nicht zu erkennen, ob sie seit der Zusammenführung miteinander gesprochen hatten. Sie führten jedenfalls keine Gespräche. Diese Passivität war deshalb besonders unangenehm, weil hochgestellte Gäste sich zur Beobachtung des Versuchs angesagt hatten; um den Fortgang des Experiments zu beschleunigen, befahl der Standortarzt und Leiter des Versuchs, den beiden Gefangenen die Kleider fortzunehmen.

Schämten sich die Versuchspersonen?
Man kann nicht sagen, daß die Versuchspersonen sich schämten. Sie blieben im wesentlichen auch ohne ihre Kleidung in den bis dahin eingenommenen Positionen, sie schienen zu schlafen. Wir wollen sie ein bißchen aufwecken, sagte der Leiter des Versuchs. Es wurden Schallplatten herbeigeholt. Durch das Bullauge war zu sehen, daß beide Gefangenen auf die Musik zunächst reagierten. Wenig später verfielen sie aber wieder in ihren apathischen Zustand. Für den Versuch war es wichtig, daß die Versuchspersonen endlich mit dem Versuch begannen, da nur so mit Sicherheit festgestellt werden konnte, ob die unauffällig erzeugte Unfruchtbarkeit bei den behandelten Personen auch über längere Zeitabschnitte hin wirksam blieb. Die am Versuch beteiligten Mannschaften warteten in den Gängen des Schlosses, einige Meter von der Zellentür entfernt. Sie verhielten sich im wesentlichen ruhig. Sie hatten Weisung, sich nur flüsternd miteinander zu verständigen. Ein Beobachter verfolgte den Verlauf des Geschehens im Innenraum. So sollten die beiden Gefangenen in dem Glauben gewiegt werden, sie seien jetzt allein.
Trotzdem kam in der Zelle keine erotische Spannung auf. Fast glaubten die

Ich
bin Im
für

Verantwortlichen, man hätte einen kleineren Raum wählen sollen. Die Versuchspersonen selbst waren sorgfältig ausgesucht. Nach den Akten mußten die beiden Versuchspersonen erhebliches erotisches Interesse aneinander empfinden.

Woher wußte man das?

J., Tochter eines Braunschweiger Regierungsrates, Jahrgang 1915, also etwa 28 Jahre, mit arischem Ehemann, Abitur, Studium der Kunstgeschichte, galt in der niedersächsischen Kleinstadt G. als unzertrennlich von der männlichen Versuchsperson, einem gewissen P., Jahrgang 1900, ohne Beruf. Wegen P. gab die J. den rettenden Ehemann auf. Sie folgte ihrem Liebhaber nach Prag, später nach Paris. 1938 gelang es, den P. auf Reichsgebiet zu verhaften. Einige Tage später erschien auf der Suche nach P. die J. auf Reichsgebiet und wurde ebenfalls verhaftet. Im Gefängnis und später im Lager versuchten die beiden mehrfach, zueinanderzukommen. Insofern unsere Enttäuschung: jetzt durften sie endlich, und jetzt wollten sie nicht.

Waren die Versuchspersonen nicht willig?

Grundsätzlich waren sie gehorsam. Ich möchte also sagen: willig.

Waren die Gefangenen gut ernährt?

Schon längere Zeit vor Beginn des Versuchs waren die in Aussicht genommenen Versuchspersonen besonders gut ernährt worden. Nun lagen sie bereits zwei Tage im gleichen Raum, ohne daß Annäherungsversuche festzustellen waren. Wir gaben ihnen Eiweißgallert aus Eiern zu trinken, die Gefangenen nahmen das Eiweiß gierig auf. Oberscharführer Wilhelm ließ die beiden aus Gartenschläuchen anspritzen, anschließend wurden sie wieder, frierend, in das Dielenzimmer geführt, aber auch das Wärmebedürfnis führte sie nicht zueinander.

Fürchteten sie die Freigeisterei, der sie sich ausgesetzt sahen? Glaubten sie, dies wäre eine Prüfung, bei der sie ihre Moralität zu erweisen hätten? Lag das Unglück des Lagers wie eine hohe Wand zwischen ihnen?

Wußten sie, daß im Falle einer Schwängerung beide Körper seziert und untersucht würden?

Daß die Versuchspersonen das wußten oder auch nur ahnten, ist unwahrscheinlich. Von der Lagerleitung wurden ihnen wiederholt positive Zusicherungen für den Überlebensfall gemacht. Ich glaube, sie wollten nicht. Zur Enttäuschung des eigens herangereisten Obergruppenführers A. Zerbst und seiner Begleitung ließ sich das Experiment nicht durchführen, da alle Mittel, auch die gewaltsamen, nicht zu einem positiven Versuchsausgang führten.

Wir preßten ihre Leiber aneinander, hielten sie unter langsamer Erwärmung in Hautnähe aneinander, bestrichen sie mit Alkohol und gaben den Personen Alkohol, Rotwein mit Ei, auch Fleisch zu essen und Champus zu trinken, wir korrigierten die Beleuchtung, nichts davon führte jedoch zur Erregung.

Hat man denn alles versucht?
Ich kann garantieren, daß alles versucht worden ist. Wir hatten einen Oberscharführer unter uns, der etwas davon verstand. Er versuchte nach und nach alles, was sonst totsicher wirkt. Wir konnten schließlich nicht selbst hineingehen und unser Glück versuchen, weil das Rassenschande gewesen wäre. Nichts von den Mitteln, die versucht wurden, führte zur Erregung.

Wurden wir selbst erregt?
Jedenfalls eher als die beiden im Raum; wenigstens sah es so aus. Andererseits wäre uns das verboten gewesen. Infolgedessen glaube ich nicht, daß wir erregt waren. Vielleicht aufgeregt, da die Sache nicht klappte.

Will ich liebend Dir gehören,
kommst Du zu mir heute Nacht?

Es gab keine Möglichkeit, die Versuchspersonen zu einer eindeutigen Reaktion zu gewinnen, und so wurde der Versuch ergebnislos abgebrochen. Später wurde er mit anderen Personen wieder aufgenommen.

Was geschah mit den Versuchspersonen?
Die widerspenstigen Versuchspersonen wurden erschossen.

Soll das besagen, daß an einem bestimmte Punkt des Unglücks Liebe nicht mehr zu bewerkstelligen ist?

HANS-HERBERT DREISKE

Die Liebe,
das Kind der Freiheit,
starb
hinter vergitterten Fenstern,
starb schon allein
wegen des Unrechts,
das ihr mit der Gefangennahme
widerfuhr.

PABLO NERUDA

Der Berg und der Fluß

In meiner Heimat gibt es einen Berg.
In meiner Heimat gibt es einen Fluß.

Komm mit.

Die Nacht steigt den Berg hinauf.
Der Hunger steigt zum Fluß hinunter.

Komm mit.

Wer sind die, die dort leiden?
Ich weiß nicht, aber sie gehören zu mir.

Komm mit.

Ich weiß nicht, aber sie rufen mich
und sagen mir: „Wir leiden."

Komm mit.

Und sie sagen mir: „Dein Volk,
dein unglückliches Volk,
zwischen dem Berg und dem Fluß,

voll Hunger und voller Schmerzen,
möchte nicht einsam kämpfen,
es wartet, Freund, auf dich."

O du, die ich liebe,
Kleine, rotes Weizenkorn,
hart wird der Kampf sein,
das Leben wird hart sein,
doch du kommst mit.

MARIO GÖPFERT

Geschieden

Bevor die Frau den Schlüssel ins Schloß steckt, zögert sie, dreht ihn in der Hand, weiß: wenn sie jetzt eintritt, wird sie dem Mann begegnen, der nicht mehr ihr Mann ist, wird sie durch Räume gehen, die zwei Jahre ihre Räume waren. Und sie steckt also den Schlüssel ins Schloß und läßt das Schloß aufschnappen.

Sie findet den Mann in der Küche. Er hat ein Bügelbrett über die Stuhllehnen gelegt und bügelt eine Hose.

„Guten Tag“, sagt die Frau.

Der Mann nickt. „Tag“.

Die Frau bringt das Kind in die Stube. Dann holt sie Brot aus dem Schrank und sucht nach einem großen Messer.

„Ich bin gleich fertig hier“, sagt der Mann.

„Du störst nicht“, antwortet die Frau.

Der Mann bügelt weiter.

„Das hatte ich mit erledigen können“, sagt die Frau.

„Ich möchte es nicht“, stellt der Mann hin, weder vorwurfsvoll, weder stolz, der Mann stellt es einfach hin.

„Ist eine Karte auf dem Tisch“, sagt der Mann.

Die Frau nimmt sie. Der Mann stellt das Bügelbrett in die Ecke. Die Frau liest die Karte. Sie ist von ihrer Mutter. Die Mutter fürchtet Mißhelligkeiten, warnt ihre Tochter vor allzu großer Nachgiebigkeit, führt Beispiele aus dem Bekanntenkreis an. Die Frau schüttelt nachdenklich den Kopf und reicht die Karte dem Mann hinüber.

„Warum?“ fragt der.

„Du hast sie schon gelesen?“

„Nein.“

„Aber du weißt, was drin steht.“

„Ich hab sie nicht gelesen.“

Die Frau schüttelt nochmals den Kopf und legt die Karte auf den Tisch zurück.

Sie stehen sich einen Augenblick gegenüber, dann beginnt die Frau Schnitten für das Kind zurechtzumachen. Die Butter macht ein ganz leises Geräusch, wenn sie vom Messer auf die Brotfläche gedrückt wird. Sonst ist es still in der Küche, nicht einmal eine Uhr. Der Mann hat seine Hose über den Arm gelegt und geht in die Kammer. Die Frau schaut ihm hinterher. Seltsam, denkt sie, wir hassen uns nicht und können nicht mehr miteinander leben.

Später bringt die Frau das Kind ins Bett. Sie kommt wieder in die Küche und setzt sich auf einen Stuhl, dem Mann gegenüber. Auf dem Küchentisch liegt eine Packung Zigaretten. Sie rauchen.
Die Frau erhebt sich und öffnet das Fenster einen Spalt.
„Meinst du, daß es schon schläft?“ fragt der Mann.
„Wir werden sehen“, antwortet die Frau.
Sie gehen ins Schlafzimmer. Das Kind schläft.
„Hoffentlich haben wir keinen Fehler gemacht“, flüstert die Frau. Sie stehen an der Kammertür und schauen noch einmal auf das Kind.
Draußen sagt der Mann: „Es war das Vernünftigste.“
„Das versteh ich nicht“, sagt die Frau. „Überall gibt es mal Streit.“
Der Mann wird plötzlich ungehalten und sagt: „Ehen gehen nicht durch Streit kaputt. Ehen gehen kaputt, wenn Ehen tot sind, und wir waren tot zueinander. Die paar Minuten nachts, die paar feigen, stolzen Minuten, um den ganzen Tag tot zueinander zu sein. Deswegen haben wir uns getrennt, und deswegen gibt es da nichts mehr zu leimen. Damit es nicht so wird wie bei meinen Eltern, deswegen! Daß unser Kind nicht einmal anhören muß, was ich als Kind immer anhören mußte, und daß ich nicht eines Tages dasitze, wie mein Vater dagesessen hat, mit einem Milchtopf auf den Knien, und in dem Milchtopf hat er herumgestochert und gekratzt, und meine Mutter konnte das nicht ausstehen, und wenn er das merkte, hat er es erst recht getan, und sie: ‚Hör auf!‘ Aber er hat gegrinst und seine Milchhaut herausgekratzt, und sie hat geweint, und er hat immer lauter in seinem Scheißtopf gekratzt, und ich, ich habe das andauernd mit anhören müssen. Damit es nicht so kommt, deswegen! Weil wir tot zueinander sind, können wir nicht mehr miteinander auskommen. Wir haben zusammen gelebt, als sei die Ehe ein Zustand.“
Die Frau sagt nichts; sie lehnt an der Wand. Der Mann geht in die Stube. Dort steht ein großer Korb mit Vasen, Tellern, Gläsern. Den trägt er hinaus. Die Frau sieht noch einmal nach dem Kind. Gemeinsam tragen sie den Korb in den Hausflur, und die Frau verschließt leise die Tür.
„Wie weit ist es bis zu deiner Wohnung?“ fragt der Mann.
„Du hast heut abend etwas vor?“
„Ja.“ „Eine halbe Stunde.“
Unten laden sie den Korb auf einen Handwagen. Aus den Fenstern gucken die Leute heraus. Die Leute gucken ihnen lange nach. Zuerst ziehen sie den Wagen gemeinsam, dann will der Mann allein ziehen. Die Frau sagt ihm nur, wann er die Straße zu überqueren, wann er einzubiegen hat. Sie beobachtet ihn und bemerkt, daß er hinkt. Zwei Jahre lang habe ich nicht mehr bemerkt, daß er hinkt, denkt sie.

„Es ist alles wie damals, nur umgekehrt“, sagt sie leise.
Der Mann nickt. „Wir haben Glück, daß uns das noch gelungen ist . . .“
„Was?“ fragt die Frau.
„Achtung voreinander zu wahren.“
Nach einer Weile sagt der Mann: „Warum hast du mir vorhin nicht widersprochen? Ich hab geredet und geredet, und du hast mich nicht einmal unterbrochen. Dabei weiß ich vielleicht einen Scheißdreck. Nur eines weiß ich gewiß, daß wir unseren Entschluß nicht zu bereuen brauchen. Aber ich wünschte, du hättest mir widersprochen. Ich wünschte, wir hätten uns noch einmal richtig gestritten, bevor du fortziehst.“
Sie ziehen den Wagen wieder gemeinsam, doch nur ein kurzes Stück. Ihr Schritt ist zu ungleich.

HANS LÖFFLER

Das Mannequin

Eben noch hat das Mannequin in ihrer sauberen Wohnung saubergemacht und ihrer großen Zimmerpalme frisches Wasser gegeben. Nun sitzt sie in einem der selbstbezogenen Sessel und überlegt, was eventuell noch zu tun wäre.
Aber in diesem Moment klingelt es, und sie und ihr Hund bewegen sich schnell zur Wohnungstür. Auf dem Weg dorthin sieht sie noch hastig in einen ihrer vielen Spiegel. Durch ein kleines Guckloch in der Tür erkennt sie dann, wer da ist, öffnet die Tür und bittet betont erstaunt und erfreut den Besuch in die Wohnung.
Der Mann sieht, das Mannequin hat ein sehr schönes Gesicht, welches sie sich schon viele Jahre erhalten hat; immer wieder fällt ihm das auf, wenn er kommt.
Sie sagt ihm nun, er solle sich seinen Mantel ausziehen, und während er dies tut, erzählt sie, daß sie den ganzen Tag saubergemacht habe und gerade fertig geworden sei, und fragt ihn, ob er einen Kaffee oder einen Tee oder einen Kognak oder einen Whisky oder auch nur eine Cola oder wie das letztemal Rotwein möchte. Und ob er Hunger habe; sie hätte welchen.

Der Mann sagt, was er sich wünscht, und überall im Zimmer und in der Küche fallen ihm auch diesmal wieder die großen alten Spiegel auf.
Schaut sie in die Spiegel, denkt sie nicht daran, daß der Mann sehen kann, wie sie sich aufmerksam in ihnen betrachtet; sie spricht mit ihm fröhlich weiter und fragt, wie es ihm inzwischen ergangen sei, und lächelt und macht dabei etwas zu essen und sagt auch, daß ihr Freund aus Frankreich immer noch nicht geschieden sei und wahrscheinlich am nächsten Tag käme; er habe es jedenfalls gestern am Telefon so versprochen.
Wenn das Essen fertig ist, setzen sie sich an einen kleinen Tisch, mehrere Kerzen geben Licht, und Musik ist leise zu hören.
Der Mann hält sich gerne bei ihr auf und sagt, daß er sich geborgen fühle.
Sie hat einen schönen großen Mund und fragt ihn nun, ob er Rotwein trinken möchte. Und wenn er die Flasche später ausgetrunken haben wird, hat sie wahrscheinlich während der ganzen Zeit wieder nichts (höchstens einen kleinen Aprikosenlikör) getrunken.
Manchmal, wenn es schon spät ist und beide lange nebeneinander gesessen und erzählt haben, das Essen schon vorbei und der Wein beinahe ausgetrunken ist (meist zu der Zeit, wo sie ihm auch Schokolade anbietet), kommt in beiden der Wunsch nach Zärtlichkeit auf, und oft berührt dann er sie und auch sie ihn ein wenig.
Wenn der Mann etwas später geht, sagt sie ihm, er solle bald wiederkommen, und wenn es schon tiefe Nacht ist und die Haustür geschlossen sein könnte, gibt sie ihm den Haustürschlüssel, den er, wenn er die Tür aufgeschlossen hat, in ihren Briefkasten wirft; denn das Mannequin wohnt im vierten Stockwerk. Ab und zu, im Winter, trägt er ihr deshalb die Kohlen nach dort oben.

HANS-HERBERT DREISKE

Sie begegnen mir wieder,
alle,
aus den vier Himmelsrichtungen kommend,
unter anderen Masken,
in neuen Gewändern,
in Nächten, die nicht kühler werden,
während hellblauer Morgenstunden,
an verheißungsvollen Nachmittagen,
und immer schwelt es,
brechen Knospen auf,
blüht es.

K. ROMMEL

Brücken bauen

Ich möchte gerne Brücken bauen,
wo tiefe Gräben nur zu sehn.
Ich möchte hinter Zäune schauen
und über hohe Mauern gehn.

Ich möchte gerne Hände reichen,
wo harte Fäuste sich geballt.
Ich suche unablässig Zeichen
des Friedens zwischen Jung und Alt.

Ich möchte nicht zum Mond gelangen,
jedoch zu meines Feindes Tür.
Ich möchte keinen Streit anfangen;
ob Frieden wird, das liegt an mir.

Ich möchte gerne wieder reden,
wo vorher eisig Schweigen war.
Und Blicke sollen nicht mehr töten
und Neid und Gier fehl' ganz und gar.

Herr, gib mir Mut zum Brückenbauen.
Gib mir den Mut zum ersten Schritt.
Laß mich auf deine Brücken trauen,
und wenn ich gehe, geh du mit.

„Ich glaube eben nicht, daß dies die richtige Welt ist, um Pandas großzuziehen“

HERBERT SOMPLATZKI

Wiedervereinigung

Eigentlich von keinem gewollt – die Schuldfrage zumindest läßt sich nicht mehr klären – so entstand plötzlich der Superkrieg. Den Weltuntergang brachte er zwar nicht, aber er reduzierte die menschliche Rasse weit über das erforderliche Maß hinaus.
„Jeder hat eine Chance zu überleben!“ Darauf hatten maßgebliche Stellen vorher oft und nachdrücklich hingewiesen. Aber diese große Chance wurde nur von ganz einzelnen, sehr sehr wenigen, wahrgenommen.
Der Krieg als solcher war erfreulich kurz. Mit ihm hatte die Menschheit allen vernunftlosen Kreaturen ihre geistige Überlegenheit eindeutig bewiesen.

Der ehemalige Kollege Meier spuckte den Wurm, der ihm zufällig in seinen ehemaligen Mund geraten war, wieder aus, denn er war Vegetarier. Grasend bewegte er sich sehr langsam auf die Fragmente der ehemaligen Grenze zu. Die Funktionen eines vormals wohl sehr wichtigen Körperteiles – man nannte ihn früher Kopf – waren durch die Aufnahme von Wurzeln und Gras schon fast ausgeschöpft. Auch äußerlich hatte dieser Teil seines Körpers nicht mehr allzuviel Ähnlichkeit mit Vergangenem: Es war ein verwüstetes Etwas, mit einem zur rechten Seite hervorquellenden Auge, unterhalb dessen sich eine fast rüsselförmige Öffnung befand. Die Möglichkeit zu jenem Denken, wie es die Psychologen des 20. Jahrhunderts definiert hatten, war ihm nicht mehr gegeben. Und weder Wirtschaftswunder, Wiedervereinigung in Frieden und Freiheit, noch Astronautenflüge oder A-B-C-Waffen waren für ihn besondere Probleme.

Schwerfällig kroch der Mutant auf allen Vieren den kaum nennenswerten Resten der ehemaligen Grenze entgegen. Sorgfältig jeden der spärlich wachsenden Grashalme beachtend, denn er war sehr hungrig.

Die ehemalige Genossin Müller ließ den abgenagten Ast fallen und schob sich mühsam weiter. Ihr Rumpf, unförmig und ziemlich groß, stand in auffallendem Mißverhältnis zu den sehr kurzen Extremitäten und war mit zahllosen Brandnarben bedeckt. In zwei winzigen Schlitzen des runzligen Säuglingskopfes untergebracht, blieben ihre Augen fast unsichtbar. Nun schob sich der aufgedunsene Körper über den verbrannten und mit kaum wahrnehmbarer Vegetation versehenen Boden. Die in dem Säuglingskopf jetzt stattfindenden Vorgänge waren auf jene Dinge beschränkt, die unmittelbar mit Nahrungssuche und Nahrungsaufnahme zusammenhingen. Über die Errungenschaften des Sozialismus, die friedliche Wiedervereinigung, über Kosmonautenflüge und A-B-C-Waffen brauchte sie sich – selbst wenn sie dazu noch in der Lage gewesen wäre – keine Gedanken mehr zu machen.
Eine kalte Windböe richtete den spärlichen Haarwuchs ihrer Hautreste in die Höhe und ließ den Körper frösteln.

Jeder auf seine eigene, ihm charakteristische Weise, so näherten sich die beiden Nachfahren des Volkes der Dichter und Denker ihrer Restgrenze. Für einen Moment standen sich die beiden Überbleibsel unterschiedlicher Staatssysteme ratlos und ängstlich gegenüber. Aber ein eisiger Windstoß fegte ihre Angst fort. Sie krochen frierend näher und drängten sich aneinander. Die Begegnung der beiden vollzog sich leidenschaftslos und völlig undramatisch. Und nicht einen Augenblick lang waren sie sich der Einzigartigkeit dieses historischen Momentes bewußt.

Eng aneinandergepreßt, in der warmen Nähe des anderen, so hielten sie sich umarmt.
Unbeweglich und lange.
Dann hob die Frau schwerfällig ihre linke Hand, tastete über das entstellte Gesicht des Mannes – und begann es mit unbeholfenen Bewegungen zu streicheln.

12 *Anhang*

Ich liebe dich
du liebst mich
wir lieben uns.

Ich liebte dich
du liebtest mich
wir liebten uns.

Ich habe dich geliebt
du hast mich geliebt
wir haben uns geliebt.

Anne Aber

HANNE-LORE VON CANITZ

Zieh dich warm an ...

Psychologische Anmerkungen zum Thema Liebe

„Zieh dich warm an" – was kann das schon mit Liebe zu tun haben. Das sagen Mütter, die frieren, zu ihren Kindern, wenn es im Sommer kälter ist, als sie erwartet haben. Das ist übertriebene Sorge, Bevormundung, Unverständnis – aber doch nicht Liebe – eher das Gegenteil davon. Liebe! Liebe ist doch etwas ganz anderes.

Liebe? Ja, was ist Liebe?

Liebe ist zunächst ein Wort. Ein Wort, das viel sagt, oder gar nichts. Ein abgenütztes Wort. Eine Leer-Formel. Am besten gebraucht man es überhaupt nicht. Es wird doch nur mißverstanden, es ist altmodisch. Vielleicht haben die Leute früher gewußt, was sie damit meinten, wenn sie sagten „ich liebe dich". Heute traut sich das niemand mehr.
Man kann Sauerkraut lieben und Gott.
Den HSV, den 1. FC oder sonst einen Fußballclub.
Rosa oder Grün.
Micky-Maus oder Thomas Mann.
Rock, Punk oder Bach.
Kunst oder Boxen.
Einen Baum, eine Blume, das Wasser, die Berge, eine Stadt, ein Land oder die ganze Welt.
Was sagt man damit schon aus? Leberwurst kann man auch lieben. Man ißt sie gern, das ist es, was eigentlich damit gesagt werden soll. Warum sagt man es nicht gleich so? Na ja, die anderen verstehen schon, was man meint. Immer? Eben nicht!
Wir trauen uns nicht das Wort ‚Liebe' zu benutzen, weil jeder etwas anderes darunter versteht und weil kein Mensch genau weiß, was es bedeutet. Es gibt Hunderte von Büchern über dieses Thema – und jetzt noch eines mehr.
Daß Liebe etwas Wichtiges ist, das weiß jeder. Kinder brauchen sie. Ohne Liebe entwickeln sie sich falsch. Sie werden verhaltensgestört, versagen in der Schule, werden drogenabhängig und kriminell. Das steht täglich in der Zeitung.
Jugendliche träumen von ihr. Sie malen sich Liebesgeschichten aus oder erfinden welche. Die ganz große Liebe – der Märchenprinz – die Superfrau. Mit diesem Menschen ein Leben lang glücklich sein, das wäre super! Ein ganzes Leben lang? Das ist vielleicht doch ein bißchen zu lang. Ob so etwas überhaupt möglich ist? 50 Jahre lang, 60 Jahre – bei unserer hohen Durchschnittslebenserwartung. So lang? Nein, so lang, das geht wohl doch nicht. Immer mit demselben Mann ins Bett, mit derselben Frau; das kann doch gar nicht gehen, das muß doch langweilig werden.
Viel eher schon – nach ein paar Wochen, ein paar Monaten, ein paar Jahren

wird geklagt: „Er liebt mich nicht mehr", „Sie liebt mich nicht mehr", und dann gibt es Streit, gereizte Mütter, die dauernd schimpfen oder Putzteufel werden, mufflige Väter, denen man nichts recht machen kann. Die lieben sich eben *nicht* mehr. Deshalb sind sie so und lassen ihre schlechte Laune an ihrer Umwelt aus.
Alte Menschen sind manchmal so seltsam, weil sie sich einsam, verlassen und ungeliebt fühlen. Auch ihnen fehlt etwas, wenn sie nicht geliebt werden.
Alle Menschen sehnen sich nach Liebe, ganz gleich, wie alt sie sind. Ganz gleich, ob Mann oder Frau. Ohne Liebe kann man nicht leben. Kein Mensch kann das. Man kann auch nicht ohne Essen und Trinken leben. Essen und Trinken gehören zu den Grundbedürfnissen des Menschen. Liebe auch.
Aber Liebe ist mehr! Liebe ist mehr als ein Grund*bedürfnis*. Liebe ist eine Fähigkeit. Eine Fähigkeit, mit der man etwas machen kann. Wir können denken, sprechen und fühlen, auch das sind Fähigkeiten, die zur Grundausstattung jedes gesunden Menschen gehören; sie sind angeboren, ebenso wie die Fähigkeit zu lieben.
Diese Fähigkeiten zu besitzen, das allein bringt noch nicht viel. Bis ein Mensch denken, sprechen, Gefühle empfinden und äußern kann, bis er lieben kann, muß er eine ganze Menge lernen: Er muß lernen, *wie* man diese Fähigkeiten gebraucht. Dabei helfen ihm die Menschen aus seiner Umwelt. Fähigkeiten entwickeln sich und wachsen – wenn die Umwalt das zuläßt. Wenn sie sie fördert, dann geht das schneller. Wenn sie die Fähigkeiten einengt, zuschüttet oder verdrängt, dann können sie sich nur schwer entwikkeln oder verkümmern ganz. Leider gibt es auch das.

Wie entsteht Liebe?

Nur die Fähigkeit zu lieben ist angeboren. Ihren Gebrauch muß man lernen. Vergeht einem da nicht die Lust auf Liebe, wenn auch da schon wieder vom Lernen die Rede ist? Da denkt man an Schule, an Mathe und Fremdsprachen, abgefragt werden, Klassenarbeiten, Frust.
Schullernen ist nicht die einzige Art des Lernens. Laufen muß man auch lernen. Wenn man es kann, hat man meist schon vergessen, *wie* man das gelernt hat.
Der Mensch lernt auf zwei Weisen:
- durch Erfahrung
- durch Wissen.

Im Normalfall erfährt der Mensch die erste Liebe durch seine Eltern. Schon vor seiner Geburt – dann, wenn Eltern sich auf ihr Kind freuen. Heute weiß man, wie wichtig auch vorgeburtliche Erlebnisse für die spätere Entwicklung des Menschen sind. Nicht nur ob die Mutter während der Schwangerschaft zu viel raucht oder trinkt, auch ob sie sich freut oder ob sie Kummer hat, erlebt das ungeborene Kind von einem gewissen Zeitpunkt an intensiv mit. Auch da schon macht es Erfahrungen.
Wenn es auf der Welt ist, spürt das Kind an der Art, wie Eltern oder andere Bezugspersonen sich ihm gegenüber verhalten, ob es geliebt wird. Ein Baby

kann zärtlich angefaßt werden oder grob. Die Laute, die es zu hören bekommt, können liebevoll sein oder hart. Die Atmosphäre, die es umgibt, kann ihm Geborgenheit und Wärme vermitteln, aber auch Kälte und Unsicherheit.

Das ist nichts Neues, jeder weiß es. Aber es sind erste Liebeserfahrungen. Sie bleiben im Gedächtnis. Sie werden gelernt. Durch sie bildet sich ein Grundkapital an Liebe, aus dem dann, wenn das Kind lieben will, geschöpft werden kann.

Noch bevor das Kind in den Kindergarten kommt, durchlebt es eine Entwicklungsphase, in der es vor Liebe geradezu überströmt. „Ich hab' dich ja so lieb" – das sagt es nicht nur zu Mutter und Vater, sondern beinahe zu allem, womit es zu tun hat: zu Menschen, Spielsachen, Tieren und Wolken. Irgend etwas hat es am allerliebsten. Vielleicht den Teddybären. Der muß dann immer und überall mit dabei sein – beim Essen, Schlafen, Baden. Er wird gestreichelt und geküßt. Zärtlich, stürmisch – je nach Temperament und Laune. Und so sieht er dann auch aus. Vielleicht fehlt ihm irgendwann ein Auge, oder ein Arm wackelt. Aber das tut der Liebe keinen Abbruch. Er ist und bleibt der Allerliebste – manchmal bis ins Erwachsenenalter hinein. Wenn ein anderer ihn einmal anfassen darf oder sogar mit ihm spielen, dann ist das eine ganz große Auszeichnung. Wenn er dem Kind weggenommen wird, erleidet es alle Qualen, die man bei Erwachsenen beobachten kann, wenn sie eifersüchtig sind.

Der Umgang mit diesem heißgeliebten Teddybären ist das kindliche Übungsfeld. Hier erprobt es seine Fähigkeit zu lieben. Der Teddybär hat den unschätzbaren Vorzug, daß er weder beleidigt sein kann, noch etwas in den falschen Hals kriegt. Er kann das Kind nicht enttäuschen. Er hat auch keine Eigenschaften, die einem auf die Nerven gehen könnten, er schimpft nicht, er macht nichts kaputt, er nimmt einem nichts weg – Menschen tun derartiges manchmal. Das sind dann weniger schöne Erlebnisse. Aber auch die sind wichtig. Menschen wollen nicht ihr ganzes Leben hindurch nur Teddybären lieben. Irgendwann ist ihnen das zu wenig. Die Möglichkeiten eines Teddybären, Liebe zu erwidern, sind äußerst gering. Er kann es sich nur gefallen lassen, daß er geliebt wird. Er läßt sich in den Arm nehmen, streicheln, drücken, liebkosen, aber zurückgeben kann er von alledem nichts. Das Einzige, das er geben kann, ist zuzulassen, was der Liebende mit ihm anstellt.

Menschen sind komplizierter als Teddybären

Einen Menschen zu lieben, ist weitaus schwieriger. Er ist komplizierter als ein Teddybär. Auch das erfährt ein Kind schon sehr früh in seinem Leben. Manchmal will die Mutter nicht schmusen. Vielleicht ist sie müde. Vielleicht bügelt sie gerade oder muß aufpassen, daß ihre Sauce nicht klumpig wird. Vielleicht hat sie sich gerade geärgert. Dann weist sie die Liebesbezeugungen ihres Kindes zurück. Auch Väter sind nicht zu jeder Zeit zu Zärtlichkeiten aufgelegt. Einem kleinen Kind können sie das nicht erklären, einem großen manchmal auch nicht. Oft auch deshalb, weil sie es überhaupt nicht erklären

können. Es ist nicht leicht, Empfindungen oder Gefühle in Worte zu fassen. Die wenigsten Menschen haben das gelernt. Über Geld können sie reden, über ihre Arbeit, ihren Tagesablauf, über Politik, Fußball und vieles andere. Aber für Gefühle fehlen ihnen die Worte.
So etwas sind erste frustrierende Erfahrungen für ein Kind. Es möchte Liebe geben und erhält eine Abfuhr. Kinder sind dann traurig, weil sie nicht verstehen, was da vor sich geht. Durch dieses Erleben prägt sich ihnen ein, d.h. sie lernen, daß der Mensch, den sie lieben, nicht immer und zu jeder Zeit bereit ist, ihre Liebe anzunehmen. Das dringt aber nicht bis in ihr Bewußtsein, sonst könnten sie später aus dieser Erfahrung Konsequenzen ziehen. Dadurch, daß solche Situationen sich wiederholen, prägt sich aber doch mit der Zeit ein, daß es bei den Menschen, die sie gut kennen, günstige und ungünstige Zeiten für Liebe gibt.
Mit der Zeit merken sie sich, daß Vater, wenn er müde von der Arbeit nach Hause kommt, sich erst einmal ausruhen muß, oder daß Mutter, wenn sie etwas tut, das für sie wichtig ist, nicht gleichzeitig lieben kann.
All dies nennt man Vorerfahrungen. Durch sie wird der Grundstock an Liebe, den das Kind in der ersten Zeit seines Lebens bekommt, geformt. Es hat also bereits eine ganze Menge gelernt: Es weiß schon, wie schön es ist, zärtlich berührt zu werden und zärtlich zu berühren. Gestreichelt zu werden und zu streicheln. Es weiß, daß es Wesen gibt, die sich etwas geben lassen, aber nicht mehr können, als sich das gefallen zu lassen, und andere, die es erwidern. Sie wissen, daß beides gut tut. Wenn die Umwelt es zuläßt, dann wissen sie auch, was das für ein Gefühl ist, wenn man sich selbst streichelt. Sie wissen, daß Füße sich anders anfühlen als der Bauch und die Lippen anders als die Nase. Diese Eigenerfahrungen sind wichtig für jedes Kind, denn nur so erfährt es, wie unterschiedlich die verschiedenen Körperregionen auf Berührung reagieren.
Sie haben auch gelernt, aus dem Tonfall, in dem mit ihnen gesprochen wird, zu schließen, ob etwas Freundliches gesagt wird oder ob jemand böse auf sie ist. Wenn sie richtig sprechen können, dann kennen sie auch Worte, mit denen gesagt werden kann, daß man den anderen lieb hat.
Normalerweise freut sich jedes Kind über das, was es gelernt hat, über das, was es kann. Und das probiert es dann an anderen aus. An den Kindern im Kindergarten, der Kindergärtnerin, Großeltern, Verwandten, Schulkameraden. Dadurch erweitert sich das Erfahrungsfeld. Nicht jeder reagiert so wie der Teddybär oder wie Vater, Mutter. Es lernt Menschen kennen, die das alles ganz anders machen, die intensiver reagieren oder auch schwächer, die sich besser ausdrücken können oder weniger gut. Es stellt fest, daß es Menschen gibt, die das alles überhaupt nicht mögen, und andere, die man sehr glücklich damit machen kann. Es trifft auch auf Menschen, die nur für kurze Zeit Freude an Liebesäußerungen haben, andere, bei denen es lange dauert, ehe sie dazu bereit sind, wieder andere, bei denen es sofort geht, und solche, bei denen es einfach weiß – der hat mich lieb, auch wenn er es nicht ununterbrochen sagt. Gut ist, wenn das die Eltern sind, weil das dem Kind Geborgenheit vermittelt und Sicherheit gibt.

Geborgenheit und Sicherheit entstehen aus der Gewißheit – da sind Menschen, auf die kann ich mich verlassen, die sind da, wenn ich sie brauche. Vielleicht nicht immer in dem Augenblick, in dem ich es für wichtig halte, aber innerhalb eines Zeitraumes, den ich ertragen kann, ohne mich verlassen zu fühlen. Da sind Menschen, die nicht nur da sind, sondern die mir auch meine Fragen beantworten, ehrlich. Menschen, die mich ernst nehmen, die wichtig finden, was ich wichtig finde. Menschen, die mir sagen, was ich gut gemacht habe und was falsch – auch das ehrlich.
Das braucht jeder Mensch, damit er sich richtig einzuschätzen lernt, denn das gibt ihm Selbstsicherheit, und die braucht er, um andere richtig einschätzen zu können, um festen Boden unter den Füßen zu haben, damit er nicht manipulierbar wird. Ein unsicherer Mensch läßt sich leicht beeinflussen – der eine rät ihm das, der andere etwas anderes, und so weiß er zum Schluß überhaupt nichts mehr. Ein selbstsicherer Mensch braucht nicht mißtrauisch zu sein. Er hat Vertrauen zu sich und damit auch zu anderen.

Gibt es Liebesunfähigkeit?

Wie nun ergeht es Menschen, die in weniger guten Verhältnissen aufwachsen? Ist es richtig, daß nur *die* Menschen, die selbst in ihrer Kindheit Liebe erfahren haben, später auch Liebe werden geben können? Oft genug hört man das. Und es ist nicht einmal ganz falsch. Aber es ist auch nicht ganz richtig. Kinder, die ganz ohne Liebe aufwachsen, gibt es nicht. Irgendjemand ist da, der sie liebt. Es müssen nicht Vater und Mutter sein. Die Hilfestellung, die ein kleines Kind braucht, kann auch von anderen Personen gegeben werden.
Unsere Zeit wird – sicher zu Recht – als lieblos, kinderfeindlich, unmenschlich bezeichnet. Viele Kinder wachsen in unvollständigen Familien auf. Manche haben gar keine Familie. Aber selbst wenn sie eine haben, geschieht es viel zu oft, daß ihnen nicht *die* Liebe zuteil wird, die sie brauchen. Unsere Gesellschaft ist leistungsbetont und konsumorientiert. Da bleibt wenig übrig für Kinder – außer materiellem Wohlstand. Deshalb sind so viele Kinder verhaltensgestört, erschreckend viele.
Das bedeutet aber nicht, daß sie deshalb auch liebesunfähig sein müssen. Liebe ist keine ‚zarte Blume', die von jedem Windhauch zerstört werden kann. Menschen sind manchmal so schwach. Liebe nicht. Liebe ist eher mit einem starken Baum zu vergleichen. Liebe ist Kraft. Weil das so ist, kann sie sich auch unter den widrigsten Umständen entwickeln. Es geht nur langsamer und mühevoller. Liebesunfähigkeit gibt es nicht. Nicht bei gesunden Menschen. Daß die Liebesfähigkeit durch zu viel, also falsche Liebe beeinträchtigt werden kann, so daß sie zugeschüttet wird, ist viel häufiger – gerade in unserer Zeit, in der sogar Liebe ‚geleistet' werden muß, in der viele Menschen denken, Liebe ließe sich durch reiche Geschenke ausdrücken oder dadurch, daß alles erlaubt wird. Kinder, die so aufwachsen müssen, haben es viel schwerer, ihre Liebesfähigkeit zu entwickeln, als Kinder, die zu wenig Liebe erfahren haben.

Ist Sexualität erlernbar?

Vater, Mutter, Schwestern, Brüder, Oma, Opa und der Teddybär gaben den Grundstock der Liebesfähigkeit, sie waren die ersten, bei denen diese Fähigkeit geübt werden konnte. Wenn man Glück hat, bleiben sie einem noch weiter erhalten. Die Liebe, die sie gaben und nahmen, ist *eine* Form, in der Liebe praktiziert werden kann. Sie kann ein Leben lang andauern. Aber sie ist nicht die einzige.

Mit dem Eintritt in die Pubertät kommt eine neue Komponente dazu und erweitert die bisherige kindliche Liebesfähigkeit. Die Sexualität. Auch sie ist jedem gesunden Menschen angeboren. Er bringt sie als Anlage mit auf die Welt. Wie alle Anlagen muß sie sich entwickeln, sie muß die Möglichkeit haben, sich zu entfalten; sie kann verschüttet werden, unterdrückt oder gefördert. Daß Sexualität kein Trieb ist wie etwa der Nahrungstrieb, sollte sich inzwischen herumgesprochen haben. Ein Trieb hört dann auf, wenn er befriedigt ist. Wer Hunger hatte, ist satt, nachdem er gegessen hat. Er ißt nicht weiter. Bei der Sexualität ist das nicht so. Es gibt Zeiten, da kann man nicht genug davon kriegen, und manchmal bedeutet sie einem nur sehr wenig; da gibt es anderes, das wichtiger ist.

Mittlerweile weiß man, daß Sexualität eine ähnliche Anlage ist wie das Sprachvermögen. Sprechen muß man lernen, Sexualität auch. Es gibt Menschen, die kommen mit sehr wenigen Worten aus. Sie wollen mit zwei Worten alles beschreiben, was sie erlebt haben: ‚Klasse und Scheiße'. Auf die Dauer wird das etwas eintönig. ‚Klasse und Scheiße', das muß man nicht lernen, das kann jeder sagen. Aber es ist langweilig. Manchmal würde man etwas ganz gern genauer beschreiben, aber dann fehlen Worte, wenn man nur diese beiden kennt. Ein Gedicht läßt sich daraus nicht machen, ebenso kein Liebesbrief. Es gibt aber auch Menschen, die gern diskutieren, die wichtige Sachen mit anderen besprechen, die genau das formulieren wollen, was sie denken und fühlen. Denen reicht ‚Klasse und Scheiße' nicht. Sie wollen mehr Worte zur Verfügung haben, und deshalb lernen sie sie.

Sexualität kann man handhaben wie ‚Klasse und Scheiße', nur, dann ist sie auch so. Genau wie beim Sprechen wird sie so auf die Dauer langweilig und eintönig. Sie macht keinen Spaß mehr. So tun es die Menschen, die immer noch glauben, Sexualität sei ein Trieb, der einen überfällt, gegen den man sich nicht wehren kann, der befriedigt werden muß – egal wie, weil man sonst krank wird oder verrückt oder sonst was. Ihnen ist dann auch mehr oder weniger gleichgültig, mit wem sie Sex machen, sie ziehen eine Nummer ab, und dann ist es gut. Für sie vielleicht. Aber für den Partner? Mit Liebe hat diese Art von Sex nichts zu tun. Braucht sie auch gar nicht. Sagen diese Leute jedenfalls.

Nur, so bleibt Sexualität eigentlich unbefriedigend. Sie hat sehr wohl etwas mit Liebe zu tun. Sie läßt sich als die Körpersprache der Liebe verstehen. Manche halten sie für die höchste Ausdrucksform von Liebe, für die schönste, für die wichtigste. Damit entsteht ein Leistungsdruck, der nicht nötig ist. Daraus ergeben sich Versagensängste, die zur Qual werden können. Dann ist man enttäuscht, wenn es einmal nicht ganz so phantastisch abläuft, wie man es sich gewünscht hat. Damit geht jede Lust verloren, jeder Spaß, alle Freude. Dann kann man nicht mehr spielen mit dem Körper des anderen. Dann wird das alles toternst und trist. Schließlich erzählt man sich doch auch einmal einen Witz oder albert herum. Kann man das noch, wenn Sexualität die höchste Ausdrucksform von Liebe ist? Da lach' ich doch lieber mal!

Besser ist es dann doch, wenn man Sexualität als das sieht, was sie ist: *eine* Kommunikationsform zwischen Menschen, die einander wichtig sind. Eine – neben anderen. Sicher eine wichtige und eine sehr schöne. Damit bleibt man realistisch. Man verlangt nicht mehr von Sexualität, als sie leisten kann, man gibt ihr den ihr angemessenen Stellenwert, geht nicht leichtfertig mit ihr um, kann aber alles tun, was einem selbst und dem Partner Spaß macht.

Aber auch das fällt nicht einfach vom Himmel. Zunächst, wenn die Pubertät beginnt, ist das alles gar nicht immer so schön. Das geht ja nicht – plob! – und man ist ein fertiger Mann oder eine fertige Frau. Auch das ist eine Entwicklung. Plob! – das erlebt man vielleicht einmal, aber nicht dann, wenn man als Mädchen das erste Mal menstruiert oder als Junge zum ersten Mal einen Samenerguß hat. *Das* wird in den wenigsten Fällen als etwas Außergewöhnliches wahrgenommen. Man weiß schließlich, was es bedeutet und daß das jeder Mensch erlebt; daß es absolut nichts Besonderes ist.

Es ist etwas ganz anderes, was dieses – plob! – auslöst. Es geschieht in dem Augenblick, in dem man sich zum ersten Mal wirklich sieht. In dem man erlebt: Ich bin ich. Und das fällt in die Zeit der Pubertät. Diese Erfahrung – ich bin ich – enthält auch die Erkenntnis: Ich bin einmalig in der Welt. Ich bin anders als die anderen. Zunächst ist dieses Gefühl der Einmaligkeit aufregend schön. Man bemerkt aber sehr rasch, daß das auch heißt: Ich bin allein. Keiner versteht mich. Ich bin einsam. Manchmal überwiegt die eine, manchmal die andere Empfindung. Deshalb ist man in dieser Zeit manchmal ‚himmelhoch jauchzend' und manchmal ‚zu Tode betrübt'.

Eltern und Freunde

Fast immer werden Jugendliche dieses Alters in sich gekehrt, wortkarg, ungesellig. Die Eltern wundern sich darüber, viele werden auf einmal ängstlich. Sie fragen sich, ob sie mit der Erziehung alles richtig gemacht haben, und sicherheitshalber passen sie – speziell auf die Töchter – mehr auf und verbieten Dinge, die sie vorher erlaubt hatten. Wenn eine Achtjährige sagt: „Ich übernachte heute bei meinem Freund", dann finden die Eltern das gut, weil ihr Kind selbständig ist. Sagt es eine Dreizehnjährige, eine Vierzehnjährige, eine Fünfzehnjährige – dann kriegen sie es mit der Angst. Was könnte nicht alles passieren? Die Jugendlichen verstehen das nicht – die Eltern können es nicht erklären. Und so kommt es zu Spannungen.

Eltern sind in dieser Entwicklungsphase nur selten Vertraute ihrer Kinder. Aber jemanden braucht man doch, in einer so schwierigen Entwicklungszeit, mit dem man sich aussprechen kann, der ähnliche Probleme hat, der einen versteht. Deshalb bilden sich enge Freundschaften in dieser Zeit. Kinder

haben noch keine Freundschaften. Für sie ist nur wichtig, ob es sich mit dem anderen Kind gut spielen läßt. Diese Form von Beziehung, die vorwiegend auf gleichen Interessen beruht, wird als Kameradschaft bezeichnet. Sympathie spielt dabei eine untergeordnete Rolle. Kameradschaften gibt es auch später noch – in der Schule, beim Sport, bei der Arbeit.
Zur Freundschaft gehört, daß einer den anderen mag und daß er ihm vertrauen kann. Gemeinsame Interessen sind auch wichtig, aber die Sympathie ist entscheidend. Mit dem Freund, mit der Freundin wird alles besprochen, alle Probleme, alle erfreulichen Ereignisse, jeder Ärger, jeder Kummer. Unter Freunden werden auch Zärtlichkeiten ausgetauscht – unter Kameraden nicht. Das ist eine neue Variante, Liebesfähigkeit zu erproben. Jetzt sind Gleichaltrige die Personen, die zärtlich miteinander umgehen. Die Freundin mit der Freundin, der Freund mit dem Freund.
Fast immer ist es ein gleichgeschlechtlicher Partner. Ganz einfach deshalb, weil er einem ähnlich ist. Seinen eigenen Körper kennt man, der des gleichgeschlechtlichen Partners macht einem keine Angst. Jeder Mensch erlebt eine gleichgeschlechtliche Phase. Der eine stärker, der andere schwächer. Wenn Mädchen miteinander schmusen, dann ist das reizend. Kein Mensch findet etwas dabei. Wenn Jungen es tun, erscheint es den meisten Erwachsenen bedenklich. Da steht sofort das Gespenst ‚Homosexualität' im Raum, so als wäre das etwas ganz Übles. Immer noch ist es leider so, daß viele Menschen Homosexualität für etwas Abartiges halten, manche für eine Sünde, die katholische Kirche in ihren öffentlichen Verlautbarungen für eine Krankheit. Wenn Sexualität in erster Linie zur Erzeugung von Kindern vorhanden ist – so meinen es die katholische Kirche und manche andere Religionen – und höchstens für Ehepaare erlaubt, um sich gegenseitig Lust zu spenden, dann kann Homosexualität nicht anders gesehen werden. Viele Eltern empfinden es als großes Unglück, wenn sie homosexuelle Neigungen bei einem ihrer Kinder bemerken. Das ist es auch, solange Homosexuelle durch die Gesellschaft diskriminiert werden. Das müßte nicht sein, wenn mehr Menschen einsehen würden, daß Liebe zwischen Jungen und Liebe zwischen Mädchen nichts anderes ist als eben Liebe. Und gegen Liebe kann wohl kaum jemand etwas einwenden.
Die engen, fast immer gleichgeschlechtlichen Freundschaften werden abgelöst vom Verliebtsein. Mädchen verlieben sich meist in Jungen und Jungen in Mädchen – nicht weil das natürlicher ist, sondern weil sie so erzogen worden sind und weil die Mehrheit der Menschen ihrer Erziehung und Vorbildern folgt.

Ich bin verliebt!

Verliebt sein ist etwas anderes als die kindlichen Liebesformen. Verliebt sein ist, wenn man Schmetterlinge im Bauch spürt, auf Wolken schwebt, nicht mehr richtig denken kann, wenn alles andere unwichtig wird außer dem Menschen, in den man verliebt ist. Da ist die Welt voll Sonnenschein, auch wenn es gießt, da wird alles unwichtig außer dem Einen – außer der Einen!

Ein schöner Zustand? Ja und nein. Es kann aufregend, erregend, umwerfend sein – super, Klasse, Spitze. Das ist es, wenn nicht nur einer verliebt ist, sondern zwei ineinander. Und wenn beide das wissen und es sich zeigen können. Wenn nur einer verliebt ist und der, in den er verliebt ist, es nicht weiß oder nicht will, dann kann es die Hölle sein.
Was will man denn, wenn man verliebt ist? Dem anderen nahe sein, immer bei ihm sein, alles zusammen tun, alles. Kennt der Verliebte den, in den er verliebt ist? Natürlich – muß er ja, sonst wäre es ein Bild oder ein Phantom, in das man sich verliebt hat. Kennt er ihn wirklich? Hat er sich nicht nur von einer Eigenschaft, vom Aussehen, von der Art, wie er geht oder spricht, wie er angezogen ist, beeindrucken lassen und um diesen Eindruck das Bild eines Menschen herumgebaut? Trägt der Verliebte nicht eine rosa Brille, die ihm den Menschen, in den er verliebt ist, in den schönsten Farben zeigt? Wenn er nicht so verliebt wäre, würde er dann – ohne diese Brille – bei nüchterner Betrachtung nicht vielleicht feststellen müssen, daß dieser Mensch so aufregend gar nicht ist? Sieht er ihn nicht nur deshalb so, weil viele andere ihn auch so sehen, weil sie auch ganz weg sind, wenn er auftaucht?
Es ist spannend, verliebt zu sein, aufregend; es weckt viele Wünsche, aber meist hält das alles nicht lange an. Nach einer gewissen Zeit ist es so, als verlöre man die rosa Brille. Dann sieht man den anderen realistisch, dann sieht man auch seine Fehler, dann entdeckt man Eigenschaften, die einem nicht gefallen. Dann fragt man sich – wie konntest du nur ...? Und verliebt sich in den nächsten. Und das gleiche Spiel beginnt von neuem.
Das gleiche Spiel. Verliebtsein ist wie ein Spiel. Es macht Spaß, wenn man gewinnt, und traurig, wenn man verliert. Irgendwann verliert jedes Spiel seinen Reiz. Die Regeln sind bekannt, man kennt es in- und auswendig. Es bringt nichts Neues mehr. Und doch ist dieses Spiel für die Entwicklung der Liebesfähigkeit wichtig. Auch Verliebtsein ist ein Übungsfeld, vor allem durch den prickelnden Reiz, den sexuelle Wünsche in eine solche Beziehung mit einbringen.
Sich streicheln, schmusen, küssen, umarmen, lösen jetzt andere Empfindungen aus als beim Kind, das von der Mutter liebkost wird. Zärtlichkeiten von Verwandten, von Großeltern und Eltern sind bei Jugendlichen, die verliebt sind, nicht besonders gefragt. Sie wehren sich eher dagegen. Sie wollen jetzt, daß der Freund oder die Freundin das tut. Das bringt neue Erfahrungen und ist aufregender.
Auch die Berührung des eigenen Körpers wird anders erlebt als vom Kind. Wenn ein Mädchen die eigenen Brüste streichelt, wenn die Brustwarzen hart werden, wenn es onaniert – das ist anders. Es führt zum Orgasmus, und das ist eine tolle Sache. Beim Jungen ist es nicht anders. Eltern mögen es nicht, wenn ihre Kinder onanieren. Sie meinen oft, das sei schädlich. Früher wurden wahre Schauergeschichten darüber erzählt. Deshalb tun es die Jugendlichen im allgemeinen heimlich. Sie brauchen diese Erfahrung aber, um die Reaktionen ihres eigenen Körpers kennen zu lernen. Mit der Zeit wird es für die meisten uninteressant, weil es schöner ist, wenn es gemeinsam mit einem Partner geschieht, den man mag. Auch das ist eine wichtige Erfahrung: Es tut

gut, sich selbst zu befriedigen, aber besser ist es, dieses Erlebnis mit einem anderen zu teilen.

In dieser Entwicklungsphase lernt man nicht nur seinen Körper neu kennen, sondern vieles andere an sich selbst auch. Ganz entscheidende Fragen tauchen zum ersten Mal auf: die nach dem Tod und dem Sterben, nach dem Sinn des eigenen Lebens; die Lebensweise und die moralische Einstellung der Erwachsenen werden kritisch unter die Lupe genommen und meist abgelehnt. Viele Jugendliche würden gern mit ihren Eltern über deren Vergangenheit sprechen, sie wüßte gern, warum die Eltern so leben, wie sie es tun. Aber die wenigsten Eltern haben Zeit für solche Gespräche. Sie haben immer viel zu tun und halten diese Tätigkeiten für so wichtig, daß die Fragen der Jugendlichen untergehen.

So bleibt ihnen nichts anderes übrig, als sie mit Gleichaltrigen zu diskutieren. Da die Erwachsenen häufig das Sich-Absetzen der Jugendlichen von den traditionellen Lebensformen als Protest verstehen und ablehnen, wird die Bedeutung der Meinung Gleichaltriger wichtiger als die der Erwachsenen.

Es ist nicht leicht, sich in dieser Zwischenwelt von Kindheit und Erwachsensein zurechtzufinden. Einer allein kann das kaum. So bilden sich Gruppen, die sich gegenseitig unterstützen und beeinflussen. Wie stark dieser Einfluß wirksam wird, hängt davon ab, wie gefestigt die Wertvorstellungen eines Jugendlichen schon sind. Wertvorstellungen werden in der frühen Kindheit geprägt – *nicht* in der Pubertät. Da werden sie differenziert, verfeinert, genauer. Gut und böse, Hilfsbereitschaft, Fairness – das lernt ein Kind ganz früh in seinem Leben durch das Verhalten seiner Umwelt. Deshalb ist *jetzt* der falsche Zeitpunkt für Eltern, solche Werte ihren Kindern beibringen zu wollen. Von den Eltern werden sie nun nicht mehr angenommen.

Ob man seinen Freund linkt, ob man ihm treu ist, ob man ehrlich mit ihm umgeht – das ist früher gelernt worden. Wenn nicht, dann muß man ganz schön Lehrgeld bezahlen. Das ist wie bei Kinderkrankheiten – je später sie auftreten, um so schwieriger verlaufen sie. Sie bringen einen aber auch nicht um. Und so kann man auch zu jeder Zeit des Lebens noch lernen, was man früher versäumt hat.

Die körperliche Veränderung während der Pubertät ist nicht die Hauptsache, wohl aber die geistige – die Begegnung mit sich selbst. Sie ist nicht zeitlich begrenzt. Bei Menschen, die bewußt leben wollen, dauert sie ein ganzes Leben lang.

Das ist den meisten Menschen zu mühsam, und deshalb hören sie mit dem Nachdenken über sich selbst und über andere Menschen bald wieder auf. In letzter Zeit wird viel darüber gesprochen, daß es eigentlich nur noch zwei Lebensphasen gibt, die genau zu beschreiben sind: Kindheit und Greisenalter. Die Zeit dazwischen ist verwischt. Es wird vom ‚Erwachsenenkind' gesprochen. Kinder sind eher ‚reif' als früher, Erwachsene bleiben kindlich. Sie haben keine eigene Meinung, haben Schwierigkeiten, selbständige Entscheidungen zu treffen, sie sind nicht liebesfähig, weil Liebe sich für sie in Sex erschöpft, und der erschöpft sie bald. ‚Null Bock' – das ist eine Erscheinung, die typisch für unsere Zeit zu sein scheint. Viele können sich nicht einmal mehr verlieben, wenn sie die 30 überschritten haben; besonders die Menschen, die niemals Gelegenheit fanden, sich mit sich selbst auseinanderzusetzen.

Bewußt und selbstbewußt lieben und leben

Von Kindheit an gab es immer jemanden, der gesagt hat, was und wie etwas zu tun sei. In der Schule die Lehrer, später der Meister, bei der Arbeit der Vorgesetzte, in der Freizeit das Fernsehen und die anderen Massenmedien. Da braucht man nicht nachzudenken, wenn einem alles gesagt wird. Und dann tut man es auch nicht. So kann man sich nicht kennenlernen – weder seine eigenen Fähigkeiten noch seine Grenzen. Man macht eben nur, was einem vorgeschrieben wird – die anderen verhalten sich nicht anders. *So* kann man kein Mensch mit eigenem Bewußtsein werden. *So* ist man leicht zu manipulieren und zu verführen. *So* kann man auch nicht die eigenen Bedürfnisse kennenlernen und schon gar nicht die des anderen. Wie soll auf diese Weise eine gut funktionierende, erfüllende Partnerschaft entstehen können?

All die Jugendlichen, die noch nicht durch Anpassung verdorben sind, wehren sich gegen diese flache, oberflächliche Lebensform, in der Leistung und Ordnung die einzigen Werte sind, und Konsum das Wichtigste überhaupt. Den ganzen Tag arbeiten, müde nach Hause kommen, abends vor der Glotze hängen und dann ins Bett fallen, das ist nicht die Art Leben, die ein junger Mensch sich wünscht. Die Erwachsenen haben sich auch einmal etwas anderes vorgestellt.

Eltern sagen: „Ihr habt Rosinen im Kopf“, „Es können nicht alle Wünsche in Erfüllung gehen“, „So ist das Leben eben“, und resignieren. „Man muß zufrieden sein mit dem, was man hat“ – „Seid nicht so anspruchsvoll, ihr bekommt doch alles, was ihr wollt“ – „Ihr habt mehr als wir in eurem Alter gehabt haben“. Als wäre das ein Trost. Außerdem stimmt es nicht. Jugendliche haben eben nicht alles, was sie wollen – an materiellen Dingen vielleicht, Geld auch, aber nicht das, was sie wirklich brauchen: menschliche Zuwendung, Gesprächspartner, verständnisbereite Zuhörer. Und schon gar keine Vorbilder, an denen sie sich messen können, die ihnen vorleben, wie ein erfülltes Leben aussehen kann, die ihnen zeigen, wie es ist, wenn Menschen sich lieben, wie Menschen sich verändern, wenn sie lieben. Wie die Welt sich verändert.

Deshalb verändert sich die Welt auch nicht – jedenfalls nicht zum Positiven. Streß gibt es, Frust, Angst, Depressionen – bei den Erwachsenen und immer mehr auch bei Kindern und Jugendlichen. Wen kann das noch wundern.

So verliebt kann kein Mensch sein, daß er in einer solchen Umwelt die Ruhe findet und die Atmosphäre, die es zulassen, sich selbst zu erfahren und zu erleben. Deshalb ist die Pubertät eine Zeit des Kampfes – gegen diese Umwelt und für sich selbst. Es ist die Zeit, in der die Liebesfähigkeit und viele andere Fähigkeiten endgültig verschüttet werden können, wenn man nicht höllisch aufpaßt. Für den Jugendlichen ist es jetzt besonders wichtig, daß er sich verlieben kann. Während er verliebt ist, schirmt ihn das Verliebtsein ab gegen

die Forderungen unserer Gesellschaft und schafft ihm Raum für seine eigene Entwicklung. Es ist ein ‚unsozialer' Zustand, verliebt zu sein; Weltereignisse werden uninteressant, Schule sowieso, Politik – na ja. Sozial ist der Verliebte nur gegenüber sich selbst und gegenüber dem Menschen, in den er verliebt ist. In dieser Reihenfolge. Verliebtsein ist eine Stimmung – man selbst ist gestimmt, und dieses Gestimmtsein beeinflußt die Betrachtung der Umwelt.
Verliebtsein – was hat das mit Liebe zu tun? Es ist, wie die kindliche Liebe, eine Vorstufe, ein Übungsfeld, ein Zustand, in dem neue Erfahrungen gesammelt werden – über andere Menschen und über sich. Verliebt sein kann man auch in sich selbst. ‚Narzißmus' nennt das die Wissenschaft. Lange Zeit wurde das als eine Art Krankheit, zumindest als Fehlhaltung bezeichnet. Verliebt ist man nicht objektiv, man sieht nur, was man sehen will, aber man sieht. Und deshalb muß man auch in sich verliebt sein können, damit man sich wenigstens einmal wohlwollend betrachtet, sich nicht nur durch die Augen von anderen sieht. Es ist nicht schlimm, wenn man sich dabei überschätzt. Die Wirklichkeit, mit hartem Urteil, kommt in jedem Fall zurück und relativiert das eigene Bild.
Verliebtsein – findet das nur während der Pubertät statt? Wenn man es nicht verlernt, was traurig wäre, so kann man sich sein ganzes Leben hindurch immer wieder neu verlieben. Wer etwas gelernt hat aus der jugendlichen Verliebtheit, wird diesen Zustand später sehr genießen, weil er etwas Prickelndes, Aufregendes in den gleichförmigen Alltag hineinbringt. Wer nichts daraus gelernt hat, wird sein Leben lang immer *nur* verliebt sein können, immer nur bestimmte Eigenschaften für den ganzen Menschen halten und deshalb immer wieder enttäuscht werden. Er bleibt dann so ein ‚Erwachsenenkind', ein Typ, der irgendwann resigniert.

Und was ist nun Liebe?

„Himmelhoch jauchzend, zu Tode betrübt – glücklich allein ist die Seele, die liebt". Das hat Goethe gesagt. Es stimmt trotzdem nicht. Er beschreibt den Zustand des Verliebtseins. Immerhin bringt er die ‚Seele' ins Spiel, von der kein Mensch so genau weiß, was sie ist. Jedenfalls ist sie nicht Körper, und somit ist klar, daß Liebe und Sexualität verschiedene Dinge sind. Sie haben eine Menge miteinander zu tun, aber Liebe *ist* nicht Sexualität und Sexualität nicht Liebe.
‚Liebe ist eine Fähigkeit, mit der man etwas machen kann', eine Anlage, die sich entwickeln muß und die bestimmte Vorstufen durchläuft. Sie ist auf einen Partner ausgerichtet. Partnerschaft ist eine Beziehung zwischen zwei Menschen auf gleicher Ebene, gleicher Bewußtseinsebene oder gleichen Entwicklungsstandes. Ein Kind kann nicht Partner eines Erwachsenen sein, weil es nicht erwachsen ist. Beziehungen zwischen Kind und Erwachsenem gehen von unten nach oben oder von oben nach unten. Oben und unten gibt es in der Partnerschaft nicht. Da ist jeder gleichgestellt. Partnerschaft und Freundschaft sind einander sehr ähnlich: Bei beiden Beziehungen ist Sympathie eine entscheidende Voraussetzung, gleiche Interessen sind wichtig, Verantwor-

tungsbewußtsein und gegenseitige Hilfsbereitschaft ebenfalls. In einer Liebesbeziehung ist all das enthalten, was bis jetzt beschrieben wurde. Es gibt nicht zwei Liebesgeschichten, die einander völlig gleich sind, weil es keine völlig gleichen Menschen gibt – nicht einmal bei eineiigen Zwillingen. Aber einige Elemente gehören unverzichtbar zur Liebe: Zwei Menschen begegnen sich, sie gefallen sich. Manchmal springt ein ‚Funke' über, manchmal ist es eine bestimmte Bewegung, die der andere macht, manchmal ein Blick oder die Art, wie er spricht. Manchmal sind es die Augen, die Haare, der Mund, manchmal weiß man gar nicht, was es ist. Es ist einfach etwas. Dieser Mensch interessiert mich – auf den stehe ich. Dann will man den anderen kennenlernen. Man möchte wissen, was er für Gedanken hat, was er fühlt, ob er genauso empfindet wie man selbst. Man möchte seine Bedürfnisse kennenlernen, und man wünscht sich, daß der andere das alles auch möchte.
Das kann man nicht bei einer ersten Begegnung erfahren. Dazu muß man sich häufiger sehen. Man will so oft wie möglich mit dem anderen zusammensein – am liebsten eigentlich immer. Früher oder später kommt der Zeitpunkt, zu dem man dem anderen sagen möchte: „Ich liebe dich". Aber man traut sich nicht. Diese drei Worte kommen in Schlagern vor, in Kitschromanen, in Operetten. Als Frage „Liebst du mich?" werden sie schon eher gebraucht. Die Antwort ist dann selten: „Ja", eher: „Das weißt du doch", oder: „Merkst du das nicht?". „Ich liebe ihn", „Ich liebe sie", das sagt man zu sich selbst. Es muß auch nicht unbedingt sein, daß man „Ich liebe dich" sagt. Es gibt unendlich viele andere Aussagen, die das beinhalten; z.B.: „Zieh dich warm an", „Fahr vorsichtig", „Komm bald wieder". Dahinter steht doch unmißverständlich – es ist mir wichtig, daß du dich nicht erkältest, daß dir nichts Böses geschieht, daß du gesund wiederkommst, daß ich dich bald wieder sehe. Die Sprache der Liebe hat viele Worte. Wenn sie von einem Liebenden dem Geliebten gesagt werden, dann versteht er sie auch so, wie sie gemeint sind. Die Sprache der Liebe hat viele Worte, aber oft braucht sie kein einziges. Da genügen wortlose Äußerungen: daß der andere erkennen kann, daß man sich freut, wenn man ihn sieht, daß man sich wohlfühlt, wenn man mit ihm zusammen ist, daß man sich berührt.
Bevor dies alles verstanden werden kann, muß man sich gegenseitig gut kennen. Das braucht Zeit. „Zieh dich warm an", das kann auch eine überbesorgte Mutter sagen, nicht aus Liebe, sondern weil sie befürchtet, daß ihr Kind krank wird, und sie sich dann freinehmen muß und ihr Chef deswegen Schwierigkeiten macht. „Komm bald wieder", muß auch nicht immer Sehnsucht als Hintergrund haben, es kann ebenso Mißtrauen sein, was der andere wohl tut, während er weg ist.
Wer so etwas sagt, muß wissen, ob der, dem er es sagt, nicht vielleicht allergisch ist gegen solche Sätze, weil er sie schon zu oft und mit anderer Bedeutung gehört hat. Worte verändern ihre Bedeutung, je nachdem, von wem und warum sie gesprochen werden. Manchmal erfindet die Liebe auch völlig neue Worte, die nur von den Liebenden verstanden werden. Das setzt voraus, daß man sich schon gut kennt.
Mit der Körpersprache ist es ähnlich. Streicheln kann unheimlich schön sein,

wenn der Geliebte streichelt. Es kann auch weniger schön sein, wenn dabei Stellen berührt werden, die das Gestreicheltwerden nicht mögen. Die hat fast jeder. Ebenso hat jeder Mensch Stellen, an denen er das Streicheln besonders gern hat. Auch das muß man wissen. Die wenigsten Menschen sind Hellseher, also muß man es ihnen sagen. Nicht alle Menschen sind so sensibel, daß sie es merken, ganz von allein, und nicht alle Menschen sind in der Lage, den anderen spüren zu lassen, was ihnen gut tut und was nicht.

Nun wissen also beide, daß sie sich lieben. Wie geht es jetzt weiter? Sie wünschen sich, daß das immer so bleibt, daß die Liebe, die sie jetzt füreinander empfinden, niemals aufhören möge. Manche glauben daran, daß ihnen das gelingen wird. Manche befürchten, daß das eine Illusion ist; daß es das in Wirklichkeit gar nicht gibt, daß sich zwei Menschen ein ganzes langes Leben lang lieben können.

Man braucht sich doch nur umzusehen: Da feiert ein Paar Silberhochzeit – 25 Jahre verheiratet – es ist bekannt, daß die beiden oft Streit miteinander haben. Aber bei dem Fest tun sie so, als sei alles in bester Ordnung. Ist das nicht Heuchelei? Großeltern feiern goldene Hochzeit – 50 Jahre verheiratet –, sie sprechen kaum miteinander. Haben sie sich nach so langer Zeit überhaupt noch etwas zu sagen? Lieben sie sich noch?

Wie viele Eltern lassen sich scheiden – nach ein paar Jahren, nach vielen Jahren. Die lieben sich nicht mehr. Nichtverheiratete leben zusammen: wie lange dauern solche Beziehungen – ein paar Monate, ein paar Jahre? Wie viele bleiben zusammen aus wirtschaftlichen Gründen, wegen der Kinder, aus Gewohnheit, aus Angst vor dem Alleinsein – auch die lieben sich nicht mehr. Liebe kann also auch aufhören. ‚Liebe ist eine Fähigkeit, mit der man etwas machen kann.' Bei Liebe, die aufhört, wurde zu wenig mit dieser Fähigkeit gemacht. Denn immer noch glauben sehr viele Menschen: Liebe fällt vom Himmel oder sonstwoher, ist da und bleibt. Wenn sie überhaupt über Liebe nachdenken, dann erscheint sie ihnen wie ein Stein. Ein Stein ist ein Stein, bleibt einer und wird immer einer sein. An ihm ändert sich nichts. Er wird höchstens mit der Zeit unansehnlich, und dann wirft man ihn weg. Dem Auto, der teuren Polstergarnitur, dem Videogerät wird mehr Sorgfalt zuteil als der Liebe. Dabei sind das alles nur Gegenstände. Liebe ist kein Gegenstand, schon gar kein Stein. Deshalb sollte man mit ihr auch nicht umgehen, als wäre sie einer. Tut man es dennoch, braucht man sich nicht zu wundern, wenn sie unansehnlich wird, verlorengeht, auf einmal nicht mehr da ist.

Eine Fähigkeit, die unbeachtet bleibt, mit der nichts geschieht, die nicht gefördert wird, verkümmert, stirbt dahin – wie eine Pflanze, die nicht gegossen wird.

Wie erhält man Liebe am Leben?

Zunächst muß man wissen, daß Liebe nicht nur viele Ausdrucksmöglichkeiten hat, sondern außerdem veränderbar ist. Sie kann sich jeden Tag ändern. Sie ändert sich mit Sicherheit innerhalb von Monaten und erst recht von Jahren. Sie ist kein gleichbleibender Zustand wie z. B. Eis. Eis ist Eis. Wenn es schmilzt, ist es kein Eis mehr, dann ist es Wasser. Liebe ändert sich in dem Maß, wie die Menschen sich ändern. Die Menschen beeinflussen durch ihre eigene Veränderung ihre Liebe. Die Ausdrucksweisen der Liebe werden anders. Das Kind liebt seine Eltern oder den Teddybären anders als junge Menschen sich lieben, wenn sie verliebt sind.

Es ist gar nicht sicher, daß das Silberhochzeitspaar, von dem bekannt ist, daß es oft Streit hat, sich nicht mehr liebt. Streit ist nur auffälliger als Liebe. Und auch die Großeltern, die goldene Hochzeit feiern – wer weiß denn, ob sie sich wirklich nichts mehr zu sagen haben, nur weil man sie so selten miteinander reden hört. Es kann doch sein, daß ihr weniges Reden ein Zeichen von Übereinstimmung ist, daß sie andere Arten der Verständigung entwickelt haben im Laufe ihres langen Zusammenlebens. Manchmal genügt ein Blick, ein Zucken mit der Augenbraue, ein Verziehen des Mundes, eine leichte Bewegung mit der Hand – und der andere hat schon verstanden.

Es bleibt nichts gleich im Leben eines Menschen. Nichts ist wiederholbar. Kein Augenblick gleicht dem anderen. Gegenwart wird Vergangenheit, noch während man sie lebt.

Menschen verändern sich. Ein Erwachsener wird nie wieder ein Kind sein können. Wenn jemand bei einem Wiedersehen nach langer Zeit gesagt bekommt: „Du hast dich gar nicht verändert“, so ist das kein Kompliment. Das bietet eher Anlaß zum Erschrecken.

Daß Menschen und Liebe sich verändern, merkt man spätestens, wenn man ‚Liebeskummer‘ hat, wenn es nicht mehr so richtig läuft mit dem Partner, wenn Spannungen auftauchen und Mißverständnisse. Da fragt man sich plötzlich: „Hab ich etwas falsch gemacht?“ oder: „Mache ich etwas falsch?“, „Warum ist der andere so anders?“ „Hat er etwa einen anderen Partner und sagt es mir nur nicht?“. Dann hat Goethe doch wieder recht, dann ist man ‚zu Tode betrübt‘.

„Bisher wurde mein Schokoladenpudding, von dem ich wußte, daß er ihn besonders gern ißt, mit Begeisterung verschlungen, jetzt wird er weggeschoben.“ Auf die Idee, daß kein Mensch sein Lieblingsgericht bis in alle Ewigkeit gern mag, kommt man zunächst nicht. Vielleicht ißt er jetzt lieber Pflaumenmus?

Schokoladenpudding ist zur Gewohnheit geworden und damit alltäglich. Gewohnheit ist wie zuviel Wasser für eine Pflanze. Auch das bekommt ihr nicht. Hinter diesem Verhalten steht Gedankenlosigkeit. Man nimmt eine Sache einfach als feststehend und selbstverständlich. Das verträgt keine Beziehung. Eine Beziehung ist etwas Lebendiges, sie darf nicht einbetoniert werden.

Dann leidet man, ist unglücklich, mißtrauisch, zieht sich in sich selbst zurück, und alles wird noch viel schlimmer. Den Partner macht dies auch nicht fröhlicher, und so kümmern beide vor sich hin. Es ist schwierig, aus einem solchen Gemütszustand heraus aktiv zu werden. Aber man muß es, um wieder Klarheit zu schaffen. Einer von beiden muß anfangen, darüber zu reden. Und der andere muß antworten. Dann erfährt man, was sich geändert hat. Im Falle Schokoladenpudding und Pflaumenmus ist das Problem leicht

zu lösen. Da hat sich einfach nur der Geschmack geändert. An solchen Kleinigkeiten – wenn sie nicht bereinigt werden – kann sich eine ganze Kette weiterer Kleinigkeiten anknüpfen, und dann entsteht, beinahe unbemerkt, die ganz große Krise, die vielleicht das Ende der Liebe bedeutet.
Das muß nicht so sein, wenn beide noch miteinander reden können. Dann läßt sich auch eine große Krise bewältigen. Dann kann man neu anfangen. Jeden Tag neu anfangen – das ist die Hauptregel dafür, wie man Liebe am Leben erhält. Jeden Tag sich selbst fragen, habe ich noch die gleichen Wünsche wie gestern, die gleichen Bedürfnisse, die gleichen Interessen? Wie ist das bei meinem Partner? Möchte er, daß unser Zusammensein anders verläuft? Traut er sich vielleicht nur nicht, es auszusprechen?
Dabei kann es passieren, daß man feststellt, daß der andere etwas möchte, was man nicht leisten kann oder nicht leisten will. Was tut man dann? Ihm nachgeben, nur damit man ihn nicht verliert? Das wäre keine gute Lösung, denn dabei verliert man sich selbst. Kein Mensch kann mehr geben, als er zu geben hat. Das muß man wissen. Wer versucht, mehr zu geben, als er geben kann, vergewaltigt sich selbst, wird ein Opferlamm. Das ist keine gute Rolle. Man darf es sich aber auch nicht zu leicht machen mit diesem Satz. Er könnte als Freibrief benützt werden, der es einem erspart, sich Gedanken zu machen, *was* und wieviel man geben kann. Oft ist es so, daß man von sich selbst nicht genau weiß, was man geben kann; bei manchen Dingen denkt man, das ist ganz unmöglich, das kriege ich nie hin – und hat es noch gar nicht versucht. Wenn man es dann doch versucht, zunächst vielleicht nur dem anderen zuliebe, ist man erstaunt, daß man es doch kann. Diesen Versuch müßte einem eine Partnerschaft schon wert sein. Wenn sich dann herausstellt, daß man es wirklich nicht kann, dann muß sich der andere die Frage stellen, ob ihm dieses Bedürfnis, das er da gerade geäußert hat, wirklich unverzichtbar ist.
Jemand ist Fußballfan, der Partner nicht. Ist es ein Zeichen von Liebe, trotzdem brav jeden Sontag mit auf den Fußballplatz zu zockeln und sich zu langweilen? Zuerst sollte man einmal probieren, ob Fußball nicht doch interessant sein kann, denn eine Sache kann zunächst langweilig erscheinen, weil man sie nicht kennt. Dieser Mühe muß man sich schon unterziehen, wenn man einen Fußballfan liebt. Falls sich dann herausstellt, daß man sich beim besten Willen nicht dafür erwärmen kann, dann ist es kein Zeichen von Liebe, wenn man trotzdem mitgeht, sondern eher eines von Dummheit.
Das ist ein weiterer wichtiger Grundsatz: Man muß begreifen, daß man nicht alle Bedürfnisse mit ein und demselben Partner wird abdecken können. Es bleibt immer etwas übrig, auf das der eine und der andere verzichten müssen. Alles gemeinsam tun – das gibt es nicht. Das ist ein Wunschtraum, den zwar jeder Mensch hegt, der sich aber nie erfüllen läßt.

Was ist wichtig in der Liebe?

In der Liebe, wie in den meisten anderen Lebensbereichen, muß man Prioritäten setzen. Man muß wissen, was einem am wichtigsten und was weniger

wichtig ist. Darüber sollten Liebende sich einigen. Beide müssen voneinander wissen, was jedem von ihnen wichtig ist und was ihnen gemeinsam. Das klingt sehr kompliziert. Ist es aber nicht. In der ersten Phase der Liebe, während man sich gegenseitig kennenlernt, tut man im Grunde nichts anderes, als das herauszufinden. Immer wenn man etwas zusammen unternimmt, stellt man fest, ob das gemeinsam Spaß macht oder vielleicht nur einem. Da braucht nicht lange darüber gesprochen zu werden; man merkt es am Verhalten. Disco – zusammen tanzen, geht prima, macht Spaß – alles klar. Kino – Western, nee, Liebesfilme, bloß nicht, Krimis – Klasse! Zusammen frühstükken – toll – nee, Schwachsinn, bin Morgenmuffel – was dann? In den Ferien vielleicht? Ja – in den Ferien. Auch gut. So oder ähnlich läuft das ab. Dazu braucht es nicht vieler Worte. Und so spielt es sich dann ein.
Disco, Kino, zusammen frühstücken sind nicht das ganze Leben. Was ist, wenn die Frage auftaucht: ein Kind, ja oder nein? Das spielt sich nicht ein, wenn man sich da uneinig ist. Darüber muß man reden, damit muß man sich auseinandersetzen. Es gibt überzeugende Motive für ein Kind, aber auch ebenso überzeugende dagegen. Grundsätzlich sollte kein Kind auf die Welt kommen müssen, das nicht gewollt ist. Es kann nur schwer ein glückliches Kind werden. Wenn der, der gegen das Kind ist, nicht umzustimmen ist, dann sollte der andere verzichten.
Verzichten ist eine Fähigkeit, die heute kaum jemand gelernt hat. Alle neigen dazu, daß Wünsche sofort in Erfüllung gehen müssen. Auf die Wunscherfüllung zu warten, fällt schwer. Aber damit eine Liebesbeziehung bestehen bleibt, muß man das können. Der andere hat nicht immer zur gleichen Zeit die gleichen Bedürfnisse wie man selbst. Erzwungene Bedürfnisbefriedigung befriedigt nur einen von beiden, also muß man notgedrungen verzichten lernen, wenn man es noch nicht kann. Auch das ist eine Grundbedingung, um Liebe am Leben zu erhalten. Wohlgemerkt: verzichten und warten können, bis der andere bereit ist, das schon, aber nicht bis ans Lebensende. Dann wird man wieder zum Opferlamm.
Wenn man spürt, daß der andere etwas ganz dringend braucht, und zwar sofort, dann muß man auch einmal bereit sein, über seinen Schatten zu springen, weil der andere es so dringend braucht. Z. B. – jemand hat furchtbaren Ärger bei seiner Arbeit gehabt, vielleicht weil er einen Fehler gemacht hat. Jetzt hat er höllische Angst, daß er seinen Job verliert. Er *muß* darüber sprechen. Der andere sitzt gemütlich vor dem Fernseher, schaut sich etwas an, das ihn sehr interessiert. Beide Bedürfnisse sind berechtigt – aber – es gibt Situationen, da kann man nicht warten, da braucht man einen Menschen, der zuhört, der tröstet, Rat gibt, zu einem steht, hilft. Keiner kann das besser als der Liebende und Geliebte.
Sich gegenseitig Halt geben, ohne sich zu fesseln, da sein, wenn man gebraucht wird, Kraft geben, wenn der andere verzweifelt ist – auch das sind Grundelemente der Liebe. Sie dürfen nicht verlorengehen, wenn Liebe am Leben bleiben soll: sich auf jemanden verlassen können, die Sicherheit haben, nicht im Stich gelassen zu werden, auch dann, wenn es einem einmal nicht gut geht. Wie erträgt man, wenn der Mensch, den man liebt, auch Eigenschaften

hat, die man am Anfang nicht bemerkt hat, oder von denen man annahm, sie würden einem nicht so viel ausmachen, oder er würde sie schon ablegen im Lauf der Zeit? Wie geht man damit um? Soll man nicht doch versuchen, den Partner zu ändern, bis er so wird, wie man ihn sich wünscht? Von manchen die Beziehung störenden Gewohnheiten kann man sich problemlos trennen, aber es gibt auch Eigenschaften, die gehören einfach zu diesem Menschen. Die wird er nicht ablegen können, ohne sich selbst zu vergewaltigen, ohne seine Persönlichkeit aufzugeben.

Meist stellt nicht nur der eine Partner fest, daß der andere nicht in allem so ist, wie er es sich gedacht hat, sondern beide müssen diese Erfahrung machen. Und wenn man den anderen nicht ändern kann, dann muß man ihn wohl tolerieren – so wie er ist, wenn man ihn liebt? Tolerieren ist zu wenig. Tolerieren heißt dulden, ertragen. Das genügt nicht. Man muß ihn akzeptieren – *so* wie er ist. Akzeptieren heißt annehmen, anerkennen; das ist mehr und anders als dulden. Das sind hohe Forderungen, die da gestellt worden sind. Geht es wirklich nicht anders? Ist Lieben *so* schwierig? Ja. Nur, wenn man liebt, dann fällt das alles nicht so schwer, wie es zunächst den Anschein hat. Dann tut man es gern, gibt sich Mühe, wenn einem die Liebe etwas wert ist. Wo bleiben nun Freude, Spaß, Lust – bisher klang alles so furchtbar ernst. Freude, Spaß, Lust, ausgelassen sein, miteinander Unsinn treiben, lachen, albern – das muß man nicht lernen, das stellt sich in einer guten Liebesbeziehung von selbst ein.

Wie ist es mit dem Glück?

Gemeinsam glücklich sein, das sind die Höhepunkte, das ist niemals Dauerzustand. Dauerzustand ist der Alltag, sind die kleinen Schwierigkeiten, die gemeinsam bewältigt werden müssen. Große Probleme lassen sich leichter lösen, weil man da einfach zusammenhalten muß, damit es gelingt. Gemeinsam glücklich sein kann sich ereignen, auch wenn man gemeinsam traurig ist. Daß man es gemeinsam ist, darin besteht das Glück. Glück kann wie ein Rausch sein, aber auch wie ein sanfter Wind. Glücklich kann man auch allein sein, wenn der andere etwas tut, worin man seine Liebe spürt.

Und wenn man sich trennen muß? Für kurze Zeit erscheint es einfach. Aber für längere Zeit? Wenn jemand zu einer Ausbildung in einer anderen Stadt leben muß, oder wenn ihn seine Arbeit in ein anderes Land verschlägt? Wird Liebe weniger, je größer die Entfernung zwischen den Liebenden ist und je länger die Abstände, in denen sie sich sehen können? „Aus den Augen – aus dem Sinn" – stimmt dieses Sprichwort? Viele, vor allem junge Menschen befürchten das. Sie meinen, nur wenn man dauernd zusammen ist, kann Liebe bestehen bleiben. Es hängt von der Liebe ab, von den Menschen, die lieben, nicht von Zeit oder Entfernung, ob Liebe am Leben bleibt. Wenn der geliebte Mensch einem wichtig ist, wenn die Liebe zu ihm einem viel bedeutet, dann bleibt sie erhalten. Beispiele dafür gibt es genug. Man kann auch dann noch einen Menschen lieben, wenn er längst gestorben ist; über den Tod hinaus kann er einem Kraft geben.

Und Treue? Gehört sie unverzichtbar zu Liebe? Untreue ist bekannter. Als erstes fällt jedem dabei ein – mit einem anderen schlafen. Macht das eine Beziehung kaputt? In vielen Fällen ja. Nicht, *daß* man mit einem anderen geschlafen hat, ist das Schlimme daran, sondern daß man seinen Partner damit verunsichert. Sexuelle Untreue kann aber auch eine Chance für eine Beziehung sein. Wenn das Bedürfnis besteht, mit einem anderen zu schlafen, dann müßte klar sein, daß in der eigentlichen Beziehung etwas nicht stimmt. Dann sollte man sich fragen, was das ist, und kann es abstellen, wenn die Beziehung im Prinzip in Ordnung ist. Dann kann man neu anfangen.

Nicht nur sexuelle Untreue ist Untreue. Wenn die Arbeit wichtiger wird als der Partner, auch das ist Untreue. Wenn man selbst sich innerhalb seiner Beziehung so verändert hat, und einem bewußt wird, daß man zu viel von der eigenen Persönlichkeit aufgegeben hat, daß man sich zu stark angepaßt hat – auch das ist Untreue. Man kann nur dann seinem Partner treu bleiben, wenn man sich selbst treu bleibt. Das heißt nicht, daß man sich nicht verändern darf – im Gegenteil. Es wäre schlimm, wenn ein Dreißigjähriger ebenso empfinden würde wie als Sechzehnjähriger. Normalerweise verändern sich beide Partner im Lauf der Zeit und durch ihr Zusammensein. Liebe muß die Freiheit zur Weiterentwicklung des Einzelnen enthalten. Wenn das nicht so ist, wird zwangsläufig einer von beiden eines Tages abspringen. Das bedeutet, daß auch innerhalb einer Liebesbeziehung dem jeweiligen Partner Raum und Zeit für sich selbst bleiben muß – sonst erstickt man, erdrückt sich gegenseitig, ohne es zu wollen. Für junge Menschen ist das schwer zu verstehen – sie möchten am liebsten immer zusammensein und alles gemeinsam tun. Mit der Zeit werden sie es selbst merken, daß das nicht geht.

Wie sonst könnte man Bewußtsein entwickeln für sich und seine Bedürfnisse – für den anderen und dessen Wünsche und Hoffnungen, als daß man darüber nachdenkt, daß man vielleicht auch einmal mit einem anderen Menschen darüber spricht, daß man etwas darüber liest. Das braucht Zeit; dafür muß man auch allein sein können, was nicht notwendigerweise Einsamkeit bedeutet. Leider wissen viele Menschen das nicht. Um ein guter Parter zu sein, *muß* man allein sein können, sonst klammert man sich an den anderen, wird zu einer Last.

Während der Pubertät kann sich ein Jugendlicher sehr einsam fühlen, deshalb stürzt er sich mit solcher Vehemenz in das Verliebtsein. Aber nicht nur Jugendlichen geht es so. Die Angst vor Einsamkeit zieht sich durchs ganze Leben, wenn man nicht gelernt hat, auch allein etwas mit sich anzufangen. In unserer Gesellschaft ist die Fähigkeit, allein zu sein ohne Angst, kein Erziehungsziel. Wir lernen in einer Gemeinschaft gut zu funktionieren, uns anzupassen, zu konsumieren. Wer dies nicht beherrscht, gilt als Außenseiter.

Gemeinsam ist man stark, fünf Finger bilden eine Faust – solche Slogans sind einerseits wahr, andererseits gefährlich, wenn sie verallgemeinert, als allgemeingültige Wahrheit angesehen werden. Aus Untersuchungen für die Auswahl von Astronauten weiß man, daß nur Menschen, die ein starkes ‚Ich' haben, also ihre Fähigkeiten und ihre Grenzen kennen und ihre Fähigkeiten innerhalb dieser Grenzen nutzen, das Alleinsein in der Raumkapsel unbeschadet aushalten. Eine Liebesbeziehung ist zwar keine Weltraumkapsel, aber manches läßt sich vergleichen. Zwei Menschen, aufeinander bezogen, in relativ engem Raum miteinander lebend, das kann man nur aushalten, wenn dieser Raum offen ist. Wenn andere Menschen hereinkommen können und wenn man hinausgehen kann. Damit ist nicht Partnertausch oder freie Liebe gemeint, sondern die Tatsache, daß Menschen mehr Anregungen brauchen als zwei sich gegenseitig geben können. Wenn sie ausschließlich aufeinander bezogen leben, verarmen sie mit der Zeit. Die Anregungen, die sie außerhalb in ihrer Arbeit finden, reichen nur bei den wenigsten aus. Es muß noch Freunde geben, andere Menschen, die man mag, mit denen man sich versteht und austauschen kann, denen man helfen kann, die einen brauchen. Sie vermindern die Liebe nicht, im Gegenteil, sie erweitern sie in den Bereich hinein, den man Nächstenliebe nennt.

Die Nächstenliebe enthält alle Elemente der Liebe. Nur eine ihrer Ausdrucksformen nicht – die sexuelle. Aus Nächstenliebe mit einem anderen zu schlafen, zeugt letztlich nicht von Nächstenliebe, auch wenn man meint, man könne damit helfen. Aus Mitleid mit dem anderen ins Bett gehen, das tut keinem von beiden gut.

Sexualität ist die Körpersprache der Liebe, und auch diese ‚Sprache' hat mehr Worte als nur Geschlechtsverkehr und Orgasmus. Körper bestehen nicht nur aus Geschlechtsorganen. Die anderen Teile des Körpers sollten ruhig mitsprechen dürfen – der Mund, die Hände, die Füße, alles, womit man etwas tun kann, was einem selbst und dem anderen Freude macht. Der Zwang zum Orgasmus – und den dann noch möglichst zur gleichen Zeit – synchron also – steigert das Vergnügen nicht. Er behindert es, weil Erfolgszwang dahintersteht und eine reizvolle und schöne Beschäftigung mit dem anderen zum Streß macht. Sexualität ist nicht nur für junge Leute schön. Sie ist es das ganze Leben lang, wenn man es will.

Streit, Eifersucht und Haß

Bisher ist es sehr friedlich zugegangen bei den beschriebenen Liebesbeziehungen. Da gab es kein lautes Wort, keinen Krach, keine Unstimmigkeiten. Sie gehören nicht notwendiger Weise zur Liebe. Aber es gibt wohl keine Liebesbeziehung, in der sie nicht auftauchen. Es gibt zwar Menschen, die sich nie streiten, nie anbrüllen und schon gar nicht tätlich werden. Die leben gefährlich. Es sind solche Menschen, die nicht gelernt haben, Auseinandersetzungen zu führen, die lieber alles in sich hineinfressen, die sich alles gefallen lassen. Auf die Dauer tut ihnen das nicht gut. Meist werden sie krank, nicht immer körperlich, aber oft – Magengeschwüre, Schlaflosigkeit, Kopfschmerzen sind typische Symptome.

Streit muß sein, auch und gerade wenn eine Beziehung gut sein soll. Es kommt nur darauf an, *wie* dieser Streit ausgetragen wird, und wie er endet. Es kann nicht sein, auch bei Liebenden nicht, daß zwei Menschen immer und in allen Dingen gleicher Meinung sind, und so wird es Meinungsverschiedenheiten geben. Manchmal in unwichtigen Angelegenheiten, manchmal in sehr

wichtigen. Weniger wichtig ist, ob man lieber Leberwurst kauft als Käse. Das läßt sich leicht regeln. Wie man zu gemeinsamen Freunden steht, zu Verwandten, zur Arbeit, zur Religion, zu Kindern, zu störenden Verhaltensweisen des Partners, das ist schon schwieriger. Darüber kann es zu sehr ernsthaften Meinungsverschiedenheiten und zu hartem Streit kommen. Auch die Stimmungslage, in der man sich befindet, und das Temperament beeinflussen Streit. Wenn man unheimlich sauer ist, wütend auf den anderen oder sich selbst, wenn es einem körperlich nicht gut geht, oder wenn man depressiv ist – das alles erlebt jeder Mensch nicht nur einmal in seinem Leben, dann streitet man anders. Da kann es schon sein, daß man brüllt, unsachlich wird oder sogar ungerecht. Das ist nur allzumenschlich; es wird immer wieder einmal vorkommen, auch wenn man sich liebt. Aber das sollte nicht die Regel sein. Auch Streiten muß gelernt werden. Deshalb ist es ganz falsch, wenn gesagt wird – Eltern sollen sich nicht streiten in Gegenwart ihrer Kinder. Kein Kind ist so dumm, daß es glaubte, die Eltern seien immer gleicher Meinung. An der Art, wie Eltern ihre Auseinandersetzungen führen, ob sie zu einer Einigung kommen, auf welche Weise, und wie sie sich verhalten, wenn sie sich nicht einigen können; ob sie dann böse den Streit einfach beenden und nicht mehr miteinander sprechen, oder ob sie es schaffen, sich trotzdem wieder zu versöhnen – daran macht ein Kind seine ersten Erfahrungen; und die wendet es dann an und erfährt, wie sein Streitpartner darauf reagiert.
Jeder weiß, daß sachliches Argumentieren bei Meinungsverschiedenheiten weiter führt als Brüllerei. Brüllen tut der, der keine Argumente mehr hat. Er könnte stattdessen sagen – dazu fällt mir nichts mehr ein. Wahrscheinlich käme er damit weiter. Wichtig ist, daß man nicht um des Streites willen streitet und weiß, daß man den anderen damit verletzen kann. Man muß bereit sein zuzugeben, daß man selbst Unrecht und der andere Recht hat. Und schließlich, „laßt die Sonne nicht untergehen über eurem Zorn", man muß sich wieder versöhnen können.
Wer nicht eifersüchtig ist, liebt nicht richtig. Das ist eine leider weit verbreitete Meinung. Eifersucht ist *kein* Zeichen von Liebe. Eifersüchtig ist nur, wer Angst hat, einen geliebten Menschen zu verlieren. Verlieren kann man nur etwas, das man hat, das einem gehört. Eifersucht ist also ein Zeichen von Besitzdenken, und gerade das sollte es bei Liebe *nicht* geben. Kein Mensch *gehört* einem anderen. Er ist kein Gegenstand, kein Bett oder eine Kommode. Nicht einmal ein Auto. ‚Wir gehören zueinander' ist etwas ganz anderes als ‚du gehörst mir'. Eine Liebesbeziehung ist ein freiwilliger Zusammenschluß von zwei Menschen, die sich lieben – nicht, die sich gehören.
Eifersucht ist auch keine angeborene Leidenschaft, gegen die sich eben nichts machen läßt. Sie hat ihre Wurzeln fast immer in Selbstunsicherheit. Wer eifersüchtig ist, befürchtet nicht nur, daß er den Menschen, den er liebt, verliert, sondern er fürchtet ebenso, daß er ihm weggenommen wird von jemandem, der besser ist als er. Oder mehr Geld hat, oder schöner ist, oder jünger, oder besser im Bett, oder gescheiter. Dabei sind diese Beigaben eines Menschen überhaupt nicht entscheidend dafür, daß man geliebt wird. „Die Schönheit liegt im Auge des Beschauers" (sagt der Dichter Jean Paul).

Der Eifersüchtige leidet im Grunde an sich selbst. An seiner Unvollkommenheit. Und darunter läßt er dann den anderen leiden. Manchmal bis zur Unerträglichkeit. Besser wäre es, er ließe sich helfen, sein Selbstwertgefühl in Ordnung zu bringen. Eifersucht, die so stark ist, daß sie andere leiden läßt, ist eine psychische Krankheit, die behandelt werden muß – wie eine Lungenentzündung oder ein gebrochenes Bein. Sie heilt nicht von allein; man kann sich auch nicht vornehmen, damit aufzuhören. Man kann sie höchstens zeitweise unterdrücken. Aber los wird man sie nicht. Der Partner kann dabei am wenigsten helfen, denn er ist das Opfer. Viele Partnerschaften sind an Eifersucht zerbrochen.
Aber ich bin doch zu Recht eifersüchtig, sagt mancher. Mein Partner ist mir nicht treu. Wenn es so ist, dann ist das nicht Eifersucht, sondern gerechtfertigtes Mißtrauen. Das müssen die beiden miteinander ausfechten.
Und wie ist es, wenn man feststellen muß, daß man seinen Partner haßt? Dann ist es ja wohl endgültig aus mit der Liebe. Es ist *nicht* aus. Haß ist nicht das Gegenteil von Liebe, auch wenn es viele meinen. Haß ist eine Form von Liebe. Keine schöne, keine hilfreiche – eine schmerzhafte und schmerzliche. Man möchte dem andern weh tun, wenn man ihn haßt. Man tut sich selbst weh, indem man haßt. Zum Partner sagen: „Ich hasse dich; am liebsten wäre mir, ich hätte dich nie getroffen", ist ein Ausdruck von Verzweiflung. Verzweiflung darüber, was aus der Liebe geworden ist, die einmal so schön begonnen hat. Da ist etwas kaputt gegangen; derjenige, der sagt: „Ich hasse dich", empfindet das. Eine kaputte Liebe ist aber immer noch Liebe, vielleicht sogar heilbar. Auch hier geht das nicht anders als bei anderen Störungen: Man muß an den Anfang zurück. Man muß die Ursachen finden, den Beginn der Veränderungen zum Falschen aufspüren, dann kann man noch einmal neu beginnen. Haß ist wie das Ende einer Sackgasse: Man kommt nicht weiter, muß sich umdrehen und zurückgehen, um wieder auf den richtigen Weg zu finden.

Seit wir beieinander sind

Wenn man bei Liebe so viel bedenken muß und auf so vieles achten, dann könnte man beinahe Angst kriegen. Wie soll ein Mensch das schaffen. Man hat ja auch noch etwas anderes zu tun. Da läßt man es doch besser so laufen, wie es kommt. Die anderen tun das doch auch – und irgendwie geht es bei denen, sie sterben nicht vor Unglück.
Das ist schon richtig – nur, wie sieht deren Liebe aus, wie lange dauert sie? Man kann auch anders herum fragen: Wie kommt es eigentlich, daß Menschen ihrem Auto so viel Aufmerksamkeit und Sorgfalt widmen? Menschen, denen ihr Auto viel bedeutet, nehmen sich auch viel Zeit für ihr Auto: sie putzen es, überprüfen, ob es in Ordnung ist, reparieren die Schäden, die sie reparieren können, bringen es in die Werkstatt, wenn das nötig ist, und lassen es überprüfen. Ein wirklicher Autofan verbringt mehr Zeit mit seinem Auto als mit seinem Partner. Er fragt nicht, warum er so viel bedenken und auf so vieles achten muß. Würde er gefragt, so würde er antworten: Das ist doch

nötig, sonst funktioniert es nicht und bricht mir eines Tages unter dem Hintern zusammen.
So gesehen, ist Liebe wie ein Auto.
Wenn einer lange nicht mehr Auto gefahren ist, dann traut er sich nicht mehr so ohne weiteres ans Steuer. „Ich bin aus der Übung gekommen", sagt er dann. Mancher hört ganz auf, weil er keine Fahrpraxis mehr hat. Er könnte sich mit einiger Mühe wieder Fahrpraxis aneignen. Wenn es ihm wichtig genug ist, macht er es.
So gesehen, ist Lieben wie Autofahren.
Lieben ist eine allen gesunden Menschen angeborene Fähigkeit, die sich etwickelt, wächst und verändert. Sie schließt Respekt vor dem anderen mit ein, so wie er ist, und Verantwortungsgefühl für ihn. Sie ist kein statischer, einmal festgeschriebener Zustand, sondern etwas Dynamisches, Aktives. Sie enthält Geben und Nehmen – wobei Nehmen nichts Passives ist. Wenn ich etwas annehme, dann bin ich ebenso aktiv wie der, der mir etwas gibt. Ich nehme es entgegen. Sie spielt sich zwischen Menschen ab, die sich auf gleicher Bewußtseinsebene befinden, und sie sollte auf Gegenseitigkeit beruhen. Sie ist nicht groß oder klein, viel oder wenig – sie ist. Sie wird nicht weniger im Lauf eines langen Lebens. Entweder sie bleibt, oder sie hört auf. Aber sie ändert ihre Ausdrucksformen. Ihre Sprache hat viele Worte. Manche bleiben das ganze Leben lang erhalten. So kann es durchaus sein, daß auch noch ein alter Mensch zu seinem Partner sagt – was er schon zu ihm gesagt hat, als beide noch jung und verliebt waren: „Zieh dich warm an!" Und der andere weiß, wie er es auch damals schon gewußt hat, daß das bedeutet: Ich liebe dich.

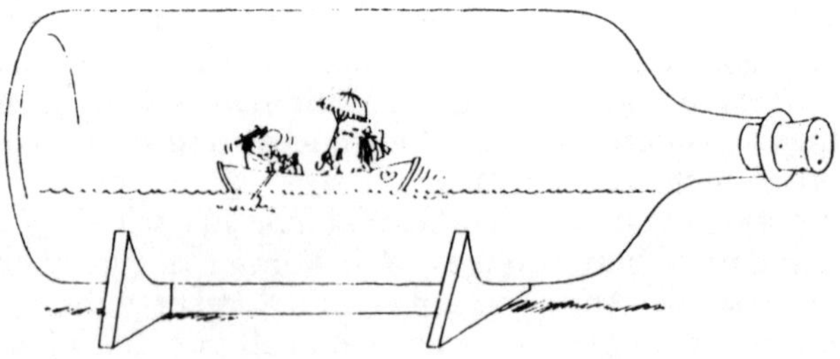

HORST HEIDTMANN

Didaktische Anmerkungen

Die Beiträge dieses Bandes sind als Lektüre, zum Selbstlesen für jüngere Leser zusammengestellt worden; sie knüpfen an den Interessen, Problemen, Erfahrungsbereichen von Jugendlichen und jungen Erwachsenen an. Die Texte sollen zur Auseinandersetzung mit dem Problembereich Liebe und Sexualität anregen, sollen helfen, Schwierigkeiten bewußt zu machen, eigene Bedürfnisse zu erkennen und zu akzeptieren, somit zu einem Selbstfindungsprozeß beitragen. Das Buch soll tradierte Verhaltensnormen und Rollenzuweisungen in Frage stellen, weder für Enthaltsamkeit noch für Sexualität im Sinne einer Leistungsanforderung eintreten. Dabei entspricht die didaktische Konzeption den in den vorstehenden „psychologischen Anmerkungen" gemachten Ausführungen. In diesem Sinne lassen sich die Texte auch im Unterricht einsetzen oder als ergänzendes Material mit heranziehen.

Die vorliegenden Texte bieten sich vor allem für den Einsatz im fachübergreifenden Unterricht an; sie lassen als Unterrichtsgegenstand kaum eine Beschränkung auf biologisch-sexualkundliche oder literar-ästhetische Aspekte zu. Liebe und Sexualität sind keine auf das Individuum beschränkte, private Lebensbereicherungen, sondern stehen in einem sozialen Bezugsrahmen. Die Behandlung von Liebe und Sexualität, bzw. untergeordneter Themenbereiche, in einzelnen Unterrichtseinheiten und Sequenzen kann daher nur angemessen unter Einbeziehung sozialer und ethischer Aspekte erfolgen: z.B. fachübergreifend in der Verbindung von Sozialkunde-, Politik-, Deutsch-und Biologieunterricht. Als Ausgangspunkt für einen solchen fachübergreifenden Unterricht eignen sich literarisch-fiktionale Texte, wie die hier zusammengestellten, besser als sachlich-informierende, da sie vielfältigere Zugangsmöglichkeiten erlauben. Eigene Erfahrungen und Probleme können sich in fiktionalen Texten u. U. deutlicher erkennen lassen als in analytischen, sind zumindest anschaulicher aufbereitet. Andererseits können durch literarische Mittel Verfremdungen erfolgen, die es Schülern leichter machen, über Liebe und Sexualität zu sprechen.

Die hier zusammengestellten Texte sind einsetzbar in der Sekundarstufe I, besonders in den Klassen 7–10; ein großer Teil der Texte ist auch für die Sekundarstufe II geeignet, zumal viele Beiträge nicht primär für jugendliche Leser geschrieben worden sind. Auf den nachfolgenden Seiten ist eine Zuordnung der einzelnen Titel zu übergeordneten Themenbereichen vorgenommen, mit Angabe der Altersstufe, ab der die Texte für den Unterricht geeignet sind. Je nach Schwierigkeitsgrad des Textes und entsprechend den literarischen Vorkenntnissen der Lerngruppe können sich hier Abweichungen ergeben. Bei komplexeren, schwierigeren Texten sowie bei weniger leseerfahrenen Schülern (z.B. im Haupt- und Sonderschulbereich) ist es denkbar, daß Geschichten vom Lehrer aufbereitet, nacherzählt, stärker auf den Erfahrungsbereich der Schüler bezogen werden. Die Herausstellung der einzelnen Themenbereiche auf den folgenden Seiten folgt z.T. vorliegenden Richtlinien für die schulische Sexualerziehung (auch in der Terminologie); in vielen Texten sind noch weitere Themen angesprochen, die ebenfalls in den Unterricht einbeziehbar sind. Abgesehen vom unterschiedlichen Schwierigkeitsgrad sind die zu den einzelnen Themenbereichen aufgelisteten Titel z.T. verschiedenen Textsorten oder Genres zuzurechnen (realistisch, grotesk, märchen- oder parabelhaft), die unterschiedliche Zugangswege erfordern, was ggf. mit Unterrichtsgegenstand werden kann. Die einzelnen, aufgelisteten, Themenbereiche lassen sich zur Grundlage entsprechender Unterrichtseinheiten machen, sei es mit allen Texten (im Vergleich o.ä.) oder sei es durch Hinzunahme zusätzlicher Materialien: z.B. trivialliterarische Darstellungen (Liebesromanhefte o.ä.), soziologische Texte über Rollenverhalten, sexualkundliches Aufklärungsmaterial.

Themenbereich	Seite	Autor: Titel	ab Altersstufe
– Erste Liebe und Freundschaft,	12	Hoel: Die Erste	13 Jahre
Begegnung der Geschlechter,	20	Rathenow: Heiraten ist blöd	13 Jahre
Entdeckung der Gefühle,	22	Grimm: Traum-Idol	13 Jahre
Schwärmen –	26	Linde: Viel zu jung für die Liebe	13 Jahre
	30	Henning: Kino und Küssen	13 Jahre
	50	Preuß: Zwischen Abend und Morgen	13 Jahre
– Entdeckung von Körper und	22	Fehrmann/Weismann: Das bin alles ich	13 Jahre
Körperlichkeit,	48	Klinkhammer: Nach dem Entzug, einer der ersten …	14 Jahre
der eigenen Sexualität;	50	Preuß: Zwischen Abend und Morgen	13 Jahre
Selbstbefriedigung	80	Rathenow: Deine Hände werden krank	12 Jahre
– Erste sexuelle Begegnung	38	Fehrmann/Weismann: Ich mag dich	14 Jahre
zwischen den Geschlechtern;	43	Marcus: 2. Weihnachtstag	14 Jahre
Petting, Geschlechtsverkehr –	78	Duperly: Kinderspiele auf Jamaica	14 Jahre
– Selbstbewußtsein	22	Fehrmann/Weismann: Das bin alles ich	13 Jahre
und Selbstliebe,	50	Preuß: Zwischen Abend und Morgen	13 Jahre
Narzißmus –	89	Frank: Die über Nacht gewachsene Liebe …	14 Jahre
	137	Frisch: Du sollst dir kein Bild machen	15 Jahre
	182	Klingler: Der verlustreiche Werterhalter	15 Jahre
– Kontaktaufnahme,	12	Hoel: Die Erste	13 Jahre
Partnersuche	26	Linde: Viel zu jung für die Liebe	13 Jahre
und -finden –	31	Zaman: Anmachen, ranmachen	14 Jahre
	76	Rathenow: Sie geht mit ihm ohne ein Wort	16 Jahre
	89	Frank: Die über Nacht gewachsene Liebe …	14 Jahre
	123	Schruff: Das Nachtgespenst und der Philosoph	12 Jahre

Themenbereich	Seite	Autor: Titel	ab Altersstufe
– Rollenverhalten,	22	Fehrmann/Weismann: Das bin alles ich	13 Jahre
geschlechtsspezifisch und sozial;	23	Reinken: Auf meinem Turm	15 Jahre
sozialbedingte Vorurteile;	30	Henning: Kino und Küssen	13 Jahre
Emanzipation,	31	Zaman: Anmachen, ranmachen	14 Jahre
Sozialisation –	32	Tocinovski: Landschaft mit Vogel	15 Jahre
	42	Astel: Dumm bleiben	14 Jahre
	43	Marcus: 2. Weihnachtstag	14 Jahre
	50	Preuß: Zwischen Abend und Morgen	13 Jahre
	82	Donovan: Er hat mich angelächelt	13 Jahre
	84	Lautenschlag: Das Andersrum	13 Jahre
	89	Frank: Die über Nacht gewachsene Liebe …	14 Jahre
	96	Wondratschek: 43 Liebesgeschichten	15 Jahre
	97	Rathenow: SieErSie	16 Jahre
	108	Morgner: Wahre Geschichte	14 Jahre
	110	Strebe: Zärtliche Barbaren	16 Jahre
	121	N. N.: Lieber Eric	13 Jahre
	137	Frisch: Du sollst dir kein Bildnis machen	15 Jahre
	151	Mundzeck: Nach Mitternacht	14 Jahre
	159	Braun: Fünf Säulen des Eheglücks	15 Jahre
	181	Pluhar: Bedingungen	14 Jahre
– Soziale Bedingtheit von	22	Grimm: Traum-Idol	13 Jahre
Liebe und Sexualität:	23	Reinken: Auf meinem Turm	15 Jahre
Umwelt, soziale Schicht,	78	Duperly: Kinderspiele auf Jamaica	14 Jahre
Kulturkreis,	118	Neumann: Windflöte	15 Jahre
Werte- und Normsystem –	123	Schruff: Das Nachtgespenst und der Philosoph	12 Jahre
	131	Kolbenhoff: Der Krieg ist aus	14 Jahre
	159	Braun: Fünf Säulen des Eheglücks	15 Jahre
	184	Calvino: Arbeiterehe	14 Jahre
	190	Kluge: Ein Liebesversuch	14 Jahre
	194	Dreiske: Die Liebe	14 Jahre
	201	Somplatzki: Wiedervereinigung	14 Jahre

Themenbereich	Seite	Autor: Titel	ab Altersstufe
– Liebe/Sexualität und	23	Reinken: Auf meinem Turm	15 Jahre
Sprache:	43	Artmann: Wie der saft einer sehr süßen frucht	15 Jahre
Sprachlosigkeit,	96	Wondratschek: 43 Liebesgeschichten	15 Jahre
Poetik,	108	Astel: Grober Unfug	13 Jahre
Pornographie,	116	Brecht: Sonett Nr. 15	14 Jahre
Werbung –	142	Hikmet: Ich liebe dich	15 Jahre
	188	Dreiske: Wir schwiegen nicht . . .	15 Jahre
– Schönheit:	23	Reinken: Auf meinem Turm	15 Jahre
Attraktivität,	32	Tocinovski: Landschaft mit Vogel	15 Jahre
Ausstrahlung,	43	Marcus: 2. Weihnachtstag	14 Jahre
Mode und Normung –	88	Wagner: Darling Ultra ist nicht schön	14 Jahre
	184	Neruda: Die Königin	15 Jahre
– Gefühle;	20	Rathenow: Heiraten ist blöd	13 Jahre
Zärtlichkeit,	26	Linde: Viel zu jung für die Liebe	13 Jahre
Sinnlichkeit;	38	Fehrmann/Weismann: Ich mag dich	14 Jahre
Küssen,	43	Artmann: Wie der saft einer sehr süßen frucht	15 Jahre
Spielen –	75	Röhner: Bedenkzeit	16 Jahre
	82	Donovan: Er hat mich angelächelt	13 Jahre
	94	Astel: Zwei verschiedene Welten	15 Jahre
	97	Mundt: Solche Liebe	15 Jahre
	110	Hahn: Anständiges Sonett	15 Jahre
	110	Strebe: Zärtliche Barbaren	16 Jahre
	111	Ritsos: Unerschöpflich	16 Jahre
	113	Ritsos: Sie taten zusammen	16 Jahre
	112	Graf: Und dann sind wir wieder unter die . . .	14 Jahre
	113	Stephan: Barrikade	14 Jahre
	118	Brecht: Morgens und abends zu lesen	12 Jahre
	166	Schalk: Alltagsszenen	14 Jahre
	184	Calvino: Arbeiterehe	14 Jahre
	198	Löffler: Das Mannequin	15 Jahre
	201	Somplatzki: Wiedervereinigung	14 Jahre

Themenbereich	Seite	Autor: Titel	ab Altersstufe
– Angst, Hemmungen;	12	Hoel: Die Erste	13 Jahre
Potenzstörungen –	30	Henning: Kino und Küssen	13 Jahre
	31	Zaman: Anmachen, ranmachen	14 Jahre
	38	Fehrmann/Weismann: Ich mag dich	14 Jahre
	42	Astel: Dumm bleiben	14 Jahre
	43	Marcus: 2. Weihnachtstag	14 Jahre
	76	Rathenow: Sie geht mit ihm ohne ein Wort	16 Jahre
	80	Rathenow: Deine Hände werden krank	12 Jahre
	156	Ziegler: Das Moped	14 Jahre
– Alleinsein, Einsamkeit,	23	Reinken: Auf meinem Turm	15 Jahre
Isolation;	48	Theobaldy: Die Bewohner	16 Jahre
Gefühlsleere,	48	Klinkhammer: Nach dem Entzug, einer der ersten ...	14 Jahre
Liebesunfähigkeit –	76	Rathenow: Sie geht mit ihm ohne ein Wort	16 Jahre
	182	Klingler: Der verlustreiche Werterhalter	15 Jahre
	190	Kluge: Ein Liebesversuch	14 Jahre
	194	Dreiske: Die Liebe	14 Jahre
– Heranwachsen,	50	Preuß: Zwischen Abend und Morgen	13 Jahre
Erwachsen werden,	88	Wagner: Darling Ultra ist nicht schön	14 Jahre
Adoleszenz,	118	Neumann: Windflöte	15 Jahre
Lösung von der Familie –	143	Herburger: Liebe	13 Jahre
	151	Mundzeck: Nach Mitternacht	14 Jahre
– Homosexualität,	82	Donovan: Er hat mich angelächelt	13 Jahre
lesbische Liebe –	84	Lautenschlag: Das Andersrum	13 Jahre
	121	N. N.: Lieber Eric	13 Jahre
	156	Ziegler: Das Moped	14 Jahre
	170	Heißenbüttel: Damenherbst	14 Jahre

Themenbereich	Seite	Autor: Titel	ab Altersstufe
– Partnerschaft,	10	Deicke: Seit wir beieinander sind	13 Jahre
feste Beziehung,	48	Theobaldy: Die Bewohner	16 Jahre
Ehe:	94	Astel: Zwei verschiedene Welten	15 Jahre
Kraft, Geborgenheit,	113	Stephan: Barrikade	14 Jahre
Vertrauen, Verständnis,	118	Brecht: Morgens und abends zu lesen	12 Jahre
emotionaler Ausgleich –	118	Neumann: Windflöte	15 Jahre
	120	Stössel: Kampflied für die Liebe	15 Jahre
	121	N. N.: Lieber Eric	13 Jahre
	130	Neruda: Dein Lachen	15 Jahre
	131	Kolbenhoff: Der Krieg ist aus	14 Jahre
	136	Brecht: Die dumme Frau	14 Jahre
	142	Hikmet: Ich liebe dich	15 Jahre
	166	Schalk: Alltagsszenen	14 Jahre
	181	Pluhar: Bedingungen	14 Jahre
	184	Calvino: Arbeiterehe	14 Jahre
– Beziehungsprobleme,	97	Rathenow: SieErSie	16 Jahre
-konflikte;	98	Wahlgren-Feldt: Mit Rücksicht auf das ...	16 Jahre
Streit, Eifersucht,	107	Morgenstern: Man verliebt sich ...	13 Jahre
Unverständnis –	112	Graf: Und dann sind wir wieder unter die ...	14 Jahre
	145	Stachowa: Schattenriß an der Tapete	13 Jahre
	159	Braun: Fünf Säulen des Eheglücks	15 Jahre
	168	Grüneberger: Ausflug	14 Jahre
	182	Klingler: Der verlustreiche Werterhalter	15 Jahre
	196	Göpfert: Geschieden	14 Jahre
– Trennung, Scheidung –	145	Stachowa: Schattenriß an der Tapete	13 Jahre
	164	Tucholsky: Aus!	14 Jahre
	171	Ullmann: Liebesgeschichte	14 Jahre
	196	Göpfert: Geschieden	14 Jahre
– Empfängnisverhütung –	38	Fehrmann/Weismann: Ich mag dich	14 Jahre

Themenbereich	Seite	Autor: Titel	ab Altersstufe
– Familie; Verhältnis Eltern (Vater, Mutter, Stiefeltern) zu Kindern; Elternliebe; Geschwisterliebe –	50	Preuß: Zwischen Abend und Morgen	13 Jahre
	78	Duperly: Kinderspiele auf Jamaica	14 Jahre
	143	Herburger: Liebe	13 Jahre
	144	Großkortenhaus: Das Kind wird wach	13 Jahre
	145	Stachowa: Schattenriß an der Tapete	13 Jahre
	151	Mundzeck: Nach Mitternacht	14 Jahre
	168	Grüneberger: Ausflug	14 Jahre
	172	Schaaf: Ruhe in Frieden	13 Jahre
– Partnerschaftsentwicklung, Altern –	166	Schalk: Alltagsszenen	14 Jahre
	167	Herburger: Ehegedicht	15 Jahre
	168	Grüneberger: Ausflug	14 Jahre
	170	Heißenbüttel: Damenherbst	14 Jahre
	171	Ullmann: Liebesgeschichte	14 Jahre
	172	Schaaf: Ruhe in Frieden	13 Jahre
	181	Pluhar: Bedingungen	14 Jahre
	181	Wolter: Eine abgeschlossene, wahre Geschichte	14 Jahre
	184	Neruda: Die Königin	15 Jahre
	184	Calvino: Arbeiterehe	14 Jahre
	188	Aber: Der alte mann	15 Jahre
– Nächstenliebe –	195	Neruda: Der Berg und der Fluß	15 Jahre
	196	Göpfert: Geschieden	14 Jahre
	198	Löffler: Das Mannequin	15 Jahre
	199	Dreiske: Sie begegnen mir wieder	15 Jahre
	200	Rommel: Brücken bauen	14 Jahre
	201	Somplatzki: Wiedervereinigung	14 Jahre

Literaturhinweise

Die Literaturhinweise beziehen sich nur auf methodisch-didaktische Arbeiten zum Bereich Liebe und Sexualität. Allgemeine Forschungsliteratur ist an anderer Stelle bibliographiert. Die Hinweise auf sexualkundliche Titel beziehen sich nur auf eine Auswahl von Arbeiten, die mit der Konzeption dieser Anthologie mehr oder minder übereinstimmen, und die für die Verwendung der hier gesammelten Texte im Unterricht Hilfestellung geben können.

1. Liebe in der Literatur

Dieter Albrecht/Ralf Schnell: „Liebe in der Literatur", in: Hans Georg Hölsken u.a. (Hrsg.): *Sprache, Literatur und Kommunikation. Kursmodelle für das Fach Deutsch in der Sekundarstufe II. Leistungskurse*, Stuttgart 1974 (Metzler), S. 115–185.

Theo Zindler: *Liebesliteratur. Ein Deutschkurs in der Sekundarstufe II*, Frankfurt 1980 (Diesterweg).

2. Trivialliteratur und Kitsch

Günter Giesenfeld: „Ein Kurs in Trivialliteratur", in: Heinz Ide (Hrsg.): *Projekt Deutschunterricht 5. Massenmedien und Trivialliteratur*, Stuttgart 1973 (Metzler), S. 177–214.

Günter Waldmann: „Der Frauenroman I: Der Frauenheftroman (8.–11. Klasse)" und „Der Frauenroman II: ‚Mimili' und der literarische ‚Kitsch'", in: ders.: *Literatur zur Unterhaltung 1. Unterrichtsmodelle zur Analyse und Eigenproduktion von Trivialliteratur*, Reinbek 1980 (Rowohlt), S. 237–320.

Klaus Kowalski: *Kitsch oder Kunst? Analysen und Unterrichtsbeispiele für die Sekundarstufe I*, Stuttgart 1976 (Klett).

3. Pornographie

Julius Mende: „Pornographie", in: Hannes Amschl/Lutz Holzinger/Julius Mende: *Schmutz und Schund im Unterricht*, Darmstadt 1973 (Melzer), S. 206–279.

4. Sprache und Sexualität

Rudolf Wenzel (Hrsg.): *Sprache und Sexualität*, Frankfurt 1975 (Diesterweg).

5. Rollenbilder

„Rollenbilder ‚Frau–Mann' im Deutschunterricht. Didaktische Ansätze und Überlegungen", in: Magdalene Heuser (Hrsg.): *Frauen – Sprache – Literatur. Fachwissenschaftliche Forschungsansätze und didaktische Modelle und Erfahrungsberichte für den Deutschunterricht*, Paderborn 1982 (Schöningh) S. 131–275.

Angelika C. Wagner u.a.: *Mann – Frau. Rollenklischees im Unterricht*, München 1978 (Urban & Schwarzenberg).

6. Pubertät

Wolfgang Wangerin: „Pubertät und Sozialisation als Thema. Vorschläge für einen Kurs mit Jugendliteratur in der Sekundarstufe II", in: *Praxis Deutsch* 29, 1978, S. 63–68.

Uta Schatteburg/Thomas Ziehe: *Psychische Konflikte Jugendlicher in der Pubertät. Kursmodelle 1*, Dortmund 1980 (Pädagogische Arbeitsstelle).

7. Sexualerziehung

Dorothea Assig u.a.: *Sexualität ist mehr. Eine Unterrichtsreihe zum Thema Sexualität für die Sekundarstufe*, Wuppertal 1979 (Jugenddienst).

Peter A. W. Figge u.a.: *Betrifft: Sexualität. Materialien zur Sexualerziehung im Medienverbund für Jugendliche, Eltern und Pädagogen*, Braunschweig 1977 (Westermann), und: *Betrifft: Sexualität. Begleitheft für Lehrer und Erzieher*, ebd.

Ulrike Kutzleb u.a.: *Zeit für Zärtlichkeit. Spielerische Übungen für Liebe und Partnerschaft. Ein neuer Zugang zur Sexualpädagogik*, Wuppertal 1977 (Jugenddienst/Pfeiffer).

Quellenverzeichnis

Wegen Adressenänderung oder Verlagsauflösung konnten im Einzelfall Rechtsinhaber nicht erreicht werden; sie bzw. die Rechtsnachfolger werden gebeten, sich zur Abrechnung des Honorars direkt mit dem Verlag in Verbindung zu setzen. Sofern nachfolgend bei den Texten nichts anderes vermerkt ist, werden die Rechte durch den Signal-Verlag vertreten.

Anne Aber: „Der alte mann", „Ich liebe dich", Originalbeiträge.
H. C. Artmann: „Wie der saft einer sehr süßen frucht", aus *Gedichte über die Liebe*, © H. C. Artmann.
Arnfried Astel: „Traumkarte für Christine", „Grober Unfug", „Dumm bleiben", „Match", „Zwei verschiedene Welten", © Arnfried Astel, Saarbrücken.
Johanna und Günter Braun: „Fünf Säulen des Eheglücks", aus *Fünf Säulen des Eheglücks*, 1976, © Johanna u. Günter Braun, Magdeburg.
Bertolt Brecht: „Morgens und abends zu lesen", „Sonett Nr. 15. Über den Gebrauch gemeiner Wörter", „Die dumme Frau", aus *Gesammelte Werke*, © Suhrkampf Verlag, Frankfurt 1967.
Italo Calvino: „Arbeiterehe", aus *Die überfallene Konditorei*, 1960, © Einaudi-Verlag, Turin, © dt. Übersetzung Nymphenburger Verlagshandlung.
Günter Deicke: „Seit wir beeinander sind", aus *Die Wolken*, 1966, © Verlag der Nation, Berlin/DDR.
Christoph Derschau: „I am inhabited by a cry", aus *Die Ufer der salzlosen Karibik*, © Verlag Pohl'n Mayer, Kaufbeuren.
John Donovan: „Er hat mich angelächelt", aus *Du sagst ja, ich sag nein*, 1976, © Benziger Verlag, Zürich/Köln.
Hans-Herbert Dreiske: „Die Liebe", „Der Wirt", „Wir schwiegen nicht", „Sie begegnen mir wieder", Originalbeiträge.
Denis Duperly: „Kinderspiele auf Jamaica", aus *34 x Schwarze Liebe*, 1968, © Verlag Bärmeier & Nikel.
Helma Fehrmann u. Peter Weismann: „Das bin alles ich", „Ich mag dich", aus *Und plötzlich willste mehr*, 1979, © Weismann Verlag – Frauenbuchverlag, München.
Karlhans Frank: „Die über Nacht gewachsene Liebe eines nicht-emanzipierten Mannes", © Karlhans Frank.
Max Frisch: „Du sollst dir kein Bildnis machen", aus *Tagebuch 1946–1949*, © Suhrkamp Verlag, Frankfurt 1950.
Yvan Goll: „Ich will nichts weiter sein", aus *Malaiische Liebeslieder*, © Langewiesche-Brandt KG Verlag, Ebenhausen bei München.
Mario Göpfert: „Geschieden", aus *Kein Duft von wilder Minze*, 1980, © Mario Göpfert.
Joachim Graf: „. . . und dann sind wir wieder unter die Bettdecke . . .", aus *djp-jugendpressematerialien* 4/1982, © Klaus Farin + Hans-Jürgen Zwingmann Verlag, Gelsenkirchen-Buer.
Susanne Grimm: „Traum-Idol", „Zweieinigkeit", Beiträge zum Wettbewerb „Liebestexte. Jugendliche schreiben über Liebe", 1981, Veranstalter: Kulturelle Jugendbildung. Amt für Jugend (Hamburger Str. 37, 2000 Hamburg 76).
Michael Großkortenhaus: „Das Kind wird wach", aus *Nachwehen*, 1982, © Michael Großkortenhaus.

Ralph Grüneberger: „Ausflug“, aus *Kein Duft von wilder Minze*, 1980, © Ralph Grüneberger.
Ulla Hahn: „Anständiges Sonett“, aus *Herz über Kopf*, nachgedruckt mit freundlicher Genehmigung der Deutschen Verlagsanstalt GmbH, Stuttgart.
Helmut Heißenbüttel: „Damenherbst“, aus *Eichendorffs Untergang und andere Märchen.* · Projekt 3/1, 2. Auflage, © Verlagsgemeinschaft Klett-Cotta, Stuttgart 1979.
Katja Henning: „Kino und Küssen“, aus *Ein Mädchen aus geordneten Verhältnissen.*
Günter Herburger: „Ehegedicht“, aus *Ziele*, dnb 82, © Rowohlt Taschenbuch Verlag GmbH 1977, Reinbek bei Hamburg./„Liebe“, aus *Lyrik-Katalog Bundesrepublik*, 1978, © Günter Herburger.
Nâzim Hikmet: „Ich liebe dich“, aus *Nâzim Hikmet: Sie haben Angst vor unseren Liedern*, 1977, © Türkischer Akademiker- und Künstlerverein e. V.
Sigurd Hoel: „Die Erste“, aus *Skandinavien erzählt*, © Gyldendal Norsk Forlag, Oslo, © dt. Übersetzung bei der Fischer Taschenbuch Verlag GmbH, Frankfurt/M.
Hans Ulrich Klingler: „Der verlustreiche Werterhalter“ aus *Die Anti-Geisterbahn*, 1973, © Hans Ulrich Klingler.
Horst Klinkhammer: „Nach dem Entzug, einer der ersten Tage im Knast“, Originalbeitrag.
Alexander Kluge: „Ein Liebesversuch“, aus *Lebensläufe*, Abdruck mit Genehmigung der S. Fischer Verlag GmbH, Frankfurt am Main.
Walter Kolbenhoff: „Der Krieg ist aus“, aus *Von unserem Fleisch und Blut*, © Walter Kolbenhoff.
Marockh Lautenschlag: „Das Andersrum“, aus *Unbeschreiblich weiblich*, 1981, © Marockh Lautenschlag.
Gunnel Linde: „Viel zu jung für die Liebe“, aus *Wie eine Hecke voller Himbeeren*, 1979, © Anrich Verlag, Modautal.
Hans Löffler: „Das Mannequin“, aus *Sinn und Form* 3/1979, © Aufbau-Verlag, Berlin/DDR und Weimar.
Maria Marcus: „2. Weihnachtstag“, aus *Das Himmelbett*, rororo panther 4906, © 1982 by Rowohlt Taschenbuch Verlag GmbH, Reinbek bei Hamburg.
Irmtraud Morgner: „Wahre Geschichte“, aus *Leben und Abenteuer der Trobadora Beatriz*, © Aufbau-Verlag, Berlin/DDR und Weimar.
Wolfgang Mundt: „Solche Liebe“, aus *Auswahl 80. Neue Lyrik*, 1980, © Verlag Neues Leben, Berlin/DDR.
Heike Mundzeck: „Nach Mitternacht“, Orginalbeitrag.
Pablo Neruda: „Der Berg und der Fluß“, „Dein Lachen“, „Die Königin“, aus *Liebesgedichte*, deutsch von Fritz Vogelsang, © Hermann Luchterhand Verlag, Darmstadt und Neuwied, 1977.
Margarete Neumann: „Windflöte“, aus *Windflöte und andere Geschichten*, © Aufbau-Verlag, Berlin/DDR und Weimar.
N. N.: „Lieber Eric“, Originalbeitrag.
Erika Pluhar: „Bedingungen“, aus *Aus Tagebüchern*, 1981, © Erika Pluhar.
Gunter Preuß: „Zwischen Abend und Morgen“, aus *Die großen bunten Wiesen*, 1976, © Verlag Neues Leben, Berlin/DDR.
Lutz Rathenow: „Heiraten ist blöd“, „Deine Hände werden krank“, aus *Mit dem Schlimmsten wurde schon gerechnet*, 1982, © Verlag Ullstein GmbH./„Sie geht mit ihm ohne ein Wort“, „SieErSie“, © Lutz Rathenow.
Brigitta Reinken: „Auf meinem Turm“, Beitrag zum Wettbewerb „Liebestexte.

Jugendliche schreiben über Liebe", 1981, Veranstalter: Kulturelle Jugendbildung. Amt für Jugend (Hamburger Str. 37, 2000 Hamburg 76).
Jannis Ritsos: „Unerschöpflich", „Sie taten zusammen die Lippen", aus *Kleine Suite in rotem Dur*, 1982, © Jannis Ritsos, Athen, © dt. Übersetzung Verlag Volk und Welt, Berlin/DDR.
Regina Röhner: „Bedenkzeit" aus *Kein Duft von wilder Minze*, 1980, © Regina Röhner.
Hanni Schaaf: „Ruhe in Frieden", Originalbeitrag.
Gisela Schalk: „Alltagsszenen", aus *EMMA Sonderband Sexualität* 1982, © Emma Frauen Verlags GmbH.
Sabine Schruff: „Das Nachtgespenst und der Philosoph", Originalbeitrag.
Herbert Somplatzki: „Wiedervereinigung", aus *Schwerfällig kroch der Mutant*, © Herbert Somplatzki.
Angela Stachowa: „Schattenriß an der Tapete", aus *Stunde zwischen Katz und Hund*, © Mitteldeutscher Verlag, Halle (Saale) 1976.
Martin Stephan: „Barrikade", aus *Schiffe gehen gelegentlich unter*, 1975, © Aufbau-Verlag, Berlin/DDR und Weimar.
J. P. Stössel: „Kampflied für die Liebe", aus *Kürbiskern* 4/1982, © Damnitz Verlag GmbH, München.
Rosemarie Strebe: „Zärtliche Barbaren" (Auszüge), aus *Ästhetik und Kommunikation* 40/41, 1980, © Ästhetik und Kommunikation Verlags-GmbH.
Jürgen Theobaldy: „Die Bewohner", aus *Zweiter Klasse*, 1976, © Rotbuch Verlag Berlin.
Vasil Tocinovski: „Landschaft mit Vogel", aus *Erkundungen. Jugoslawische Erzähler*, 1979, © Vasil Tocinovski, c/o Agencja Autorska, Belgrad, © dt. Übersetzung Verlag Volk und Welt, Berlin/DDR.
Kurt Tucholsky: „Aus!", aus: Kurt Tucholsky *Gesammelte Werke Band III* (S. 345), © 1960 by Rowohlt Verlag GmbH, Reinbek bei Hamburg.
Liv Ullmann: „Liebesgeschichte" aus *Wandlungen* von Liv Ullmann, erschienen im Scherz Verlag Bern und München.
Richard L. Wagner: „Darling Ultra ist nicht schön", aus *Darling Ultra*, © S!A!U! -Verlag Eckhart Schmidt.
Anna Wahlgren-Feldt: „Mit Rücksicht auf das Privatleben einer Ehefrau", aus *Zum Beispiel Liebe*, 1971, © Albert Bonniers Förlag AB, Stockholm, © dt. Übersetzung Verlag Volk und Welt, Berlin/DDR.
Manfred Wolter: „Eine abgeschlossene, wahre Geschichte", aus *Der vierzigfädige Tod*, 1977, © Eulenspiegel Verlag, Berlin/DDR.
Wolf Wondratschek: „43 Liebesgeschichten", aus: Wolf Wondratschek *Früher begann der Tag mit einer Schußwunde*, Reihe Hanser 15, © 1969, 9. Aufl. 1979, Carl Hanser Verlag, München.
Holger Zaman: „Anmachen, ranmachen", Beitrag zum Wettbewerb „Liebestexte. Jugendliche schreiben über Liebe", 1981, Veranstalter: Kulturelle Jugendbildung. Amt für Jugend (Hamburger Str. 37, 2000 Hamburg 76).
Alexander Ziegler: „Das Moped" aus *Kein Recht auf Liebe*, 1978, © Schweizer Verlagshaus Zürich.

Bildnachweis

Fotos

S. 17, 174 Hanne-Lore von Canitz.
S. 18, 35, 72, 139, 140, 191 Michael Meyborg.
S. 36 Werner Haertel.
S. 53, 54, 106 Volker Schöbel, aus: Gisela Schmeer/Volker Schöbel: JUGENDLICHE, © Verlag Klett-Cotta, Stuttgart 1978.
S. 71, 192 Michael Zimmer.
S. 105 Werner A. Kilian.
S. 173 Thomas A. Merk.

Karikaturen

S. 21, 30 F. K. Waechter, aus: WAHRSCHEINLICH GUCKT WIEDER KEIN SCHWEIN, © Diogenes Verlag 1978.
S. 81, 87, 170 Rauschenbach, aus: ELEFANTEN-PRESS KARICARTOON 1983.
S. 96 Tetsche (Fred Tödter), aus: ELEFANTEN-PRESS KARICARTOON 1983.
S. 116 Saul Steinberg: Der Akt der Letter.
S. 201 Hildebrandt, aus: ELEFANTEN-PRESS KARICARTOON 1983.
S. 226 Mordillo, © Stalling Verlag.